Lettre
sur les aveugles

à l'usage de ceux qui voient

Lettre sur
les sourds et muets

à l'usage de ceux qui entendent
et qui parlent

*Du même auteur
dans la même collection*

© Flammarion, Paris, 2000, pour la présente édition
ISBN : 2-08-071081-8

DIDEROT

Lettre
sur les aveugles
à l'usage de ceux qui voient

Lettre sur
les sourds et muets
à l'usage de ceux qui entendent et qui parlent

PRÉSENTATION
NOTES
DOSSIER
CHRONOLOGIE
BIBLIOGRAPHIE

par Marian Hobson et Simon Harvey

GF Flammarion

DIDEROT

Lettre
sur les aveugles
à l'usage de ceux qui voient

Lettre sur
les sourds et muets
à l'usage de ceux qui entendent
et qui parlent

GF Flammarion

1749 : L'ARRESTATION

Le matin du 24 juillet 1749, après perquisition et interrogatoire à son domicile, rue de la Vieille-Estrapade, Diderot, « auteur du livre de l'Aveugle », est conduit au donjon du château-prison de Vincennes. Après quatorze jours dans une cellule, il cesse de réfuter les accusations. Traité en prisonnier ordinaire, confiné à l'intérieur du château et de ses enceintes, il peut recevoir des visites, notamment celle de Rousseau. Le 3 novembre, il est relâché. Le gouvernement – le comte d'Argenson, le gouverneur de Vincennes et Berryer, lieutenant général de police – avait reçu des requêtes pour sa libération émanant, d'une part, des « Libraires associés » qui, embarqués dans une grande entreprise d'édition, l'*Encyclopédie ou Dictionnaire raisonné des arts, des sciences et des métiers*, craignaient que la détention de celui qui en était l'éditeur en chef « entraîn[ât] leur ruine » ; d'autre part d'un groupe d'intellectuels, parmi lesquels, probablement, trois scientifiques très distingués, Clairaut, d'Alembert et Buffon et, certainement, Voltaire ainsi que sa compagne, la marquise du Châtelet[1].

L'arrestation et l'élargissement de Diderot reposent donc sur une problématique complexe. D'abord économique : les livres désapprouvés par le gouvernement ou par la Sorbonne étaient souvent imprimés hors de France, à Amsterdam, à Berlin, à Londres. L'*Encyclopédie*, que Diderot dirigeait avec

---

1. Diderot D., *Correspondance*, éd. Roth, Paris, Éditions de Minuit, 1955-1970, t. I, p. 81-97.

d'Alembert (le contrat avait été signé le 16 octobre 1747), était déjà financièrement une grosse affaire [1] ; l'abandon du projet ou son transfert hors de France aurait entraîné des pertes considérables pour l'économie parisienne. L'autre raison relève à la fois des principes et de la politique, en tout cas pour le directeur de la Librairie, Malesherbes, soucieux de respecter l'équilibre entre les différents partis intellectuellement influents. Qu'à la tête du projet se trouve Diderot, fils d'un coutelier langrois, ex-étudiant en théologie, mathématicien publié, auteur d'un roman licencieux et de plusieurs textes d'une orthodoxie plus que douteuse, en dit long sur le décloisonnement des savoirs comme sur la fermentation intellectuelle, qui rend difficile la résistance des autorités à certaines pressions ou, plus probablement, encourage leur complicité. L'*Histoire naturelle* de Buffon commence à paraître à peine plus tard la même année : elle est régulièrement dénoncée par les partis religieux et tout aussi régulièrement produite par les soins de l'Imprimerie royale, donc sans passer par la censure. Mais il y a plus : une guerre coloniale franco-anglaise qui évolue mal, après la paix peu populaire conclue pour mettre fin au conflit, d'échelle européenne, pour la succession d'Autriche. Rétrospectivement, l'année 1749 paraîtra aux témoins comme une sorte de tournant, coïncidant avec le début d'une « suite d'événements malheureux qui peu à peu ôtèrent [...] au gouvernement cette approbation, cette estime publique dont il avait joui jusque-là [...]. Ce fut alors que s'éleva parmi nous ce que nous avons nommé l'empire de l'opinion publique [2] ».

Pourquoi « le livre de l'Aveugle » fut-il la « dernière goutte d'eau qui a fait répandre le

1. Darnton R., *L'Aventure de l'Encyclopédie, 1775-1800 : un best-seller au siècle des Lumières*, Paris, Perrin, 1982.
2. Wilson A.-M., *Diderot, sa vie et son œuvre*, Paris, Robert Laffont, Bouquins, 1985, p. 80, qui cite l'historien Rulhière, 1787.

vase[1] » ? Il porte des traces légères, mais reconnaissables, des tensions politico-religieuses qui opposent les biologistes Réaumur[2], observateur et croyant, et Buffon[3], athée et constructeur de synthèses. La *Lettre sur les aveugles* commence par une critique de Réaumur pour son manque d'esprit communautaire dans la poursuite de la connaissance scientifique. Dans la société cancanière qu'était le Paris scientifique des années 1750, il est significatif que, selon une des versions de l'emprisonnement de Diderot, la lettre de cachet[4] aurait été émise à la demande de Réaumur, poussé par une amie. Il n'en fallait sans doute pas autant. La *Lettre* porte un sous-titre provocateur – « à l'usage de ceux qui voient » – que les lecteurs ne manquaient pas d'appliquer à la clairvoyance ou à la cécité, en matière religieuse, des contemporains. Car le siècle des Lumières, comme il se plaisait déjà à s'appeler, est un siècle où le doute et l'incrédulité vont en augmentant. Le curé de l'ancienne paroisse de Diderot avait dénoncé ce dernier à la police par deux fois, tant pour s'être marié à l'insu de ses parents que pour son livre des *Pensées philosophiques* (1746), condamné à être « lacéré et brûlé comme scandaleux et contraire à la religion et aux bonnes mœurs[5] ».

Il y a ici un problème : même si Diderot, selon son curé, « parlait contre les mistaires [*sic*] de notre religion avec mépris », l'attitude de la *Lettre* est loin d'être celle d'un athéisme franc et vulgaire.

---

1. Wilson A.-M., *Diderot, sa vie et son œuvre, op. cit.*, p. 94, qui cite l'abbé Trublet.
2. Sur Réaumur, voir la notice du Dossier, p. 233.
3. Sur Buffon, voir la notice du Dossier, p. 201.
4. Lettre close ou scellée au cachet du roi, contenant un ordre d'emprisonnement ou d'exil relatif à un particulier. Souvent utilisée pour régler des disputes ou pour calmer des écervelés dans une famille, plutôt qu'à des fins politiques, elle était néanmoins un acte d'autorité puissant, marqué par l'arbitraire : la cause de l'arrestation n'était pas fournie au prisonnier ; la détention était sans terme fixe ; surtout, le détenu ne pouvait communiquer avec qui que ce fût.
5. Diderot D., *Correspondance*, éd. cit., t. I, p. 53.

Elle est complexe et difficile à déchiffrer. Car Diderot côtoie plutôt, dans les œuvres de certains membres du cercle de Newton, une pensée qui varie du déisme de Clarke aux spéculations de Raphson[1] et à sa divinisation de l'espace[2]. Il est difficile de savoir d'où venaient les informations de Diderot sur ce cercle (selon nous, l'intermédiaire serait Buffon qui, dans la préface à sa traduction de Newton, semble informé des discussions sur la relation entre les mathématiques et l'incroyance en Angleterre dans les années 1730). Autour du personnage le plus marquant de sa *Lettre*, le géomètre anglais aveugle Saunderson (1682-1740)[3], Diderot déploie différentes attitudes envers la religion – du refus des preuves habituelles (l'ordre et la beauté du monde racontent la grandeur de Dieu) à une salutation adressée au Dieu de Newton et de Clarke, en passant par la vision hallucinante d'un monde sans symétrie, dont l'ordre n'est que passager et aléatoire.

Quelle est la raison de ces différentes approches ? Indécision ? dissimulation forcée par les milieux orthodoxes ? Pour Richard Glauser, dans un article important[4], la position finale du Diderot de la *Lettre sur les aveugles* serait le scepticisme, une sortie de l'oscillation entre le déisme, l'athéisme et le scepticisme manifestée par les *Pensées philosophiques*, une décision pour le doute. Nous essayerons de suggérer plus loin qu'au contraire la *Lettre* n'aboutit pas à une position qui décide même pour le scepticisme ; que, comme la *Lettre sur les sourds et muets*, elle est moins une affirmation avec thèse et thèmes qu'un parcours à travers différentes positions et une réflexion critique sur certaines opinions des contemporains : un

---

1. Sur Raphson, voir notice « Les newtoniens de Cambridge » dans le Dossier, p. 215 et p. 220.
2. Voir Koyré A., *Du monde clos à l'univers infini*, Paris, Gallimard, 1973.
3. Sur Saunderson, voir la notice du Dossier, p. 215.
4. Glauser R., « Diderot et le problème de Molyneux », *Études philosophiques*, 1999, p. 291-327.

« labyrinthe » comme l'appelle la deuxième *Lettre*. Plutôt qu'une série d'acquis et une sorte de capital intellectuel, ce serait une performance. Une performance à deux temps, comme le suggère le parallélisme des titres et la publication simultanée des lettres dans le deuxième volume de l'édition que nous utilisons, l'édition « z », *Œuvres philosophiques et dramatiques de M. Diderot*, Amsterdam, 1772, une publication probablement surveillée par Diderot lui-même[1]. Les éditions récentes ont tendance à disjoindre ces deux volets ou à négliger le deuxième, qui a été réimprimé beaucoup moins souvent. C'est méconnaître le réseau de problèmes qui leur est commun. Il est vrai qu'il y a aussi des différences : la *Lettre sur les aveugles* est bien construite, la *Lettre sur les sourds et muets* plus sinueuse et détournée ; mais dans la première travaille en sourdine le thème qui va s'épanouir dans la seconde : la question du langage.

LA *LETTRE SUR LES AVEUGLES* : L'ORDRE DES SENS

La *Lettre* a souvent été critiquée pour son manque d'organisation. En fait, son désordre n'est qu'apparent, un désordre mimé, pourrait-on dire. La forme de la lettre fait passer les digressions pour autant de libertés dans une conversation. Lu de plus près, le texte s'agence fermement en trois parties, qui répondent chacune à une question fondamentale pour le siècle. Le philosophe anglais Locke (1632-1704) avait refusé la conception cartésienne de l'intelligence comme une sorte de logiciel, une structure intellectuelle formée par les idées innées

1. Leigh R.A., « A neglected eighteenth-century edition of Diderot's works », *French Studies*, 1952, p. 148-151, et Vercruysse J., « Recherches bibliographiques sur les premières éditions des *Œuvres complètes* de Diderot, 1772-1773 », *Essays on Diderot and the Enlightenment in honor of Otis Fellows*, Genève, Droz, 1974, p. 363-385.

et la raison. C'est au contraire l'expérience qui fournit nos idées et la forme majeure de l'expérience est la sensation. Mais les témoignages des sens diffèrent-ils entre eux ? Diderot, attiré sans doute par les possibilités de badinage qu'offraient la vision et sa signification spirituelle, inspiré peut-être par ce qu'il savait des travaux de Buffon sur l'ouïe et sur la vue publiés en été 1749 dans le troisième volume de l'*Histoire naturelle*, pose la question au sujet du regard. L'esprit peut-il par exemple reconstituer par l'ouïe ou le tact l'information que la vue nous donne immédiatement ? Ou les différents sens et les données qu'ils fournissent sont-ils qualitativement distincts ? Plus tard, le philosophe Condillac[1], ancien ami de Rousseau et de Diderot, s'essayera dans son *Traité des sensations* (1754) à la gageure de reconstruire hypothétiquement notre connaissance et nos capacités intellectuelles à travers les renseignements que nous donnerait un seul sens, l'odorat (tentative qui a pu paraître jusqu'à tout récemment purement méthodique, mais qui semble aujourd'hui présciente, maintenant que le scanning du cerveau montre que l'odorat accède directement au cortex)[2]. Cela revient à postuler une structure commune à l'expérience des sens. Dans ses *Aveugles* comme dans ses *Sourds et muets*, Diderot insiste au contraire sur leur différence ; toute sa vie il attribuera d'ailleurs une espèce d'autonomie physiologique aux différents éléments du corps – ainsi dans son roman *Les Bijoux indiscrets*, où les parties honteuses de la femme ont la capacité de parler. À l'encontre de Condillac, il présente divers aveugles et deux types de mutisme, d'où la forme d'anecdote contrôlée que prennent certaines parties des deux *Lettres*. D'un de ses aveugles, il dit : « il ne se passe rien dans sa tête d'analogue à ce qui se passe dans la

---

1. Sur Condillac, voir notice du Dossier, p. 204.
2. Voir Freeman W., *How Brains Make up Their Minds*, Londres, Weidenfeld et Nicolson, 1999.

nôtre.[1] » L'expérience est différenciée par les modes sensoriels qui la produisent et la réponse à cette expérience varie en conséquence.

Le premier tiers de la *Lettre* montre que les sens individualisent le savoir et le comportement, et cela d'une manière qui peut offusquer aujourd'hui encore. Notre pitié dépendrait de la distance et de la grandeur relatives de l'objet. L'aveugle n'aurait donc pas nécessairement la même morale que les voyants, puisque sa sympathie ne pourrait être engendrée par la vue d'un objet pitoyable ; qui plus est, ses attitudes envers la pudeur et la jalousie sexuelle, comme envers le vol, seraient tout à fait autres. Diderot ajoute que l'appréciation de l'ordre et de la symétrie sont pour l'aveugle une « affaire de pure convention » rendue possible par le langage. D'où le passage au deuxième tiers de la *Lettre*, la section qui traite du géomètre aveugle.

Saunderson utilise une « arithmétique palpable », une espèce d'abaque qu'il a inventée[2] et qui lui sert de notation ; le tact et le souvenir des sensations tactiles sont les impressions sur lesquelles son calcul est basé. On est tenté de conclure que le personnage de Saunderson sert à Diderot à démontrer que les mathématiques forment une structure intellectuelle unique, accessible aux différents sens. Et pourtant, dans cette section de sa *Lettre*, Diderot examine non cette structure mais sa notation ; et il ne pose pas la question de l'existence d'un ordre intellectuel mais celle d'un ordre métaphysique. À ce stade, il dépasse la religion des déistes, Newton, Leibniz, Clarke « et quelques-uns de ses compatriotes », pour admettre un ordre dans l'univers qui est le résultat d'une histoire au développement irrégulier, avec des impasses et des détours qui font émerger des monstres, parmi lesquels le monstre aveugle, des êtres sans avenir et sans lignée stables qui disparaisssent en cours de route.

---

1. P. 40.
2. Voir les planches, p. 44.

Cette vision préévolutionniste est étonnante et reste encore à évaluer : à l'encontre de certaines théories du XIXᵉ siècle, le développement ne s'identifie pas au progrès. Il nous semble que cette vision va à l'encontre du temps et de l'espace absolus de Newton, qui servaient à garantir la causalité[1], car l'ordre chronologique de Diderot n'est pas un ordre stable et le temps et l'espace ne sont « peut-être qu'un point[2] ».

Dans la dernière section de la *Lettre*, Diderot se tourne vers une question qui a intrigué son siècle et qui connaît un regain d'intérêt dans le nôtre[3]. Sa discussion soulève le problème de la relation entre les sens d'une façon moins personnelle et plus rigoureuse que dans la première section. Le savant irlandais Molyneux[4] avait posé à Locke la question qui porte son nom : un aveugle-né qui pouvait distinguer une sphère et un cube par le toucher et à qui on aurait restauré la vue pourrait-il les reconnaître, en les regardant seulement sans les toucher ? Pour Locke, l'homme doit apprendre par l'expérience à corréler sensations visuelles et sensations tactiles ; la distance, dit-il, n'est pas visible directement mais seulement connue par l'expérience. Diderot pousse la réflexion sur le problème beaucoup plus loin que la plupart, sinon la totalité, de ses contemporains[5]. À la fin de la *Lettre*, il remarque que la géométrie d'un aveugle est identique à celle des voyants. On pourrait croire qu'il prend la même position sur le problème de Molyneux que Leibniz dans les *Nouveaux Essais sur l'entendement*

1. Coveney P. et Highfield R., *The Arrow of Time : the Quest to Solve Science's Greatest Mystery*, Londres, Harper Collins, 1990, p. 64.
2. P. 65.
3. Voir Evans G., « The Molyneux Question », dans *Collected Papers*, Oxford, Clarendon Press, 1985, p. 364-399, et Proust J. (éd.), *Perception et intermodalité : approches actuelles de la question de Molyneux*, Paris, PUF, 1997.
4. Sur le problème de Molyneux, voir notice du Dossier, p. 226-228.
5. Mérian J.B., *Sur le problème de Molyneux* (1770), éd. F. Markovits, Paris, Flammarion, 1983, et Glauser R., « Diderot et le problème de Molyneux », art. cit.

humain : la géométrie visible d'un paralytique serait identique à celle du toucher d'un aveugle. L'expérience sensorielle aurait une structure profonde identique pour tous les sens. Or, la conclusion de cette *Lettre* semble en fait reposer sur une perspective tout autre. Car cette remarque est précédée par une autre, méthodologique, qui, quoiqu'elle semble à première vue la renforcer, mène en fait à une position différente : lorsqu'on se propose de prouver quelque proposition d'« éternelle vérité, comme on les appelle », il faut établir la démonstration « en la privant du témoignage des sens ». Mais tout de suite, par l'exemple de celui qui n'aurait point le sens du toucher, Diderot observe que celui-ci pourrait quand même construire sa preuve par la géométrie « s'il en fût instruit ». Les mathématiques ou la forme intellectuelle qu'elles représentent ne sont pas accessibles immédiatement, mais par l'instruction. Et Diderot envisage le cas extrême de l'individu dont le toucher et la vue seraient en contradiction et pour qui les notions de forme, d'ordre, de symétrie, de beauté, de laideur seraient flottantes, de telle sorte qu'il ne saurait attribuer une forme objective et absolue aux objets : « Il serait par rapport à ces choses, ce que nous sommes relativement à l'étendue et la durée réelle des êtres. » La fin de la *Lettre* nous place, semble-t-il, dans un ordre radicalement individualisé par le corps, sans garantie d'homogénéité.

La géométrie n'est donc pas une convention, mais une pratique et une théorie à la fois dont l'accès est ouvert par l'éducation. La relativisation par le corps dont nous venons de parler, et que semble affirmer Diderot, est mitigée par le langage. L'aveugle de Puiseaux sait utiliser le terme « beau » non par l'expérience mais par une espèce d'extrapolation.

> À force d'étudier par le tact la disposition que nous exigeons entre les parties qui composent un tout, pour l'appeler beau, un aveugle parvient à

faire une juste application de ce terme. Mais quand il dit *cela est beau*, il ne juge pas, il rapporte seulement le jugement de ceux qui voient[1].

En somme, ce serait le langage qui rendrait possible notre connaissance de ce qui se passe à l'intérieur des autres, mais au prix d'une compréhension qui serait une espèce de banalisation à travers la convention que sont les mots : « Voilà ce que j'ai toujours nommé carré…[2]. » L'aveugle n'a pas accès au sens « direct » ou non métaphorique d'une expression, ni à celui d'une supposition scientifique ; en fait, suggère Diderot, c'est par ce genre de métaphore ou de modèle, comme on dirait aujourd'hui, que le passage des phénomènes physiques à leur traitement géométrique devient possible. Les « vérités éternelles » des mathématiques ne sont donc pas des vérités de convention ; mais leur sens précis est difficile à déployer sans référence aucune aux sens et au langage ; la tradition mathématique ouvre ces vérités à celui qui en serait instruit, mais sans cette instruction, il est difficile à l'aveugle de distinguer le cube de la sphère par le toucher, comme à celui qui n'a pas le tact, par la vue. C'est la science comme institution sociale, par son héritage de recherches et sa tradition pédagogique, c'est son gardien, le langage, qui rendraient possible la construction des preuves.

LA *LETTRE SUR LES SOURDS ET MUETS* : L'ORDRE DU LANGAGE

Nous l'avons dit, la deuxième *Lettre* « à l'usage de ceux qui entendent et qui parlent », a été séparée de sa jumelle dans la réception moderne de Diderot. À tort, croyons-nous.

D'abord, comme sa sœur, plus que sa sœur, elle s'enracine dans une question de politique intellectuelle. Elle fait partie d'une suite de publications et

---

1. P. 30.
2. P. 79.

d'événements qui déboucheront non sur une deuxième arrestation de Diderot mais sur une suspension de l'*Encyclopédie*, survenue le 7 février 1752. Car les Jésuites et leur organe, le *Journal de Trévoux*, ont critiqué sèchement le premier volume, sorti le 28 juin 1751 ; ils s'efforçaient de ruiner les prétentions de Diderot à l'originalité, à l'érudition et, bien sûr, à l'orthodoxie (le volume avait pourtant passé par la censure). Les Jésuites sont les éducateurs incontestés dans la capitale, renommés surtout pour l'enseignement de la rhétorique et des langues classiques. Or, la *Lettre sur les sourds et muets* représente une incursion sur ce terrain, car une bonne moitié du texte traite des effets poétiques, des problèmes de traduction de la poésie et de ce qui est en train de s'imposer comme une discipline nouvelle, l'esthétique. Elle est un repère important dans l'histoire de l'explication de texte comme méthode pédagogique. Plus que la *Lettre sur les aveugles*, elle prend position dans des débats contemporains, non pas un « problème » bien déterminé comme celui de Molyneux, mais des questions littéraires : la valeur de la poésie antique en comparaison avec la moderne (vestige de la Querelle des Anciens et des Modernes) ; la valeur poétique et dramatique du récit de Théramène dans la *Phèdre* de Racine ; la personnification des objets inanimés dans la poésie moderne et sa relation avec les croyances religieuses – le vers « Le flot qui l'apporta recule épouvanté » est-il approprié dans une époque qui ne croit pas aux dieux des océans [1] ? Les très nombreuses citations en latin, en grec, comme en français, signalées déjà dans l'épître liminaire à l'éditeur, ont une conséquence précise ; non seulement la *Lettre* intervient dans les querelles qui étaient plus ou moins une chasse gardée des érudits et des critiques de l'époque, presque tous des

---

1. Sur ces trois questions, voir notice « Les querelles littéraires » dans le Dossier, p. 229.

prêtres[1], mais elle oppose une espèce de démenti à des personnages en vue : l'abbé Batteux, qui venait d'être nommé professeur de philosophie ancienne au collège de France, et le père Berthier, qui était alors aux trousses de l'*Encyclopédie*. Diderot ne pouvait que comparer sa propre carrière à celle de Batteux : l'emprisonnement à Vincennes contre une place stable, des articles fondamentaux sur l'histoire de la philosophie pour l'*Encyclopédie* contre une œuvre prudente de rhéteur. Quant au père Berthier, courageux et irascible, il cherchait sans doute à prendre en main l'*Encyclopédie* tout entière, puisque ses éditeurs, Diderot et d'Alembert, avaient refusé à la Compagnie la rédaction des articles sur la théologie[2]. La turbulence était aggravée par les agissements du parti janséniste, fort au Parlement, ennemi des Jésuites comme des philosophes. Malgré les efforts conciliateurs, notamment du père Castel, la querelle allait continuer jusqu'à la révocation du privilège de l'*Encyclopédie* en 1759.

Les personnages de sourds-muets dans la *Lettre* ont bien moins de relief que les aveugles des *Aveugles* : un sourd-muet « de convention » ; un autre qui ne peut ni parler ni entendre, mais sur lequel nous n'avons aucun détail et qui, contrairement à l'aveugle de Puiseaux, risque d'être inventé. Diderot n'a pas construit une plate réplique de ses *Aveugles* : ce n'est pas le sens de l'ouïe qui est primordial ici, mais la question du langage. Souterraine dans les *Aveugles*, elle est devenue le centre de l'enquête.

Premier objet discuté : l'inversion dans la phrase. Les enfants à qui l'on enseigne le latin apprennent à le décoder, à replacer les mots dans un autre ordre, celui du français. L'ordre des mots en français est-il donc inversé par rapport au latin ? La question de savoir si l'ordre primordial,

---

1. Voir notice « Les rhéteurs-prêtres » dans le Dossier, p. 234.
2. Wilson A.-M., *Diderot, sa vie et son œuvre, op. cit.*, chap. XII.

« naturel », de la phrase appartient au latin ou au français est déjà ancienne à l'époque. Pour ceux qu'il est convenu d'appeler les « grammairiens-philosophes [1] », les rédacteurs des articles de grammaire de l'*Encyclopédie*, Dumarsais en tête, l'ordre « significatif » ou « analogue » ou, dans la terminologie de Diderot, « naturel », est un ensemble stable de relations logiques, les « vues de l'esprit », qui relient les idées. C'est un ordre abstrait et universel, dont la formulation dans chaque langue est différente, mais que l'ordre du français reproduit de très près [2].

On s'aperçoit donc que la question de l'inversion présente pour Diderot un problème parallèle à celui de la *Lettre sur les aveugles* : y a-t-il une structure épistémique commune aux sens ? Y a-t-il une structure sémantique commune aux différentes langues ? Diderot semble dans sa *Lettre* s'attaquer à Batteux comme porte-parole d'une conception de l'ordre sémantique qui va à l'encontre des articles sur la linguistique de l'*Encyclopédie*. Mais en fait, il met en question l'équivalence que postule celle-ci entre ordre « naturel » et ordre du français, et différencie la notion d'inversion en parlant de « l'inversion, proprement dite, ou l'ordre d'institution, l'ordre scientifique et grammatical [3] ». L'ordre français de la phrase tout aussi bien que l'ordre latin est donc d'« institution » et s'insère dans une histoire des mentalités pédagogiques, car il s'est développé dans un temps, le XVIIe siècle, où régnait une philosophie néo-aristotélicienne :

> Nous sommes peut-être redevables à la philosophie péripatéticienne, qui a réalisé tous les êtres généraux et métaphysiques, de n'avoir presque

---

1. Voir notice, dans le Dossier, p. 212.
2. L'intérêt qu'on prend pour ces textes a été relancé par le livre de N. Chomsky, *La Linguistique cartésienne, un chapitre de l'histoire de la pensée rationaliste*, Paris, Le Seuil, 1969 (éd. originale 1966), qui suggérait que l'ordre « naturel » des « grammairiens-philosophes » se rattache à la « structure profonde » de la linguistique générative.
3. P. 106.

plus dans notre langue de ce que nous appelons des inversions dans les langues anciennes[1].

Comme la géométrie à la fin de la *Lettre sur les aveugles*, dans la discussion du problème de Molyneux, nous donnait accès à une structure fondamentale, mais après une éducation et non par introspection ou par anamnèse, l'ordre naturel du langage se serait reconverti en un ordre dû à une pratique de la théorie ancrée dans une tradition.

Mais Diderot va plus loin que son collègue Dumarsais et que Batteux son rival, plus loin peut-être que sa *Lettre* précédente. L'ordre naturel ou analogue des grammairiens-philosophes est décalé par rapport à un autre ordre, radicalement individuel celui-ci : c'est la relation entre la pensée et le langage. Pour Diderot, ce n'est pas à travers la structure de l'ordre abstrait, « analogue » de la langue, qu'on atteint la structure de la pensée : celle-ci n'est pas identique à l'ordre, qui est imposé au langage, et donc à la pensée, par l'évolution des langues. La langue, l'évolution des langues analysent la pensée et l'affectent irréversiblement. D'où la possibilité de deux relations : un processus d'évolution, dans lequel le langage s'approcherait toujours plus de la pensée ; un autre, dans lequel le développement influerait sur l'idée qu'on a de la pensée et ainsi sur la pensée même. D'où aussi une perspective fort nouvelle et fort inquiétante sur la relation entre pensée et langage.

> Autre chose est l'état de notre âme ; autre chose le compte que nous en rendons soit à nous-mêmes, soit aux autres : autre chose la sensation totale et instantanée de cet état ; autre chose l'attention successive et détaillée que nous sommes forcés d'y donner pour l'analyser, la manifester et nous faire entendre. Notre âme est un tableau mouvant d'après lequel nous peignons sans cesse : nous employons bien du temps à le rendre avec fidélité ;

---

1. P. 93.

mais il existe en entier & tout à la fois : l'esprit ne
va pas à pas comptés comme l'expression[1].

La structure d'enchaînement de la phrase dérive
des nécessités de l'analyse, qui entraînent que le
temps est pensé non comme faisceau d'événements, mais comme incompatibilité des simultanés. Toute sa vie, Diderot semble avoir médité sur
la complexité temporelle de l'activité psychique et
sur le problème de savoir comment nous pouvons
penser à plus d'une chose à la fois. L'ordre du français moderne, loin d'être le représentant de l'ordre
analogue ou naturel, serait donc le produit d'une
doctrine bien particulière de la substance, une doctrine « péripatéticienne ». Le modèle de l'activité
mentale pour Diderot n'est pas la vision mais
l'acoustique – la résonance du son, à la fois production et réception (l'idée sera reprise dans *Le
Rêve de d'Alembert*). La conscience ne peut se
saisir par la contemplation, mais seulement par le
dialogue. Retour sur soi et non réflexion, l'activité
de la conscience interfère inévitablement avec ce
qu'elle vise, de même que, réciproquement, le langage, lorsque son objet est la pensée, influe sur la
conception de la pensée. L'ordre analogue des
grammairiens philosophes se trouve ainsi subverti.
Il devient un ordre qui ne correspond pas à une
structure profonde et stable, moulant à la fois la
forme de la pensée et la forme du langage, mais à
une relation décalée, différenciée selon des intentions rhétoriques et des moments historiques
divers. On peut voir ici l'origine des considérations
dans le siècle, sur la relativité linguistique, sur les
diverses qualités des langues – sur ce qu'on appelait déjà « le génie des langues[2] ».

Diderot lance ici une idée géniale, une idée qu'il
développe selon nous à travers une série de ses
œuvres, sans revenir au nom qu'il lui donne dans la
Lettre sur les sourds et muets : l'hiéroglyphe. Pour

1. P. 111.
2. Voir notice du Dossier, p. 209.

la Renaissance, l'hiéroglyphe est un signe polysé-
mique, un signe mystérieux dont le caractère ico-
nique garde des secrets. Pour Diderot, il s'agit
d'une espèce d'hiatus dans le mouvement d'un
poème, qui n'est pas pleinement intégrable aux
valeurs sémantiques et qui, comme le « tableau »
dans l'action dramatique (*Discours de la poésie
dramatique*, 1758) ou comme la racine philolo-
gique dans le développement historique d'un mot,
représente un moment inassimilable à la signification discursive :

> Comment représenter une action durable par des
> images d'instants séparés ? Mais ces termes qui
> demeurent dans une langue nécessairement inex-
> pliqués, les radicaux, ne correspondent-ils pas
> assez exactement à ces instants intermédiaires, que
> la peinture ne peut représenter. [...] Nous voilà
> donc arrêtés dans notre projet de transmettre les
> connaissances, par l'impossibilité de rendre toute
> la langue intelligible [1].

Car les hiéroglyphes sont « entassés », « emblé-
matiques » (étymologiquement : jetés ensemble) ;
ils ne relèvent pas du discours linéaire, mais
affectent l'âme, l'imagination et les sens. Ils
« peignent ». Batteux, qui avait écrit sur les inversions, avait aussi publié un livre qui a connu un certain succès : *Les Beaux-Arts réduits à un même
principe* (1746). Lorsque Diderot compare les arts,
c'est pour considérer s'ils ont un noyau commun,
question analogue à celles qu'il pose sur les sens
dans la *Lettre sur les aveugles* et sur les langues
dans la *Lettre sur les sourds et muets*. Il réfute ce
« même principe » de Batteux : les arts ont chacun,
dit-il, leur hiéroglyphe particulier et leur relation
avec le temps est *chaque fois* autre. Le peintre, par
exemple, ne peut représenter qu'un moment ;
encore n'est-ce pas n'importe lequel. Il ne saurait
montrer l'instant où Neptune dieu des Mers élève

---

1. Diderot D., article « Encyclopédie », *Œuvres*, éd. Versini, 1969-1973,
t. I, p. 379-380.

la tête hors des flots, car on ne verrait sur la toile qu'un homme décapité.

Cependant les arts, pour avoir chacun son hiéroglyphe, ne sont pas à égalité : « c'est la chose même que le Peintre montre », ce qui est loin d'être le cas pour les autres arts, qui semblent devoir traduire chacun ce qu'ils prennent pour sujet. Cette question, Diderot la méditera bien longtemps, à travers ses *Salons*, de même que son siècle, d'ailleurs, à travers le *Laokoon* de Lessing, la *Symphonie pastorale* de Beethoven, la statue de *Pygmalion* de Falconet, et bien d'autres.

La *Lettre*, comme sa sœur, finit par une allusion à Montaigne. Est-ce donc une conclusion sceptique ? Comme nous l'avons déjà indiqué, nous ne le croyons pas. Les *Lettres* sont des critiques plutôt que des conclusions. Pour la *Lettre sur les sourds et muets*, c'est le parcours et non le but, le labyrinthe et non le Minotaure qui organisent l'œuvre :

> Ce sera, Monsieur, presque ma dernière réflexion. Nous avons fait assez de chemin ensemble, et je sens qu'il est temps de se séparer. Si je vous arrête encore un moment à la sortie du labyrinthe où je vous ai promené, c'est pour vous en rappeler en peu de mots les détours [1].

Diderot nous le signale par une série de récapitulations : dans la *Lettre*, dans une des additions publiées, la *Lettre à Mademoiselle...* et dans ses *Observations adressées au père Berthier*, éditées dans les *Additions pour servir d'éclaircissements à certains passages de la « Lettre sur les sourds et muets »* vers le mois d'avril 1751. Louvoiement dans les bourrasques soulevées par sa querelle avec le père Berthier ? Capitulation devant les différents courants intellectuels ? Nous ne le croyons pas non plus. Cet emboîtage d'additions trahit son souci de ne pas agglomérer ce qu'il faut distinguer. Batteux, à force de *réduire les Beaux-*

---

1. P. 132.

Arts à un même principe, leur a enlevé beaucoup de leur force et de leur vie ; même si Diderot le traite avec plus de ménagement, le philosophe Condillac, dont le premier livre porte un titre étrangement parallèle – *Essai sur l'origine des connaissances humaines, ouvrage où l'on réduit à un seul principe tout ce qui concerne l'entendement* (1746) –, n'a pas suffisamment distingué les différents sens et leurs apports très divers au savoir humain.

Dans ces deux *Lettres*, l'idée d'un ordre dans l'expérience sensorielle, dans les langues, dans les arts, un ordre abstrait, fondamental et immuable, est donc radicalement amoindrie ; la critique ne repose pas sur un argument construit, mais fraie son chemin à travers le labyrinthe des opinions contemporaines. Davantage, les *Lettres* opèrent par leur style même, allusif et indirect : un style rococo, pourrait-on dire. Un style où l'individuel et le particulier ont valeur générale, un style plein d'« idiotismes ». Gardons-nous pourtant de voir dans cette obliquité une simple affectation ; elle trahit plutôt une grande hésitation devant la complexité des problèmes, et un certain amusement devant les conduites cocasses qu'ils inspirent.

Marian HOBSON.
Simon HARVEY.

Nous avons utilisé une photocopie de l'édition « z » : *Œuvres philosophiques et dramatiques de M. Diderot*. À Amsterdam, 1772 (bibliothèque de l'Arsenal). Le tome II contient la *Lettre sur les sourds et muets* et la *Lettre sur les aveugles*. Comme les index sont de Diderot et présentent un certain intérêt, nous les publions après chaque *Lettre*.

Nous avons inversé l'ordre des *Lettres* de ce volume pour respecter la chronologie de leur rédaction. Les *Additions à la « Lettre sur les aveugles »* ne datent que de 1782, peut-être en vue d'une édition complète des œuvres de Diderot. Si elles montrent un souci d'équilibrer les deux *Lettres*, en construisant une contrepartie aux *Additions à la « Lettre sur les sourds et les muets »*, elles sont en dehors de la problématique qui est celle de Diderot, auteur de 1750. Nous les publions donc en annexe.

Les onze planches proviennent d'un volume de la même édition conservé à la bibliothèque de l'université de Cambridge, UK, et sont reproduites avec l'autorisation de celle-ci.

Nous avons modernisé la graphie et corrigé des erreurs évidentes (M. Le Molineux) et certaines qui le sont moins : l'expression « aveugle-né » (p. 79) a été modifié en « aveugle-née » ; nous avons signalé dans les notes les corrections en relation au commentaire des planches par Diderot, que nous devons à Mme A.-M. Chouillet dans l'édition DPV, vol. 4. Nous avons changé la ponctuation à quelques endroits (interventions signalées par des parenthèses) et supprimé les majuscules qui ne sont plus dans l'usage.

Pour les notes où nous sommes redevables aux éditions précédentes, nous utilisons les sigles suivants :

B   éd. Fernando BOLLINO, 1984. Denis Diderot, *Lettera sui sordi e muti*, Modena, Mucchi ;

JC   éd. Jacques CHOUILLET, 1978. Denis Diderot, *Lettre sur les sourds et muets*, dans DPV, vol. 4 ;

DPV éd. Herbert DIECKMANN, Jacques PROUST, Jean VARLOOT, 1971. Diderot, *Œuvres complètes*, Paris, Hermann ;

WK   Wallace KIRSOP, 1970. « La *Lettre sur les sourds et muets* de Diderot », dans *Bibliographie matérielle et critique textuelle : vers une collaboration*, Paris, Lettres modernes, p. 45-60 ;

PM   éd. Paul-Hugo MEYER, 1965. Denis Diderot, *Lettre sur les sourds et muets*, dans *Diderot Studies*, vol. 7.

Lettre

SUR

LES AVEUGLES,

À L'USAGE

DE CEUX QUI VOIENT

Possunt, nec posse videntur.

Virg. [1]

À AMSTERDAM

M.DCC.LXXII *

* Première édition : 1749.

Lettre

SUR

LES AVEUGLES

A l'USAGE

DE CEUX QUI VOIENT

Possunt, nec non & cernere

M.

A AMSTERDAM

M.DCC.LXXI

Je me doutais bien, Madame [2], que l'aveugle-née, à qui M. de Réaumur vient de faire abattre la cataracte, ne vous apprendrait pas ce que vous vouliez savoir ; mais je n'avais garde de deviner que ce ne serait ni sa faute ni la vôtre. J'ai sollicité son bienfaiteur par moi-même, par ses meilleurs amis, par les compliments que je lui ai faits ; nous n'en avons rien obtenu, et le premier appareil se lèvera sans vous. Des personnes de la première distinction ont eu l'honneur de partager son refus avec les philosophes : en un mot, il n'a voulu laisser tomber le voile que devant 10 quelques yeux sans conséquence [3]. Si vous êtes curieuse de savoir pourquoi cet habile académicien fait si secrètement des expériences, qui ne peuvent avoir, selon vous, un trop grand nombre de témoins éclairés ; je vous répondrai que les observations d'un homme aussi célèbre, ont moins besoin de spectateurs quand elles se font, que d'auditeurs quand elles sont faites. Je suis donc revenu, Madame, à mon premier dessein ; et forcé de me passer d'une expérience, où je ne voyais guère à gagner pour mon instruction ni pour la vôtre ; mais dont M. de Réaumur tirera sans 20 doute un bien meilleur parti ; je me suis mis à philosopher avec mes amis sur la matière importante qu'elle a pour objet. Que je serais heureux, si le récit d'un de nos entretiens pouvait me tenir lieu auprès de vous du spectacle que je vous avais trop légèrement promis [4] !

Le jour même que le Prussien [5] faisait l'opération de la cataracte, à la fille de Simoneau [6], nous allâmes interroger l'aveugle-né du Puiseaux [*] : c'est un homme qui ne manque pas de bon sens, que beaucoup de personnes connaissent, qui fait un peu de chimie, et qui a suivi avec quelque succès 30 les cours de botanique au jardin du Roi [7]. Il est né d'un père qui a professé avec applaudissement la philosophie dans l'université de Paris. Il jouissait d'une fortune honnête, avec laquelle il eût aisément satisfait les sens qui lui restent ;

[*] Petite ville du Gâtinais (NdA) [au sud de Malesherbes. NdP].

mais le goût du plaisir l'entraîna dans sa jeunesse ; on abusa
de ses penchants ; ses affaires domestiques se dérangèrent,
et il s'est retiré dans une petite ville de province, d'où il fait
tous les ans un voyage à Paris. Il y apporte des liqueurs qu'il
distille, et dont on est très content. Voilà, Madame, des cir-
40 constances assez peu philosophiques, mais par cette raison
même plus propres à vous faire juger que le personnage
dont je vous entretiens n'est point imaginaire [8].

Nous arrivâmes chez notre aveugle sur les cinq heures du
soir, et nous le trouvâmes occupé à faire lire son fils avec des
caractères en relief [9] : il n'y avait pas plus d'une heure qu'il
était levé ; car vous saurez que la journée commence pour lui
quand elle finit pour nous. Sa coutume est de vaquer à ses
affaires domestiques et de travailler, pendant que les autres
reposent. À minuit, rien ne le gêne, et il n'est incommode à
50 personne. Son premier soin est de mettre en place tout ce
qu'on a déplacé pendant le jour ; et quand sa femme s'éveille,
elle trouve ordinairement la maison rangée. La difficulté
qu'ont les aveugles à recouvrer les choses égarées, les rend
amis de l'ordre ; et je me suis aperçu que ceux qui les appro-
chaient familièrement, partageaient cette qualité, soit par un
effet du bon exemple qu'ils donnent, soit par un sentiment
d'humanité qu'on a pour eux. Que les aveugles seraient malheureux sans les petites attentions de ceux qui les environnent ! nous-mêmes, que nous serions à plaindre sans
60 elles ! Les grands services sont comme de grosses pièces d'or
ou d'argent qu'on a rarement occasion d'employer ; mais les
petites attentions sont une monnaie courante qu'on a toujours
à la main [10].

Notre aveugle juge fort bien des symétries. La symétrie
qui est peut-être une affaire de pure convention entre nous,
est certainement telle à beaucoup d'égards, entre un aveugle
et ceux qui voient. À force d'étudier par le tact la disposition que nous exigeons entre les parties qui composent un
tout, pour l'appeler beau, un aveugle parvient à faire une
70 juste application de ce terme. Mais quand il dit *cela est
beau*, il ne juge pas, il rapporte seulement le jugement de
ceux qui voient : et que font autre chose les trois quarts de
ceux qui décident d'une pièce de théâtre, après l'avoir
entendue, ou d'un livre après l'avoir lu ? La beauté pour un
aveugle n'est qu'un mot, quand elle est séparée de l'utilité ;

et avec un organe de moins, combien de choses dont l'utilité lui échappe ! Les aveugles ne sont-ils pas bien à plaindre, de n'estimer beau que ce qui est bon ? Combien de choses admirables perdues pour eux ! le seul bien qui les dédommage de cette perte, c'est d'avoir des idées du beau, à la vérité moins étendues, mais plus nettes que les philosophes clairvoyants qui en ont traité fort au long [11].

Le nôtre parle de miroir à tout moment. Vous croyez bien qu'il ne sait ce que veut dire le mot miroir [12] ; cependant il ne mettra jamais une glace à contre-jour. Il s'exprime aussi sensément que nous, sur les qualités et les défauts de l'organe qui lui manque : s'il n'attache aucune idée aux termes qu'il emploie, il a du moins sur la plupart des autres hommes l'avantage de ne les prononcer jamais mal à propos. Il discourt si bien et si juste de tant de choses qui lui sont absolument inconnues, que son commerce ôterait beaucoup de force à cette induction que nous faisons tous sans savoir pourquoi, de ce qui se passe en nous, à ce qui se passe au-dedans des autres.

Je lui demandai ce qu'il entendait par un miroir : « Une machine, me répondit-il, qui met les choses en relief, loin d'elles-mêmes, si elles se trouvent placées convenablement par rapport à elle. C'est comme ma main qu'il ne faut pas que je pose à côté d'un objet pour le sentir. » Descartes aveugle-né, aurait dû, ce me semble, s'applaudir d'une pareille définition. En effet, considérez, je vous prie, la finesse avec laquelle il a fallu combiner certaines idées pour y parvenir. Notre aveugle n'a de connaissance des objets que par le toucher. Il sait sur le rapport des autres hommes, que par le moyen de la vue on connaît les objets, comme ils lui sont connus par le toucher ; du moins, c'est la seule notion qu'il s'en puisse former. Il sait de plus, qu'on ne peut voir son propre visage quoiqu'on puisse le toucher. La vue, doit-il conclure, est donc une espèce de toucher, qui ne s'étend que sur les objets différents de notre visage et éloignés de nous : d'ailleurs le toucher ne lui donne l'idée que du relief. Donc, ajoute-t-il, un miroir est une machine qui nous met en relief hors de nous-mêmes. Combien de philosophes renommés ont employé moins de subtilité pour arriver à des notions aussi fausses ? mais combien un miroir doit-il être surprenant pour notre aveugle ? combien son

Figure tirée de la Dioptrique
de Descartes.

Lettres sur les Aveugles.

étonnement dut-il augmenter, quand nous lui apprîmes qu'il y a de ces sortes de machines qui agrandissent les objets ; qu'il y en a d'autres qui, sans les doubler, les déplacent, les rapprochent, les éloignent, les font apercevoir, en dévoilent les plus petites parties aux yeux des naturalistes ; qu'il y en a qui les multiplient par milliers ; qu'il y en a enfin qui paraissent les défigurer totalement. Il nous fit cent questions bizarres sur ces phénomènes. Il nous demanda, par exemple, s'il n'y avait que ceux qu'on appelle naturalistes qui vissent avec le microscope, et si les astronomes étaient les seuls qui vissent avec le télescope ; si la machine qui grossit les objets était plus grosse que celle qui les rapetisse ; si celle qui les rapproche était plus courte que celle qui les éloigne ; et ne comprenant point comment cet autre nous-même que, selon lui, le miroir répète en relief, échappe au sens du toucher. « Voilà, disait-il, deux sens qu'une petite machine met en contradiction [13] : une machine plus parfaite les mettrait peut-être d'accord, sans que pour cela les objets en fussent plus réels ; peut-être une troisième plus parfaite encore et moins perfide les ferait disparaître, et nous avertirait de l'erreur.

Et qu'est-ce à votre avis que des yeux, lui dit Monsieur de... « c'est, lui répondit l'aveugle, un organe sur lequel l'air fait l'effet de mon bâton sur ma main ». Cette réponse nous fit tomber des nues ; et tandis que nous nous entre-regardions avec admiration : « cela est si vrai, continua-t-il, que quand je place ma main entre vos yeux et un objet, ma main vous est présente, mais l'objet vous est absent. La même chose m'arrive quand je cherche une chose avec mon bâton, et que j'en rencontre une autre. »

Madame, ouvrez *La Dioptrique* de Descartes, et vous y verrez les phénomènes de la vue rapportés à ceux du toucher, et des planches d'optique pleines de figures d'hommes occupés à voir avec des bâtons. Descartes et tous ceux qui sont venus depuis, n'ont pu nous donner d'idées plus nettes de la vision ; et ce grand philosophe n'a point eu à cet égard plus d'avantage sur notre aveugle, que le peuple qui a des yeux [14].

Aucun de nous ne s'avisa de l'interroger sur la peinture et sur l'écriture ; mais il est évident qu'il n'y a point de questions auxquelles sa comparaison n'eût pu satisfaire ; et je ne doute nullement qu'il ne nous eût dit, que tenter de lire ou de voir, sans avoir des yeux, c'était chercher une épingle avec

un gros bâton. Nous lui parlâmes seulement de ces sortes de perspectives qui donnent du relief aux objets, et qui ont avec
160 nos miroirs tant d'analogie et tant de différence à la fois ; et nous nous aperçûmes qu'elles nuisaient autant qu'elles concouraient à l'idée qu'il s'est formée d'une glace, et qu'il était tenté de croire que, la glace peignant les objets, le peintre pour les représenter, peignait peut-être une glace [15].

Nous lui vîmes enfiler des aiguilles fort menues. Pourrait-on, Madame, vous prier de suspendre ici votre lecture, et de chercher comment vous vous y prendriez à sa place. En cas que vous ne rencontriez aucun expédient, je vais vous dire celui de notre aveugle. Il dispose l'ouverture de l'aiguille
170 transversalement entre ses lèvres, et dans la même direction que celle de sa bouche ; puis à l'aide de sa langue et de la succion il attire le fil qui suit son haleine, à moins qu'il ne soit beaucoup trop gros pour l'ouverture ; mais dans ce cas, celui qui voit n'est guère moins embarrassé que celui qui est privé de la vue.

Il a la mémoire des sons à un degré surprenant ; et les visages ne nous offrent pas une diversité plus grande que celle qu'il observe dans les voix. Elles ont pour lui une infinité de nuances délicates qui nous échappent parce que nous
180 n'avons pas à les observer, le même intérêt que l'aveugle. Il en est pour nous de ces nuances comme de notre propre visage. De tous les hommes que nous avons vus, celui que nous nous rappellerions le moins, c'est nous-mêmes. Nous n'étudions les visages que pour reconnaître les personnes ; et si nous ne retenons pas la nôtre, c'est que nous ne serons jamais exposés à nous prendre pour un autre, ni un autre pour nous. D'ailleurs les secours que nos sens se prêtent mutuelle-ment, les empêchent de se perfectionner. Cette occasion ne sera pas la seule que j'aurai d'en faire la remarque.

190 Notre aveugle nous dit à ce sujet, qu'il se trouverait fort à plaindre d'être privé des mêmes avantages que nous, et qu'il aurait été tenté de nous regarder comme des intelligences supérieures, s'il n'avait éprouvé cent fois combien nous lui cédions à d'autres égards. Cette réflexion nous en fit faire une autre. Cet aveugle, dîmes-nous, s'estime autant et plus peut-être que nous qui voyons ; pourquoi donc si l'animal raisonne, comme on n'en peut guère douter, balançant ses avantages sur l'homme, qui lui sont mieux connus que ceux

de l'homme sur lui, ne porterait-il pas un semblable jugement ? Il a des bras, dit peut-être le moucheron ; mais j'ai des ailes. S'il a des armes, dit le lion, n'avons-nous pas des ongles ? L'éléphant nous verra comme des insectes ; et tous les animaux, nous accordant volontiers une raison avec laquelle nous aurions grand besoin de leur instinct, se prétendront doués d'un instinct avec lequel ils se passent fort bien de notre raison. Nous avons un si violent penchant à surfaire nos qualités et à diminuer nos défauts, qu'il semblerait presque, que c'est à l'homme à faire le traité de la force, et à l'animal celui de la raison [16].

Quelqu'un de nous s'avisa de demander à notre aveugle, s'il serait bien content d'avoir des yeux : « Si la curiosité ne me dominait pas, dit-il, j'aimerais bien autant avoir de longs bras : il me semble que mes mains m'instruiraient mieux de ce qui se passe dans la lune que vos yeux ou vos télescopes ; et puis les yeux cessent plutôt de voir, que les mains de toucher. Il vaudrait donc bien autant qu'on perfectionnât en moi l'organe que j'ai, que de m'accorder celui qui me manque. »

Notre aveugle adresse au bruit ou à la voix si sûrement, que je ne doute pas qu'un tel exercice ne rendît les aveugles très adroits et très dangereux. Je vais vous en raconter un trait qui vous persuadera combien on aurait tort d'attendre un coup de pierre ou de s'exposer à un coup de pistolet de sa main, pour peu qu'il eût l'habitude de se servir de cette arme. Il eut dans sa jeunesse une querelle avec un de ses frères qui s'en trouva fort mal. Impatienté des propos désagréables qu'il en essuyait, il saisit le premier objet qui lui tomba sous la main, le lui lança, l'atteignit au milieu du front, et l'étendit par terre.

Cette aventure, et quelques autres le firent appeler à la police. Les signes extérieurs de la puissance qui nous affectent si vivement, n'en imposent point aux aveugles. Le nôtre comparut devant le magistrat comme devant son semblable. Les menaces ne l'intimidèrent point. « Que me ferez-vous, dit-il à M. Hérault [17] : je vous jetterai dans un cul de basse-fosse, lui répondit le magistrat. Eh ! Monsieur, lui répliqua l'aveugle, il y a vingt-cinq ans que j'y suis. » Quelle réponse, Madame ! et quel texte pour un homme qui aime autant à moraliser que moi. Nous sortons de la vie, comme d'un spectacle enchanteur ; l'aveugle en sort ainsi que d'un

cachot [18] : si nous avons à vivre plus de plaisir que lui,
240 convenez qu'il a bien moins de regret à mourir.

L'aveugle du Puiseaux estime la proximité du feu, aux
degrés de chaleur ; la plénitude des vaisseaux, au bruit que
font en tombant les liqueurs qu'il transvase ; et le voisinage
des corps, à l'action de l'air sur son visage. Il est si sensible
aux moindres vicissitudes qui arrivent dans l'atmosphère,
qu'il peut distinguer une rue d'un cul-de-sac. Il apprécie à
merveille les poids des corps et les capacités des vaisseaux ; et il s'est fait de ses bras des balances si justes, et de
ses doigts des compas si expérimentés, que dans les occa-
250 sions où cette espèce de statique a lieu, je gagerais toujours
pour notre aveugle, contre vingt personnes qui voient. Le
poli des corps n'a guère moins de nuances pour lui, que le
son de la voix ; et il n'y aurait pas à craindre qu'il prît sa
femme pour une autre, à moins qu'il ne gagnât au change. Il
y a cependant bien de l'apparence que les femmes seraient
communes chez un peuple d'aveugles ou que leurs lois
contre l'adultère seraient bien rigoureuses. Il serait si facile,
aux femmes de tromper leurs maris, en convenant d'un
signe avec leurs amants [19].

260 Il juge de la beauté par le toucher, cela se comprend ;
mais ce qui n'est pas si facile à saisir, c'est qu'il fait entrer
dans ce jugement la prononciation et le son de la voix.
C'est aux anatomistes à nous apprendre, s'il y a quelque
rapport entre les parties de la bouche et du palais, et la
forme extérieure du visage. Il fait de petits ouvrages au tour
et à l'aiguille ; il nivelle à l'équerre ; il monte et démonte
les machines ordinaires ; il sait assez de musique pour exécuter un morceau dont on lui dit les notes et leurs valeurs.
Il estime avec beaucoup plus de précision que nous, la
270 durée du temps, par la succession des actions et des pensées. La beauté de la peau, l'embonpoint, la fermeté des
chairs, les avantages de la conformation, la douceur de
l'haleine, les charmes de la voix, ceux de la prononciation
sont des qualités dont il fait grand cas dans les autres.

Il s'est marié pour avoir des yeux qui lui appartinssent ;
auparavant il avait eu dessein de s'associer un sourd qui lui
prêterait des yeux, et à qui il apporterait en échange des
oreilles. Rien ne m'a tant étonné que son aptitude singulière
à un grand nombre de choses ; et lorsque nous lui en témoi-

gnâmes notre surprise : « Je m'aperçois bien, Messieurs, 280
nous dit-il, que vous n'êtes pas aveugles ; vous êtes surpris
de ce que je fais, et pourquoi ne vous étonnez-vous pas
aussi de ce que je parle ? » Il y a, je crois, plus de philosophie dans cette réponse qu'il ne prétendait y en mettre lui-
même. C'est une chose assez surprenante que la facilité
avec laquelle on apprend à parler. Nous ne parvenons à attacher une idée à quantité de termes qui ne peuvent être repré-
sentés par des objets sensibles, et qui, pour ainsi dire, n'ont
point de corps, que par une suite de combinaisons fines et
profondes des analogies que nous remarquons entre ces 290
objets non sensibles, et les idées qu'ils excitent ; et il faut
avouer conséquemment qu'un aveugle-né doit apprendre à
parler, plus difficilement qu'un autre ; puisque le nombre
des objets non sensibles étant beaucoup plus grand pour lui,
il a bien moins de champ que nous pour comparer et pour
combiner. Comment veut-on, par exemple, que le mot physionomie se fixe dans sa mémoire ? C'est une espèce d'agrément qui consiste en des objets si peu sensibles pour un
aveugle, que faute de l'être assez pour nous-mêmes qui
voyons, nous serions fort embarrassés de dire bien précisé- 300
ment ce que c'est que d'avoir de la physionomie. Si c'est
principalement dans les yeux qu'elle réside, le toucher n'y
peut rien ; et puis qu'est-ce, pour un aveugle, que des yeux
morts, des yeux vifs, des yeux d'esprit, etc. [20] ?

Je conclus de là que nous tirons sans doute du concours de
nos sens et de nos organes de grands services. Mais ce serait
tout autre chose encore, si nous les exercions séparément, et
si nous n'en employions jamais deux dans les occasions où
le secours d'un seul nous suffirait. Ajouter le toucher à la
vue, quand on a assez de ses yeux, c'est à deux chevaux qui 310
sont déjà fort vifs, en atteler un troisième en arbalète, qui tire
d'un côté, tandis que les autres tirent de l'autre [21].

Comme je n'ai jamais douté que l'état de nos organes et
de nos sens n'ait beaucoup d'influence sur notre métaphysique et sur notre morale, et que nos idées les plus purement
intellectuelles, si je puis parler ainsi, ne tiennent de fort près
à la conformation de notre corps, je me mis à questionner
notre aveugle sur les vices et sur les vertus [22]. Je m'aperçus
d'abord qu'il avait une aversion prodigieuse pour le vol :
elle naissait en lui de deux causes ; de la facilité qu'on avait 320

de le voler, sans qu'il s'en aperçût ; et plus encore peut-être, de celle qu'on avait de l'apercevoir, quand il volait [23]. Ce n'est pas qu'il ne sache très bien se mettre en garde contre le sens qu'il nous connaît de plus qu'à lui, et qu'il ignore la manière de bien cacher un vol. Il ne fait pas grand cas de la pudeur : sans les injures de l'air dont les vêtements le garantissent, il n'en comprendrait guère l'usage, et il avoue franchement qu'il ne devine pas pourquoi l'on couvre plutôt une partie du corps qu'une autre ; et moins encore par quelle bizarrerie on donne

330 entre ces parties la préférence à certaines que leur usage et les indispositions auxquelles elles sont sujettes demanderaient que l'on tînt libres. Quoique nous soyons dans un siècle où l'esprit philosophique nous a débarrassés d'un grand nombre de préjugés, je ne crois pas que nous en venions jamais jusqu'à méconnaître les prérogatives de la pudeur aussi parfaitement que mon aveugle. Diogène n'aurait point été pour lui un philosophe.

Comme de toutes les démonstrations extérieures qui réveillent en nous la commisération et les idées de la douleur,

340 les aveugles ne sont affectés que par la plainte ; je les soupçonne en général d'inhumanité. Quelle différence y a-t-il pour un aveugle entre un homme qui urine et un homme qui sans se plaindre verse son sang ? Nous-mêmes, ne cessons-nous pas de compatir, lorsque la distance ou la petitesse des objets produit le même effet sur nous, que la privation de la vue sur les aveugles ? Tant nos vertus dépendent de notre manière de sentir, et du degré auquel les choses extérieures nous affectent ! Aussi je ne doute point que, sans la crainte du châtiment, bien des gens n'eussent moins de peine à tuer un homme à une

350 distance où ils ne le verraient gros que comme une hirondelle, qu'à égorger un bœuf de leurs mains. Si nous avons de la compassion pour un cheval qui souffre, et si nous écrasons une fourmi sans aucun scrupule, n'est-ce pas le même principe qui nous détermine ? Ah ! Madame, que la morale des aveugles est différente de la nôtre ! Que celle d'un sourd différerait encore de celle d'un aveugle ; et qu'un être qui aurait un sens de plus que nous, trouverait notre morale imparfaite, pour ne rien dire de pis !

Notre métaphysique ne s'accorde pas mieux avec la leur [24].

360 Combien de principes pour eux qui ne sont que des absurdités pour nous, et réciproquement ? Je pourrais entrer là-dessus

dans un détail qui vous amuserait sans doute ; mais que de certaines gens qui voient du crime à tout, ne manqueraient pas d'accuser d'irréligion ; comme s'il dépendait de moi de faire apercevoir aux aveugles les choses autrement qu'ils ne les aperçoivent. Je me contenterai d'observer une chose dont je crois qu'il faut que tout le monde convienne ; c'est que ce grand raisonnement qu'on tire des merveilles de la nature, est bien faible pour des aveugles [25]. La facilité que nous avons de créer, pour ainsi dire, de nouveaux objets, par le moyen d'une petite glace, est quelque chose de plus incompréhensible pour eux, que des astres qu'ils ont été condamnés à ne voir jamais. Ce globe lumineux qui s'avance d'orient en occident, les étonne moins qu'un petit feu qu'ils ont la commodité d'augmenter ou de diminuer : comme ils voient la matière d'une manière beaucoup plus abstraite que nous, ils sont moins éloignés de croire qu'elle pense [26].

Si un homme qui n'a vu que pendant un jour ou deux, se trouvait confondu chez un peuple d'aveugles, il faudrait qu'il prît le parti de se taire, ou celui de passer pour un fou. Il leur annoncerait tous les jours quelque nouveau mystère qui n'en serait un que pour eux, et que les esprits forts se sauraient bon gré de ne pas croire. Les défenseurs de la religion ne pourraient-ils pas tirer un grand parti d'une incrédulité si opiniâtre, si juste même à certains égards, et cependant si peu fondée ? Si vous vous prêtez pour un instant à cette supposition, elle vous rappellera sous des traits empruntés l'histoire et les persécutions de ceux qui ont eu le malheur de rencontrer la vérité dans des siècles de ténèbres, et l'imprudence de la déceler à leurs aveugles contemporains, entre lesquels ils n'ont point eu d'ennemis plus cruels que ceux qui par leur état et leur éducation semblaient devoir être les moins éloignés de leurs sentiments [27].

Je laisse donc la morale et la métaphysique des aveugles, et je passe à des choses qui sont moins importantes, mais qui tiennent de plus près au but des observations qu'on fait ici de toutes parts, depuis l'arrivée du Prussien [28]. Première question. Comment un aveugle-né se forme-t-il des idées des figures ? Je crois que les mouvements de son corps, l'existence successive de sa main en plusieurs lieux, la sensation non interrompue d'un corps qui passe entre ses doigts, lui donnent la notion de direction [29]. S'il les glisse le long d'un fil

bien tendu, il prend l'idée d'une ligne droite ; s'il suit la cour-
bure d'un fil lâche, il prend celle d'une ligne courbe. Plus
généralement, il a par des expériences réitérées du toucher, la
mémoire de sensations éprouvées en différents points : il est
maître de combiner ces sensations ou points, et d'en former
des figures. Une ligne droite pour un aveugle qui n'est point
géomètre, n'est autre chose que la mémoire d'une suite de
410 sensations du toucher, placées dans la direction d'un fil
tendu ; une ligne courbe, la mémoire d'une suite de sensations du toucher, rapportées à la surface de quelque corps
solide, concave ou convexe. L'étude rectifie dans le géomètre
la notion de ces lignes, par les propriétés qu'il leur découvre.
Mais, géomètre ou non, l'aveugle-né rapporte tout à l'extrémité de ses doigts. Nous combinons des points colorés ; il ne
combine lui que des points palpables, ou, pour parler plus
exactement, que des sensations du toucher dont il a mémoire.
Il ne se passe rien dans sa tête d'analogue à ce qui se passe
420 dans la nôtre : il n'imagine point [30] ; car pour imaginer il faut
colorer un fond, et détacher de ce fond des points, en leur supposant une couleur différente de celle du fond. Restituez à ces
points la même couleur qu'au fond ; à l'instant ils se confon-
dent avec lui, et la figure disparaît : du moins, c'est ainsi que
les choses s'exécutent dans mon imagination, et je présume
que les autres n'imaginent pas autrement que moi. Lors donc
que je me propose d'apercevoir dans ma tête une ligne droite,
autrement que par ses propriétés, je commence par la tapisser
en dedans d'une toile blanche dont je détache une suite de
430 points noirs placés dans la même direction. Plus les couleurs
du fond et des points sont tranchantes, plus j'aperçois les
points distinctement ; et une figure d'une couleur fort voisine
de celle du fond, ne me fatigue pas moins à considérer dans
mon imagination, que hors de moi et sur une toile.

Vous voyez donc, Madame, qu'on pourrait donner des lois
pour imaginer facilement à la fois plusieurs objets diversement
colorés, mais que ces lois ne seraient certainement pas à
l'usage d'un aveugle-né. L'aveugle-né, ne pouvant colorer, ni
par conséquent figurer comme nous l'entendons, n'a mémoire
440 que de sensations prises par le toucher, qu'il rapporte à différents points, lieux ou distances, et dont il compose des figures.
Il est si constant que l'on ne figure point dans l'imagination,
sans colorer, que, si l'on nous donne à toucher dans les

ténèbres de petits globules dont nous ne connaissions ni la matière ni la couleur, nous les supposerons aussitôt blancs ou noirs, ou de quelque autre couleur ; ou que, si nous ne leur en attachons aucune, nous n'aurons, ainsi que l'aveugle-né, que la mémoire de petites sensations excitées à l'extrémité des doigts, et telles que de petits corps ronds peuvent les occasioner. Si cette mémoire est très fugitive en nous ; si nous n'avons guère 450 d'idées de la manière dont un aveugle-né fixe, rappelle et combine les sensations du toucher ; c'est une suite de l'habitude que nous avons prise par les yeux, de tout exécuter dans notre imagination avec des couleurs. Il m'est cependant arrivé à moi-même, dans les agitations d'une passion violente, d'éprouver un frissonnement dans toute une main ; de sentir l'impression des corps que j'avais touchés il y avait longtemps, s'y réveiller aussi vivement que s'ils eussent encore été présents à mon attouchement, et de m'apercevoir très distinctement que les limites de la sensation coïncidaient précisément avec celles de ces corps absents. 460 Quoique la sensation soit indivisible par elle-même, elle occupe, si on peut se servir de ce terme, un espace étendu, auquel l'aveugle-né a la faculté d'ajouter ou de retrancher par la pensée, en grossissant ou diminuant la partie affectée. Il compose par ce moyen des points, des surfaces, des solides : il aura même un solide gros comme le globe terrestre, s'il se suppose le bout du doigt gros comme le globe et occupé par la sensation en longueur, largeur et profondeur.

Je ne connais rien qui démontre mieux la réalité du sens interne [31] que cette faculté faible en nous, mais forte dans les 470 aveugles-nés, de sentir ou de se rappeler la sensation des corps, lors même qu'ils sont absents et qu'ils n'agissent plus sur eux. Nous ne pouvons faire entendre à un aveugle-né, comment l'imagination nous peint les objets absents, comme s'ils étaient présents ; mais nous pouvons très bien reconnaître en nous la faculté de sentir à l'extrémité d'un doigt, un corps qui n'y est plus, telle qu'elle est dans l'aveugle-né. Pour cet effet serrez l'index contre le pouce ; fermez les yeux ; séparez vos doigts ; examinez immédiatement après cette séparation ce qui se passe en vous, et dites-moi si la sensation ne dure 480 pas longtemps après que la compression a cessé ; si pendant que la compression dure, votre âme vous paraît plus dans votre tête qu'à l'extrémité de vos doigts ; et si cette compres-

mathématique, à des résultats défectueux, c'est de les supposer moins composés qu'ils ne le sont.

Il y a une espèce d'abstraction dont si peu d'hommes sont capables, qu'elle semble réservée aux intelligences pures ; c'est celle par laquelle tout se réduirait à des unités numériques. Il faut convenir que les résultats de cette géométrie seraient bien exacts, et ses formules bien générales ; car il n'y a point d'objets, soit dans la nature, soit dans le possible, que ces unités simples ne pussent représenter des points, des lignes, des surfaces, des solides, des pensées, des idées, des sensations, et... si par hasard c'était là le fondement de la doctrine de Pythagore, on pourrait dire de lui qu'il échoua dans son projet, parce que cette manière de philosopher est trop au-dessus de nous, et trop approchante de celle de l'Être suprême, qui, selon l'expression ingénieuse d'un géomètre anglais, *géométrise* perpétuellement dans l'univers [35].

L'unité pure et simple est un symbole trop vague et trop général pour nous [36]. Nos sens nous ramènent à des signes plus analogues à l'étendue de notre esprit et à la conformation de nos organes : nous avons même fait en sorte que ces signes pussent être communs entre nous, et qu'ils servissent, pour ainsi dire, d'entrepôt au commerce mutuel de nos idées. Nous en avons institué pour les yeux, ce sont les caractères ; pour l'oreille, ce sont les sons articulés ; mais nous n'en avons aucun pour le toucher, quoiqu'il y ait une manière propre de parler à ce sens, et d'en obtenir des réponses. Faute de cette langue, la communication est entièrement rompue entre nous et ceux qui naissent sourds, aveugles et muets. Ils croissent, mais ils restent dans un état d'imbécillité. Peut-être acquerraient-ils des idées, si l'on se faisait entendre à eux dès l'enfance, d'une manière fixe, déterminée, constante et uniforme ; en un mot, si on leur traçait sur la main les mêmes caractères que nous traçons sur le papier, et que la même signification leur demeurât invariablement attachée [37].

Ce langage, Madame, ne vous paraît-il pas aussi commode qu'un autre ? n'est-il pas même tout inventé ? et oseriez-vous nous assurer qu'on ne vous a jamais rien fait entendre de cette manière ? Il ne s'agit donc que de le fixer, et d'en faire une grammaire et des dictionnaires ; si l'on trouve que l'expression par les caractères ordinaires de l'écriture soit trop lente pour ce sens.

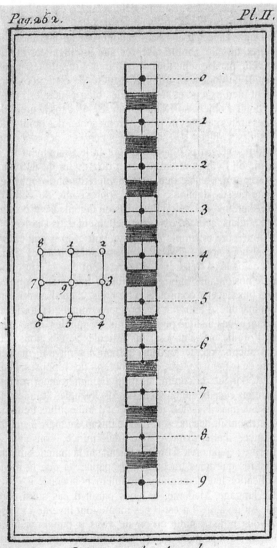

Lettres sur les Aveugles.

Les connaissances ont trois portes pour entrer dans notre âme ; et nous en tenons une barricadée par le défaut de signes. Si l'on eût négligé les deux autres, nous en serions réduits à la condition des animaux : de même que nous n'avons que le serré pour nous faire entendre au sens du toucher, nous n'aurions que le cri pour parler à l'oreille. Madame, il faut manquer d'un sens pour connaître les avantages des symboles destinés à ceux qui restent ; et des gens qui auraient le malheur d'être sourds, aveugles et muets, ou qui viendraient à perdre ces trois sens par quelque accident, seraient bien charmés qu'il y eût une langue nette et précise pour le toucher.

Il est bien plus court d'user de symboles tout inventés, que d'en être inventeur, comme on y est forcé, lorsqu'on est pris au dépourvu. Quel avantage n'eût-ce pas été pour Saunderson de trouver une arithmétique palpable toute préparée à l'âge de cinq ans, au lieu d'avoir à l'imaginer à l'âge de vingt-cinq ? Ce Saunderson, Madame, est un autre aveugle dont il ne sera pas hors de propos de vous entretenir [38]. On en raconte des prodiges ; et il n'y en a aucun que ses progrès dans les belles-lettres, et son habileté dans les sciences mathématiques ne puissent rendre croyable.

La même machine lui servait pour les calculs algébriques, et pour la description des figures rectilignes. Vous ne seriez pas fâchée qu'on vous en fît l'explication, pourvu que vous fussiez en état de l'entendre ; et vous allez voir qu'elle ne suppose aucune connaissance que vous n'ayez, et qu'elle vous serait très utile, s'il vous prenait jamais envie de faire de longs calculs à tâtons.

Imaginez un carré tel que vous le voyez planche II, divisé en quatre parties égales, par des lignes perpendiculaires aux côtés, en sorte qu'il vous offrît les neuf points 1, 2, 3, 4, 5, 6, 7, 8, 9. Supposez ce carré percé de neuf trous capables de recevoir des épingles de deux espèces, toutes de même longueur et de même grosseur, mais les unes à tête un peu plus grosse que les autres.

Les épingles à grosse tête ne se plaçaient jamais qu'au centre du carré ; celles à petite tête, jamais que sur les côtés, excepté dans un seul cas, celui du zéro [39]. Le zéro se marquait par une épingle à grosse tête, placé au centre du petit carré, sans qu'il y eût aucune autre épingle sur les côtés. Le chiffre 1 était représenté par une épingle à petite tête, placée au centre du carré, sans qu'il y eût aucune autre épingle sur

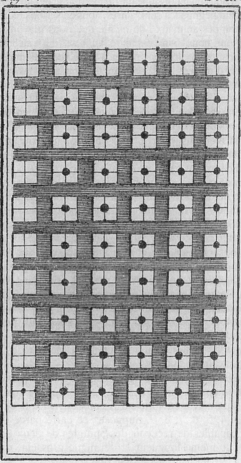

Lettres sur les Aveugles.

les côtés. Le chiffre 2 par une épingle à grosse tête placée au centre du carré, et par une épingle à petite tête placée sur un des côtés au point 1. Le chiffre 3 par une épingle à grosse 610 tête placée au centre du carré, et par une épingle à petite tête placée sur un des côtés au point 2. Le chiffre 4 par une épingle à grosse tête placée au centre du carré, et par une épingle à petite tête placée sur un des côtés, au point 3. Le chiffre 5 par une épingle à grosse tête placée au centre du carré, et par une épingle à petite tête placée sur un des côtés, au point 4. Le chiffre 6 par une épingle à grosse tête placée au centre du carré, et par une épingle à petite tête placée sur un des côtés, au point 5. Le chiffre 7 par une épingle à grosse tête placée au centre du carré, et par une épingle à petite tête 620 placée sur un des côtés, au point 6. Le chiffre 8 par une épingle à grosse tête placée au centre du carré, et par une épingle à petite tête placée sur un des côtés, au point 7. Le chiffre 9 par une épingle à grosse tête placée au centre du carré, et par une épingle à petite tête placée sur un des côtés du carré, au point 8.

Voilà bien dix expressions différentes pour le tact, dont chacune répond à un de nos dix caractères arithmétiques. Imaginez maintenant une table si grande que vous voudrez, partagée en petits carrés, rangés horizontalement, et séparés 630 les uns des autres de la même distance, ainsi que vous le voyez planche III, et vous aurez la machine de Saunderson.

Vous concevez facilement qu'il n'y a point de nombres qu'on ne puisse écrire sur cette table, et par conséquent aucune opération arithmétique qu'on n'y puisse exécuter.

Soit proposé, par exemple, de trouver la somme, ou de faire l'addition des neuf nombres suivants.

1	2	3	4	5	
2	3	4	5	6	
3	4	5	6	7	640
4	5	6	7	8	
5	6	7	8	9	
6	7	8	9	0	
7	8	9	0	1	
8	9	0	1	2	
9	0	1	2	3	

Pl. IV.

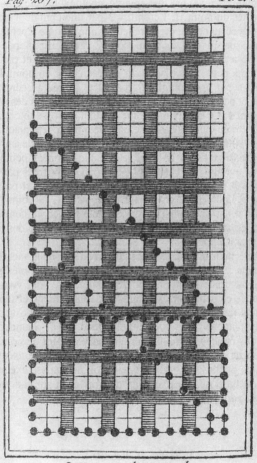

Lettres sur les Aveugles.

Je les écris sur la table à mesure qu'on me les nomme, le premier chiffre à gauche du premier nombre, sur le premier carré à gauche de la première ligne ; le second chiffre à gauche du premier nombre, sur le second carré à gauche 650 de la même ligne ; et ainsi de suite.

Je place le second nombre sur la seconde rangée de carrés, les unités sous les unités, les dizaines sous les dizaines, etc.

Je place le troisième nombre sur la troisième rangée de carrés, et ainsi de suite, comme vous voyez planche III. Puis parcourant avec les doigts chaque rangée verticale de bas en haut, en commençant par celle qui est le plus à ma gauche [40], je fais l'addition des nombres qui y sont exprimés, et j'écris le surplus des dizaines au bas de cette colonne. Je passe à la seconde colonne en avançant vers la gauche, sur laquelle 660 j'opère de la même manière ; de celle-là à la troisième, et j'achève ainsi de suite mon addition.

Voici comment la même table lui servait à démontrer les propriétés des figures rectilignes. Supposons qu'il eût à démontrer que les parallélogrammes qui ont même base et même hauteur sont égaux en surface. Il plaçait ses épingles, comme vous les voyez planche IV. Il attachait des noms aux points angulaires, et il achevait la démonstration avec ses doigts.

En supposant que Saunderson n'employât que des 670 épingles à grosse tête, pour désigner les limites de ses figures, il pouvait disposer autour d'elles, des épingles à petite tête de neuf façons différentes, qui toutes lui étaient familières. Ainsi il n'était guère embarrassé que dans les cas où le grand nombre de points angulaires qu'il était obligé de nommer dans sa démonstration, le forçait de recourir aux lettres de l'alphabet. On ne nous apprend point comment il les employait.

Nous savons seulement qu'il parcourait sa table avec une agilité de doigts surprenante, qu'il s'engageait avec succès 680 dans les calculs les plus longs, qu'il pouvait les interrompre et reconnaître quand il se trompait, qu'il les vérifiait avec facilité, et que ce travail ne lui demandait pas, à beaucoup près, autant de temps qu'on pourrait se l'imaginer, par la commodité qu'il avait de préparer sa table [41].

Cette préparation consistait à placer des épingles à grosse tête au centre de tous les carrés ; cela fait, il ne lui restait

Pl. V.

Lettres sur les Aveugles

plus qu'à en déterminer la valeur par les épingles à petite tête, excepté dans les cas où il fallait écrire une unité ; alors il mettait au centre du carré une épingle à petite tête, à la place de l'épingle à grosse tête qui l'occupait. 690

Quelquefois au lieu de former une ligne entière avec ses épingles, il se contentait d'en placer à tous les points angulaires ou d'intersection, autour desquels il fixait des fils de soie qui achevaient de former les limites de ses figures. *Voyez* la planche V.

Il a laissé quelques autres machines qui lui facilitaient l'étude de la géométrie ; on ignore le véritable usage qu'il en faisait ; et il y aurait peut être plus de sagacité à le retrouver, qu'à résoudre un problème de calcul intégral. 700 Que quelque géomètre tâche de nous apprendre à quoi lui servaient quatre morceaux de bois solides, de la forme de parallélépipèdes rectangulaires, chacun de onze pouces de long sur cinq et demi de large, et sur un peu plus d'un demi-pouce d'épais, dont les deux grandes surfaces opposées étaient divisées en petits carrés, semblables à celui de l'abaque que je viens de décrire ; avec cette différence qu'ils n'étaient percés qu'en quelques endroits où des épingles étaient enfoncées jusqu'à la tête. Chaque surface représentait neuf petites tables arithmétiques, de dix 710 nombres chacune, et chacun de ces dix nombres était composé de dix chiffres. La planche VI représente une de ces petites tables ; et voici les nombres qu'elle contenait :

9	4	0	8	4
2	4	1	8	6
4	1	7	9	2
5	4	2	8	4
6	3	9	6	8
7	1	8	8	0
7	8	5	6	8
8	4	3	5	8
8	9	4	6	4
9	4	0	3	0 [42]

720

Pl. VI.

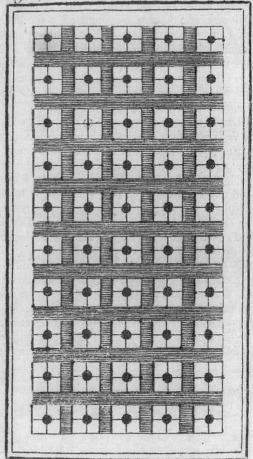

Lettres sur les Aveugles.

Il est auteur d'un ouvrage très parfait dans son genre : ce sont des éléments d'algèbre, où l'on n'aperçoit qu'il était aveugle qu'à la singularité de certaines démonstrations qu'un homme qui voit n'eût peut-être pas rencontrées ; c'est à lui qu'appartient la division du cube en six pyramides égales, qui ont leurs sommets au centre du cube, et pour bases chacune une de ses faces. On s'en sert 730 pour démontrer d'une manière très simple que toute pyramide est le tiers d'un prisme de même base et de même hauteur.

Il fut entraîné par son goût à l'étude des mathématiques, et déterminé par la médiocrité de sa fortune et les conseils de ses amis, à en faire des leçons publiques. Ils ne doutèrent point qu'il ne réussît au-delà de ses espérances, par la facilité prodigieuse qu'il avait à se faire entendre. En effet, Saunderson parlait à ses élèves comme s'ils eussent été privés de la vue ; mais un aveugle qui s'exprime claire- 740 ment pour des aveugles, doit gagner beaucoup avec des gens qui voient ; ils ont un télescope de plus.

Ceux qui ont écrit sa vie disent qu'il était fécond en expressions heureuses, et cela est fort vraisemblable. Mais qu'entendez-vous par des expressions heureuses, me demanderez-vous peut-être ? Je vous répondrai, Madame, que ce sont celles qui sont propres à un sens, au toucher par exemple, et qui sont métaphoriques en même temps à un autre sens, comme aux yeux ; d'où il résulte une double lumière pour celui à qui l'on parle ; la lumière vraie et 750 directe de l'expression, et la lumière réfléchie de la métaphore [43]. Il est évident que dans ces occasions Saunderson, avec tout l'esprit qu'il avait, ne s'entendait qu'à moitié ; puisqu'il n'apercevait que la moitié des idées attachées aux termes qu'il employait. Mais qui est-ce qui n'est pas de temps en temps dans le même cas ? cet accident est commun aux idiots, qui font quelquefois d'excellentes plaisanteries, et aux personnes qui ont le plus d'esprit, à qui il échappe une sottise, sans que ni les uns ni les autres s'en aperçoivent. 760

J'ai remarqué que la disette de mots produisait aussi le même effet sur les étrangers à qui la langue n'est pas encore familière ; ils sont forcés de tout dire avec une très petite quantité de termes, ce qui les contraint d'en placer quelques-uns très heureusement. Mais toute langue en général étant pauvre de mots propres pour les écrivains qui ont l'imagination vive, ils sont dans le même cas que les étrangers qui ont beaucoup d'esprit ; les situations qu'ils inventent, les nuances délicates qu'ils aperçoivent dans les caractères, la naïveté des peintures qu'ils ont à faire, les écartent à tout moment des façons de parler ordinaires, et leur font adopter des tours de phrases qui sont admirables toutes les fois qu'ils ne sont ni précieux ni obscurs, défauts qu'on leur pardonne plus ou moins difficilement, selon qu'on a plus d'esprit soi-même et moins de connaissance de la langue. Voilà pourquoi M. de M... [44] est de tous les auteurs français celui qui plaît le plus aux Anglais, et Tacite celui de tous les auteurs latins que les penseurs estiment davantage. Les licences de langage nous échappent, et la vérité des termes nous frappe seule.

Saunderson professa les mathématiques dans l'université de Cambridge avec un succès étonnant. Il donna des leçons d'optique, il prononça des discours sur la nature de la lumière et des couleurs, il expliqua la théorie de la vision, il traita des effets des verres, des phénomènes de l'arc-en-ciel, et de plusieurs autres matières relatives à la vue et à son organe [45].

Ces choses perdront beaucoup de leur merveilleux, si vous considérez, Madame, qu'il y a trois choses à distinguer dans toute question mêlée de physique et de géométrie ; le phénomène à expliquer les suppositions du géomètre, et le calcul qui résulte des suppositions. Or il est évident que, quelle que soit la pénétration d'un aveugle, les phénomènes de la lumière et des couleurs lui sont inconnus. Il entendra les suppositions, parce qu'elles sont toutes relatives à des causes palpables ; mais nullement la raison que le géomètre avait de les préférer à d'autres ; car il faudrait qu'il pût comparer les suppositions mêmes avec les phénomènes. L'aveugle prend donc les suppositions pour ce qu'on les lui donne ; un rayon de lumière, pour un fil élastique et mince, ou pour une suite de petits corps qui viennent frapper nos yeux avec une vitesse incroyable ; et il calcule en conséquence [46]. Le passage de la physique à la géométrie est franchi, et la question devient purement mathématique.

Mais que devons-nous penser des résultats du calcul ?
1°. Qu'il est quelquefois de la dernière difficulté de les
obtenir ; et qu'en vain un physicien serait très heureux à
imaginer les hypothèses les plus conformes à la nature, s'il
ne savait les faire valoir par la géométrie : aussi les plus 810
grands physiciens, Galilée, Descartes, Newton, ont-ils été
grands géomètres. 2°. Que ces résultats sont plus ou moins
certains, selon que les hypothèses dont on est parti sont
plus ou moins compliquées. Lorsque le calcul est fondé
sur une hypothèse simple, alors les conclusions acquièrent
la force de démonstrations géométriques. Lorsqu'il y a un
grand nombre de suppositions, l'apparence que chaque
hypothèse soit vraie, diminue en raison du nombre des
hypothèses ; mais augmente d'un autre côté par le peu de
vraisemblance que tant d'hypothèses fausses se puissent 820
corriger exactement l'une l'autre, et qu'on en obtienne un
résultat confirmé par les phénomènes [47]. Il en serait en ce
cas comme d'une addition dont le résultat serait exact,
quoique les sommes partielles des nombres ajoutés eussent toutes été prises faussement. On ne peut disconvenir
qu'une telle opération ne soit possible, mais vous voyez en
même temps qu'elle doit être fort rare. Plus il y aura de
nombres à ajouter, plus il y aura d'apparence que l'on se
sera trompé dans l'addition de chacun ; mais aussi moins
cette apparence sera grande, si le résultat de l'opération est 830
juste. Il y a donc un nombre d'hypothèses tel, que la certitude qui en résulterait serait la plus petite qu'il est possible. Si je fais A, plus B, plus C, égaux à 50, conclurai-je
de ce que 50 est en effet la quantité du phénomène, que les
suppositions représentées par les lettres A, B, C, sont
vraies ? Nullement ; car il y a une infinité de manières
d'ôter à l'une de ces lettres et d'ajouter aux deux autres,
d'après lesquelles je trouverai toujours 50 pour résultat ;
mais le cas de trois hypothèses combinées, est peut-être un
des plus défavorables [48]. 840

Un avantage du calcul que je ne dois pas omettre, c'est
d'exclure les hypothèses fausses, par la contrariété qui se
trouve entre le résultat et le phénomène. Si un physicien se
propose de trouver la courbe que suit un rayon de lumière
en traversant l'atmosphère, il est obligé de prendre son
parti sur la densité des couches de l'air, sur la loi de la

réfraction, sur la nature et la figure des corpuscules lumineux, et peut-être sur d'autres éléments essentiels qu'il ne fait point entrer en compte, soit parce qu'il les néglige 850 volontairement, soit parce qu'ils lui sont inconnus ; il détermine ensuite la courbe du rayon. Est-elle autre dans la nature que son calcul ne la donne ? ses suppositions sont incomplètes ou fausses : le rayon prend-il la courbe déterminée ? il s'ensuit de deux choses l'une, ou que les suppositions se sont redressées, ou qu'elles sont exactes ; mais lequel des deux ? il l'ignore : cependant voilà toute la certitude à laquelle il peut arriver.

J'ai parcouru les éléments d'algèbre de Saunderson, dans l'espérance d'y rencontrer ce que je désirais d'apprendre de 860 ceux qui l'ont vu familièrement, et qui nous ont instruits de quelques particularités de sa vie ; mais ma curiosité a été trompée, et j'ai conçu que des éléments de géométrie de sa façon auraient été un ouvrage plus singulier en lui-même, et beaucoup plus utile pour nous. Nous y aurions trouvé les définitions du point, de la ligne, de la surface, du solide, de l'angle, des intersections, des lignes et des plans, où je ne doute point qu'il n'eût employé les principes d'une métaphysique très abstraite et fort voisine de celle des idéalistes. On appelle idéalistes ces philosophes 870 qui, n'ayant conscience que de leur existence et des sensations qui se succèdent au-dedans d'eux-mêmes, n'admettent pas autre chose : système extravagant, qui ne pouvait, ce me semble, devoir sa naissance qu'à des aveugles ; système qui, à la honte de l'esprit humain et de la philosophie, est le plus difficile à combattre, quoique le plus absurde de tous. Il est exposé avec autant de franchise que de clarté dans trois *Dialogues* du docteur Berkeley, évêque de Cloyne [49] ; il faudrait inviter l'auteur de l'*Essai sur nos connaissances* [50], à examiner cet ouvrage : il y trouverait 880 matière à des observations utiles, agréables, fines, et telles en un mot qu'il les sait faire. L'idéalisme mérite bien de lui être dénoncé ; et cette hypothèse a de quoi le piquer moins encore par sa singularité, que par la difficulté de la réfuter dans ses principes ; car ce sont précisément les mêmes que ceux de Berkeley. Selon l'un et l'autre, et selon la raison, les termes, essence, matière, substance, suppôt, etc. ne portent guère par eux-mêmes de lumière dans notre esprit ; d'ailleurs, remarque judicieusement l'auteur de l'*Essai sur l'origine des connaissances humaines*, soit que nous nous élevions jusqu'aux cieux, soit que nous descendions jusque dans les abîmes, nous ne sortons jamais de nous-mêmes, et ce n'est que notre propre pensée que nous apercevons [51] ; or, c'est là le résultat du premier *Dialogue* de Berkeley, et le fondement de tout son système. Ne seriez-vous pas curieuse de voir aux prises deux ennemis dont les armes se ressemblent si fort ? Si la victoire restait à l'un des deux, ce ne pourrait être qu'à celui qui s'en servirait le mieux : mais l'auteur de l'*Essai sur l'origine des connaissances humaines*, vient de donner dans un *Traité sur les systèmes* de nouvelles preuves de l'adresse avec laquelle il sait manier les siennes, et montrer combien il est redoutable pour les systématiques [52].

Nous voilà bien loin de nos aveugles, direz-vous ; mais il faut que vous ayez la bonté, Madame, de me passer toutes ces digressions : je vous ai promis un entretien, et je ne puis vous tenir parole sans cette indulgence [53].

J'ai lu avec toute l'attention dont je suis capable ce que Saunderson a dit de l'infini : je puis vous assurer qu'il avait sur ce sujet des idées très justes et très nettes, et que la plupart de nos infinitaires n'auraient été pour lui que des aveugles [54]. Il ne tiendra qu'à vous d'en juger par vous-même : quoique cette matière soit assez difficile, et s'étende un peu au-delà de vos connaissances mathématiques, je ne désespérerais pas, en me préparant, de la mettre à votre portée, et de vous initier dans cette logique infinitésimale.

L'exemple de cet illustre aveugle prouve que le tact peut devenir plus délicat que la vue, lorsqu'il est perfectionné par l'exercice ; car en parcourant des mains une suite de médailles, il discernait les vraies d'avec les fausses, quoique celles-ci fussent assez bien contrefaites pour tromper un connaisseur qui aurait eu de bons yeux [55] ; et il jugeait de l'exactitude d'un instrument de mathématique, en faisant passer l'extrémité de ses doigts sur ses divisions [56]. Voilà certainement des choses plus difficiles à faire que d'estimer par le tact la ressemblance d'un buste, avec la personne représentée. D'où l'on voit qu'un peuple d'aveugles pourrait avoir des statuaires, et tirer des statues

le même avantage que pour nous, celui de perpétuer la
930 mémoire des belles actions, et des personnes qui leur
seraient chères. Je ne doute pas même que le sentiment
qu'ils éprouveraient à toucher les statues ne fût beaucoup
plus vif que celui que nous avons à les voir. Quelle douceur pour un amant qui aurait bien tendrement aimé, de
promener ses mains sur des charmes qu'il reconnaîtrait,
lorsque l'illusion qui doit agir plus fortement dans les
aveugles qu'en ceux qui voient, viendrait à les ranimer !
mais peut-être aussi que plus il aurait de plaisir dans ce
souvenir, moins il aurait de regrets.

940 Saunderson avait de commun avec l'aveugle du Puiseaux, d'être affecté de la moindre vicissitude qui surve-
nait dans l'atmosphère, et de s'apercevoir, surtout dans les
temps calmes, de la présence des objets dont il n'était
éloigné que de quelques pas. On raconte qu'un jour qu'il
assistait à des observations astronomiques qui se faisaient
dans un jardin, les nuages qui dérobaient de temps en
temps, aux observateurs le disque du soleil, occasion-
naient une altération assez sensible dans l'action des
rayons sur son visage, pour lui marquer les moments favo-
950 rables ou contraires aux observations. Vous croirez peut-
être qu'il se faisait dans ses yeux quelque ébranlement
capable de l'avertir de la présence de la lumière, mais non
de celle des objets ; et je l'aurais cru comme vous, s'il
n'était certain que Saunderson était privé non seulement
de la vue, mais de l'organe.

Saunderson voyait donc par la peau ; cette enveloppe
était donc en lui d'une sensibilité si exquise, qu'on peut
assurer qu'avec un peu d'habitude, il serait parvenu à
reconnaître un de ses amis, dont un dessinateur lui aurait
960 tracé le portrait sur la main, et qu'il aurait prononcé sur la
succession des sensations excitées par le crayon ; c'est
Monsieur un tel. Il y a donc aussi une peinture pour les
aveugles ; celle à qui leur propre peau servirait de toile [57].
Ces idées sont si peu chimériques, que je ne doute point
que si quelqu'un vous traçait sur la main la petite bouche
de M… vous ne la reconnussiez sur-le-champ : convenez
cependant, que cela serait plus facile encore à un aveugle-
né qu'à vous ; malgré l'habitude que vous avez de la voir
et de la trouver charmante. Car il entre dans votre juge-

ment deux ou trois choses, la comparaison de la peinture 970
qui s'en ferait sur votre main, avec celle qui s'en est faite
dans le fond de votre œil ; la mémoire de la manière dont
on est affecté des choses que l'on sent, et de celle dont on
est affecté par les choses qu'on s'est contenté de voir et
d'admirer ; enfin l'application de ces données, à la question qui vous est proposée par un dessinateur qui vous
demande sur la peau de votre main, avec la pointe de son
crayon, à qui appartient la bouche que je dessine ? au lieu
que la somme des sensations excitées par une bouche sur
la main d'un aveugle, est la même que la somme des sen- 980
sations successives, réveillées par le crayon du dessinateur
qui la lui représente.

Je pourrais ajouter à l'histoire de l'aveugle du Puiseaux et
de Saunderson, celle de Didyme d'Alexandrie, d'Eusèbe
l'Asiatique, de Nicaise de Mechlin [58], et de quelques autres
qui ont paru si fort élevés au-dessus du reste des hommes,
avec un sens de moins ; que les poètes auraient pu feindre
sans exagération, que les dieux jaloux les en privèrent, de
peur d'avoir des égaux parmi les mortels. Car qu'était-ce
que ce Tirésie qui avait lu dans les secrets des dieux et qui 990
possédait le don de prédire l'avenir, qu'un philosophe
aveugle dont la fable nous a conservé la mémoire ? Mais ne
nous éloignons plus de Saunderson, et suivons cet homme
extraordinaire jusqu'au tombeau.

Lorsqu'il fut sur le point de mourir, on appela auprès de
lui un ministre fort habile, M. Gervaise Holmes : ils eurent
ensemble un entretien sur l'existence de Dieu, dont il nous
reste quelques fragments que je vous traduirai de mon
mieux, car ils en valent bien la peine. Le ministre
commença par lui objecter les merveilles de la nature [59] : 1000
« Eh ! Monsieur, lui disait le philosophe aveugle, laissez-
là tout ce beau spectacle qui n'a jamais été fait pour moi.
J'ai été condamné à passer ma vie dans les ténèbres, et
vous me citez des prodiges que je n'entends point, et qui
ne prouvent que pour vous et que pour ceux qui voient
comme vous. Si vous voulez que je croie en Dieu, il faut
que vous me le fassiez toucher.

– Monsieur, reprit habilement le ministre, portez les
mains sur vous-même, et vous rencontrerez la Divinité
dans le mécanisme admirable de vos organes.   1010

– M. Holmes, reprit Saunderson, je vous le répète ; tout cela n'est pas aussi beau pour moi que pour vous. Mais le mécanisme animal fût-il aussi parfait que vous le prétendez, et que je veux bien le croire, car vous êtes un honnête homme, très incapable de m'en imposer, qu'a-t-il de commun avec un être souverainement intelligent ? s'il vous étonne, c'est peut-être parce que vous êtes dans l'habitude de traiter de prodige tout ce qui vous paraît au-dessus de vos forces. J'ai été si souvent un objet d'admiration pour
1020 vous, que j'ai bien mauvaise opinion de ce qui vous surprend. J'ai attiré du fond de l'Angleterre des gens qui ne pouvaient concevoir comment je faisais de la géométrie : il faut que vous conveniez que ces gens-là n'avaient pas des notions bien exactes de la possibilité des choses. Un phénomène est-il, à notre avis, au-dessus de l'homme ? nous disons aussitôt, c'est l'ouvrage d'un Dieu ; notre vanité ne se contente pas à moins : ne pourrions-nous pas mettre dans nos discours un peu moins d'orgueil et un peu plus de philosophie ? Si la nature nous offre un nœud difficile à
1030 délier, laissons-le pour ce qu'il est, et n'employons pas à le couper la main d'un Être qui devient ensuite pour nous un nouveau nœud plus indissoluble que le premier. Demandez à un Indien, pourquoi le monde reste suspendu dans les airs, il vous répondra qu'il est porté sur le dos d'un éléphant ; et l'éléphant sur quoi l'appuiera-t-il ? sur une tortue ; et la tortue qui la soutiendra ?... Cet Indien vous fait pitié ; et l'on pourrait vous dire comme à lui : M. Holmes mon ami, confessez d'abord votre ignorance, et faites-moi grâce de l'éléphant et de la tortue. »

1040 Saunderson s'arrêta un moment : il attendait apparemment que le ministre lui répondît ; mais par où attaquer un aveugle ? M. Holmes se prévalut de la bonne opinion que Saunderson avait conçue de sa probité et des lumières de Newton, de Leibniz, de Clarke et de quelques-uns de ses compatriotes, les premiers génies du monde, qui tous avaient été frappés des merveilles de la nature, et reconnaissaient un Être intelligent pour son auteur. C'était sans contredit ce que le ministre pouvait objecter de plus fort à Saunderson. Aussi le bon aveugle convint-il qu'il y aurait
1050 de la témérité à nier ce qu'un homme, tel que Newton, n'avait pas dédaigné d'admettre : il représenta toutefois au

ministre, que le témoignage de Newton n'était pas aussi fort pour lui, que celui de la nature entière pour Newton ; et que Newton croyait sur la parole de Dieu, au lieu que lui, il en était réduit à croire sur la parole de Newton.

« Considérez, M. Holmes, ajouta-t-il, combien il faut que j'aie de confiance en votre parole et dans celle de Newton [60]. Je ne vois rien ; cependant j'admets en tout un ordre admirable ; mais je compte que vous n'en exigerez pas davantage. Je vous le cède sur l'état actuel de l'univers, pour obtenir de vous en revanche la liberté de penser ce qu'il me plaira, de son ancien et premier état sur lequel vous n'êtes pas moins aveugle que moi. Vous n'avez point ici de témoins à m'opposer, et vos yeux ne vous sont d'aucune ressource. Imaginez donc si vous voulez, que l'ordre qui vous frappe a toujours subsisté ; mais laissez moi croire qu'il n'en est rien ; et que, si nous remontions à la naissance des choses et des temps, et que nous sentissions la matière se mouvoir et le chaos se débrouiller, nous rencontrerions une multitude d'êtres informes, pour quelques êtres bien organisés [61]. Si je n'ai rien à vous objecter sur la condition présente des choses, je puis du moins vous interroger sur leur condition passée. Je puis vous demander, par exemple, qui vous a dit à vous, à Leibniz, à Clarke et à Newton [62], que dans les premiers instants de la formation des animaux, les uns n'étaient pas sans tête et les autres sans pieds ? Je puis vous soutenir que ceux-ci n'avaient point d'estomac, et ceux-là point d'intestins, que tels à qui un estomac, un palais et des dents semblaient promettre de la durée, ont cessé par quelque vice du cœur ou des poumons ; que les monstres se sont anéantis successivement ; que toutes les combinaisons vicieuses de la matière ont disparu, et qu'il n'est resté que celles où le mécanisme n'impliquait aucune contradiction importante et qui pouvaient subsister par elles-mêmes et se perpétuer.

« Cela supposé, si le premier homme eût eu le larynx fermé, eût manqué d'aliments convenables, eût péché par les parties `de la génération, n'eût point rencontré sa compagne, ou se fût répandu dans une autre espèce, M. Holmes, que devenait le genre humain ? il eût été enveloppé dans la dépuration générale de l'univers, et cet être orgueilleux qui s'appelle homme, dissous et dispersé entre les molécules de la matière, serait resté, peut-être pour toujours, au nombre des possibles [63].

« S'il n'y avait jamais eu d'êtres informes, vous ne manqueriez pas de prétendre qu'il n'y en aura jamais, et que je me jette dans des hypothèses chimériques ; mais l'ordre n'est pas si parfait, continua Saunderson, qu'il ne paraisse
1100 encore de temps en temps des productions monstrueuses. » Puis se tournant en face du ministre, il ajouta : « Voyez-moi bien, M. Holmes, je n'ai point d'yeux. Qu'avions-nous fait à Dieu, vous et moi, l'un pour avoir cet organe, l'autre pour en être privé ? »

Saunderson avait l'air si vrai et si pénétré en prononçant ces mots, que le ministre et le reste de l'assemblée ne purent s'empêcher de partager sa douleur, et se mirent à pleurer amèrement sur lui. L'aveugle s'en aperçut : « Monsieur Holmes, dit-il au ministre, la bonté de votre cœur
1110 m'était bien connue, et je suis très sensible à la preuve que vous m'en donnez dans ces derniers moments ; mais, si je vous suis cher, ne m'enviez pas en mourant la consolation de n'avoir jamais affligé personne. »

Puis reprenant un ton plus ferme, il ajouta : « Je conjecture donc que, dans le commencement où la matière en fermentation faisait éclore l'univers, mes semblables étaient fort communs [64]. Mais pourquoi n'assurerais-je pas des mondes ce que je crois des animaux ? combien de mondes estropiés, manqués, se sont dissipés, se réforment et se dis-
1120 sipent peut-être à chaque instant, dans des espaces éloignés, où je ne touche point et où vous ne voyez pas ; mais où le mouvement continue et continuera de combiner des amas de matière, jusqu'à ce qu'ils aient obtenu quelque arrangement dans lequel ils puissent persévérer. Ô philosophes, transportez-vous donc avec moi, sur les confins de cet univers, au-delà du point où je touche et où vous voyez des êtres organisés ; promenez-vous sur ce nouvel océan, et cherchez à travers ses agitations irrégulières, quelques vestiges de cet être intelligent dont vous admirez ici la sagesse !
1130 « Mais à quoi bon vous tirer de votre élément ? Qu'est-ce que ce monde, M. Holmes ? un composé sujet à des révolutions qui toutes indiquent une tendance continuelle à la destruction ; une succession rapide d'êtres qui s'entre-

suivent, se poussent et disparaissent ; une symétrie passagère ; un ordre momentané. Je vous reprochais tout à l'heure d'estimer la perfection des choses par votre capacité, et je pourrais vous accuser ici d'en mesurer la durée sur celle de vos jours. Vous jugez de l'existence successive du monde, comme la mouche éphémère de la vôtre. Le monde est éternel pour vous, comme vous êtes éternel pour l'être qui ne vit qu'un instant. Encore l'insecte est-il plus raisonnable que vous. Quelle suite prodigieuse de générations d'éphémères atteste votre éternité ! quelle tradition immense ! cependant nous passerons tous, sans qu'on puisse assigner ni l'étendue réelle que nous occupions, ni le temps précis que nous aurons duré. Le temps, la matière et l'espace ne sont peut-être qu'un point [65]. » 1140

Saunderson s'agita dans cet entretien un peu plus que son état ne le permettait ; il lui survint un accès de délire qui dura quelques heures, et dont il ne sortit que pour s'écrier : 1150

« *Ô Dieu de Clarke et de Newton, prends pitié de moi !* » et mourir [66].

Ainsi finit Saunderson. Vous voyez, Madame, que tous les raisonnements qu'il venait d'objecter au ministre, n'étaient pas même capables de rassurer un aveugle. Quelle honte pour des gens qui n'ont pas de meilleures raisons que lui, qui voient, et à qui le spectacle étonnant de la nature annonce depuis le lever du soleil jusqu'au coucher des moindres étoiles, l'existence et la gloire de son 1160 auteur. Ils ont des yeux dont Saunderson était privé ; mais Saunderson avait une pureté de mœurs et une ingénuité de caractère qui leur manquent. Aussi ils vivent en aveugles, et Saunderson meurt comme s'il eût vu. La voix de la nature se fait entendre suffisamment à lui, à travers les organes qui lui restent, et son témoignage n'en sera que plus fort contre ceux qui se ferment opiniâtrement les oreilles et les yeux. Je demanderais volontiers, si le vrai Dieu n'était pas encore mieux voilé pour Socrate par les ténèbres du paganisme, que pour Saunderson par la priva- 1170 tion de la vue et du spectacle de la nature [67].

Je suis bien fâché, Madame, que pour votre satisfaction et la mienne, on ne nous ait pas transmis de cet illustre aveugle d'autres particularités intéressantes. Il y avait peut-être plus de lumières à tirer de ses réponses, que de toutes les expériences qu'on se propose. Il fallait que ceux qui vivaient avec lui fussent bien peu philosophes ! J'en excepte cependant son disciple, M. William Inchlif qui ne vit Saunderson que dans ses derniers moments, et qui nous a recueilli ses dernières paroles que je conseillerais à tous ceux qui entendent un peu l'anglais, de lire en original dans un ouvrage imprimé à Dublin en 1747, et qui a pour titre : *The Life and Character of Dr. Nicholas Saunderson late lucasian Professor of the Mathematics in the University of Cambridge. By his Disciple and Friend William Inchlif, Esq.* Ils y remarqueront un agrément, une force, une vérité, une douceur qu'on ne rencontre dans aucun autre écrit, et que je ne me flatte pas de vous avoir rendus, malgré tous les efforts que j'ai faits pour les conserver dans ma traduction [68].

Il épousa en 1713 la fille de M. Dickons, recteur de Boxworth, dans la contrée de Cambridge ; il en eut un fils et une fille qui vivent encore. Les derniers adieux qu'il fit à sa famille sont fort touchants. « Je vais, leur dit-il, où nous irons tous : épargnez-moi des plaintes qui m'attendrissent. Les témoignages de douleur que vous me donnez, me rendent plus sensible à ceux qui m'échappent. Je renonce sans peine à une vie qui n'a été pour moi qu'un long désir, et qu'une privation continuelle. Vivez aussi vertueux et plus heureux ; et apprenez à mourir aussi tranquilles. » Il prit ensuite la main de sa femme, qu'il tint un moment serrée entre les siennes : il se tourna le visage de son côté, comme s'il eût cherché à la voir : il bénit ses enfants, les embrassa tous, et les pria de se retirer, parce qu'ils portaient à son âme des atteintes plus cruelles que les approches de la mort.

L'Angleterre est le pays des philosophes, des curieux, des systématiques ; cependant sans M. Inchlif, nous ne saurions de Saunderson que ce que les hommes les plus ordinaires nous en auraient appris ; par exemple, qu'il reconnaissait les lieux où il avait été introduit une fois, au bruit des murs et du pavé, lorsqu'ils en faisaient, et cent autres choses de la même nature qui lui étaient communes avec presque tous les aveugles [69]. Quoi donc, rencontre-t-on si fréquemment en Angleterre des aveugles du mérite de Saunderson, et y trouve-t-on tous les jours des gens qui aient jamais vu, et qui fassent des leçons d'optique ?

On cherche à restituer la vue à des aveugles-nés ; mais si l'on y regardait de plus près, on trouverait, je crois, qu'il y a bien autant à profiter pour la philosophie, en question-nant un aveugle de bon sens. On en apprendrait comment les choses se passent en lui ; on les comparerait avec la manière dont elles se passent en nous ; et l'on tirerait peut-être de cette comparaison, la solution des difficultés qui rendent la théorie de la vision et des sens si embarrassée et si incertaine : mais je ne conçois pas, je l'avoue, ce que l'on espère d'un homme à qui l'on vient de faire une opé-ration douloureuse, sur un organe très délicat, que le plus léger accident dérange, et qui trompe souvent ceux en qui il est sain et qui jouissent depuis longtemps de ses avan-tages. Pour moi, j'écouterais avec plus de satisfaction sur la théorie des sens un métaphysicien à qui les principes de la physique, les éléments des mathématiques, et la confor-mation des parties seraient familiers, qu'un homme sans éducation et sans connaissances, à qui l'on a restitué la vue par l'opération de la cataracte. J'aurais moins de confiance dans les réponses d'une personne qui voit pour la première fois, que dans les découvertes d'un philosophe qui aurait bien médité son sujet dans l'obscurité ; ou, pour parler le langage des poètes, qui se serait crevé les yeux pour connaître plus aisément comment se fait la vision [70].

Si l'on voulait donner quelque certitude à des expé-riences, il faudrait du moins que le sujet fût préparé de longue main, qu'on l'élevât, et peut-être qu'on le rendît philosophe ; mais ce n'est pas l'ouvrage d'un moment, que de faire un philosophe, même quand on l'est ; que sera-ce quand on ne l'est pas ? c'est bien pis, quand on croit l'être. Il serait très à-propos de ne commencer les observations que longtemps après l'opération. Pour cet effet, il faudrait traiter le malade dans l'obscurité, et s'assurer bien que sa blessure est guérie, et que ses yeux sont sains. Je ne vou-drais pas qu'on l'exposât d'abord au grand jour : l'éclat d'une lumière vive nous empêche de voir ; que ne pro-duira-t-il point sur un organe qui doit être de la dernière sensibilité, n'ayant encore éprouvé aucune impression qui l'ait émoussé [71] ?

Mais ce n'est pas tout : ce serait encore un point fort délicat, que de tirer parti d'un sujet ainsi préparé, et que de l'interroger avec assez de finesse, pour qu'il ne dît précisément que ce qui se passe en lui. Il faudrait que cet inter-
1260 rogatoire se fît en pleine Académie ; ou plutôt, afin de n'avoir point de spectateurs superflus, n'inviter à cette assemblée que ceux qui le mériteraient par leurs connaissances philosophiques, anatomiques, etc. Les plus habiles gens et les meilleurs esprits ne seraient pas trop bons pour cela. Préparer et interroger un aveugle-né, n'eût point été une occupation indigne des talents réunis de Newton, Descartes, Locke et Leibniz.

Je finirai cette Lettre, qui n'est déjà que trop longue, par une question qu'on a proposée il y a longtemps. Quelques
1270 réflexions sur l'état singulier de Saunderson m'ont fait voir qu'elle n'avait jamais été entièrement résolue. On suppose un aveugle de naissance qui soit devenu homme fait, et à qui on ait appris à distinguer, par l'attouchement, un cube et un globe de même métal et à peu près de même grandeur, en sorte que, quand il touche l'un et l'autre, il puisse dire quel est le cube et quel est le globe. On suppose que, le cube et le globe étant posés sur une table, cet aveugle vienne à jouir de la vue, et l'on demande si en les voyant sans les toucher, il pourra les discerner et dire quel
1280 est le cube et quel est le globe [72].

Ce fut M. Molyneux qui proposa le premier cette question, et qui tenta de la résoudre : il prononça que l'aveugle ne distinguerait point le globe du cube ; « car, dit-il, quoiqu'il ait appris par expérience de quelle manière le globe et le cube affectent son attouchement, il ne sait pourtant pas encore que ce qui affecte son attouchement de telle ou de telle manière doit frapper ses yeux de telle ou telle façon, ni que l'angle avancé du cube qui presse sa main d'une manière inégale, doive paraître à ses yeux tel qu'il
1290 paraît dans le cube ».

Locke, consulté sur cette question, dit : « Je suis tout à fait du sentiment de M. Molyneux ; je crois que l'aveugle ne serait pas capable à la première vue d'assurer avec quelque confiance quel serait le cube, et quel serait le globe, s'il se contentait de les regarder, quoique en les touchant il pût les nommer et les distinguer sûrement par la différence de leurs figures, que l'attouchement lui ferait reconnaître. »

M. l'abbé de Condillac, dont vous avez lu l'*Essai sur l'origine des connaissances humaines*, avec tant de plaisir et d'utilité, et dont je vous envoie avec cette Lettre l'excellent *Traité des systèmes*, a là-dessus un sentiment particulier. Il est inutile de vous rapporter les raisons sur lesquelles il s'appuie ; ce serait vous envier le plaisir de relire un ouvrage où elles sont exposées d'une manière si agréable et si philosophique, que de mon côté je risquerais trop à les déplacer. Je me contenterai d'observer qu'elles tendent toutes à démontrer que l'aveugle-né ne voit rien, ou qu'il voit la sphère et le cube différents ; et que les conditions que ces deux corps soient le même métal, et à peu près de même grosseur, qu'on a jugé à propos d'insérer dans l'énoncé de la question, y sont superflues, ce qui ne peut être contesté ; car, aurait-il pu dire, s'il n'y a aucune liaison essentielle entre la sensation de la vue et celle du toucher, comme MM. Locke et Molyneux le prétendent ; ils doivent convenir qu'on pourrait voir deux pieds de diamètre à un corps qui disparaîtrait sous la main. M. de Condillac ajoute cependant que si l'aveugle-né voit les corps, en discerne les figures, et qu'il hésite sur le jugement qu'il en doit porter, ce ne peut être que par des raisons métaphysiques assez subtiles, que je vous expliquerai tout à l'heure.

Voilà donc deux sentiments différents sur la même question, et entre des philosophes de la première force. Il semblerait qu'après avoir été maniée par des gens tels que MM. Molyneux [73], Locke et l'abbé de Condillac, elle ne doit plus rien laisser à dire ; mais il y a tant de faces sous lesquelles la même chose peut être considérée, qu'il ne serait pas étonnant qu'ils ne les eussent pas toutes épuisées [74].

Ceux qui ont prononcé que l'aveugle-né distinguerait le cube de la sphère, ont commencé par supposer un fait qu'il importerait peut-être d'examiner ; savoir si un aveugle-né, à qui l'on abattrait les cataractes, serait en état de se servir de ses yeux dans les premiers moments qui succèdent à l'opération ? Ils ont dit seulement : « L'aveugle-né comparant les idées de sphère et de cube, qu'il a reçues par le

toucher, avec celles qu'il en prend par la vue, connaîtra
nécessairement que ce sont les mêmes ; et il y aurait en lui
1340 bien de la bizarrerie de prononcer que c'est le cube qui lui
donne à la vue l'idée de sphère, et que c'est de la sphère
que lui vient l'idée de cube. Il appellera donc sphère et
cube à la vue, ce qu'il appelait sphère et cube au toucher ? »

Mais quelle a été la réponse et le raisonnement de leurs
antagonistes ? Ils ont supposé pareillement que l'aveugle-
né verrait aussitôt qu'il aurait l'organe sain ; ils ont imaginé qu'il en était d'un œil, à qui l'on abaisse la cataracte,
comme d'un bras qui cesse d'être paralytique ; il ne faut
1350 point d'exercice à celui-ci pour sentir, ont-ils dit, ni par
conséquent à l'autre pour voir, et ils ont ajouté : « Accor-
dons à l'aveugle-né un peu plus de philosophie que vous
ne lui en donnez ; et après avoir poussé le raisonnement
jusqu'où vous l'avez laissé, il continuera ; mais cependant,
qui m'a assuré qu'en approchant de ces corps, et en appliquant mes mains sur eux, ils ne tromperont pas subitement
mon attente ; et que le cube ne me renverra pas la sensation de la sphère, et la sphère celle du cube ? Il n'y a que
l'expérience qui puisse m'apprendre s'il y a conformité de
1360 relation entre la vue et le toucher ; ces deux sens pourraient être en contradiction dans leurs rapports sans que
j'en susse rien ; peut-être même croirais-je que ce qui se
présente actuellement à ma vue, n'est qu'une pure apparence, si l'on ne m'avait informé que ce sont là les mêmes
corps que j'ai touchés. Celui-ci me semble, à la vérité,
devoir être le corps que j'appelais cube ; et celui-là, le
corps que j'appelais sphère ; mais on ne me demande pas
ce qu'il m'en semble, mais ce qui en est ; et je ne suis nullement en état de satisfaire à cette dernière question. »

1370 Ce raisonnement, dit l'auteur de l'*Essai sur l'origine
des connaissances humaines*, serait très embarrassant pour
l'aveugle-né ; et je ne vois que l'expérience qui puisse y
fournir une réponse. Il y a toute apparence que M. l'abbé
de Condillac ne veut parler ici que de l'expérience que
l'aveugle-né réitérerait lui-même sur les corps par un
second attouchement : vous sentirez tout à l'heure pourquoi je fais cette remarque. Au reste, cet habile métaphysicien aurait pu ajouter qu'un aveugle-né devait trouver

d'autant moins d'absurdité à supposer que deux sens pussent être en contradiction, qu'il imagine qu'un miroir les y 1380 met en effet, comme je l'ai remarqué plus haut.

M. de Condillac observe ensuite que M. Molyneux a embarrassé la question de plusieurs conditions qui ne peuvent ni prévenir ni lever les difficultés que la métaphysique formerait à l'aveugle-né. Cette observation est d'autant plus juste, que la métaphysique que l'on suppose à l'aveugle-né n'est point déplacée ; puisque dans ces questions philosophiques l'expérience doit toujours être censée se faire sur un philosophe, c'est-à-dire, sur une personne qui saisisse dans les questions qu'on lui propose tout ce 1390 que le raisonnement et la condition de ses organes lui permettent d'y apercevoir.

Voilà, Madame, en abrégé ce qu'on a dit pour et contre sur cette question ; et vous allez voir par l'examen que j'en ferai, combien ceux qui ont prononcé que l'aveugle-né verrait les figures et discernerait les corps, étaient loin de s'apercevoir qu'ils avaient raison, et combien ceux qui le niaient avaient de raisons de penser qu'ils n'avaient point tort.

La question de l'aveugle-né prise un peu plus générale- 1400 ment que M. Molyneux ne l'a proposée, en embrasse deux autres que nous allons considérer séparément. On peut demander : 1°. si l'aveugle-né verra aussitôt que l'opération de la cataracte sera faite ; 2°. dans le cas qu'il voie, s'il verra suffisamment pour discerner les figures, s'il sera en état de leur appliquer sûrement en les voyant les mêmes noms qu'il leur donnait au toucher, et s'il aura démonstration que ces noms leur conviennent.

L'aveugle-né verra-t-il immédiatement après la guérison de l'organe ? Ceux qui prétendent qu'il ne verra point, 1410 disent : « Aussitôt que l'aveugle-né jouit de la faculté de se servir de ses yeux, toute la scène qu'il a en perspective vient se peindre dans le fond de son œil. Cette image, composée d'une infinité d'objets rassemblés dans un fort petit espace, n'est qu'un amas confus de figures qu'il ne sera pas en état de distinguer les unes des autres. On est presque d'accord qu'il n'y a que l'expérience qui puisse lui apprendre à juger de la distance des objets, et qu'il est même dans la nécessité de s'en approcher, de les toucher,

1420 de s'en éloigner, de s'en rapprocher et de les toucher encore, pour s'assurer qu'ils ne font point partie de lui-même, qu'ils sont étrangers à son être, et qu'il en est tantôt voisin et tantôt éloigné : pourquoi l'expérience ne lui serait-elle pas encore nécessaire pour les apercevoir ? Sans l'expérience celui qui aperçoit des objets pour la première fois, devrait s'imaginer, lorsqu'ils s'éloignent de lui, ou lui d'eux, au-delà de la portée de sa vue, qu'ils ont cessé d'exister ; car il n'y a que l'expérience que nous faisons sur les objets permanents, et que nous retrouvons à la même place où nous les avons 1430 laissés, qui nous constate leur existence continuée dans l'éloignement. C'est peut-être par cette raison que les enfants se consolent si promptement des jouets dont on les prive : on ne peut pas dire qu'ils les oublient promptement ; car si l'on considère qu'il y a des enfants de deux ans et demi qui savent une partie considérable des mots d'une langue, et qu'il leur en coûte plus pour les prononcer que pour les retenir, on sera convaincu que le temps de l'enfance est celui de la mémoire. Ne serait-il pas plus naturel de supposer qu'alors les enfants s'imaginent que ce qu'ils cessent de voir 1440 a cessé d'exister, d'autant plus que leur joie paraît mêlée d'admiration, lorsque les objets qu'ils ont perdus de vue viennent à reparaître. Les nourrices les aident à acquérir la notion de la durée des êtres absents, en les exerçant à un petit jeu qui consiste à se couvrir et à se montrer subitement le visage. Ils ont de cette manière, cent fois en un quart d'heure, l'expérience que ce qui cesse de paraître ne cesse pas d'exister : d'où il s'ensuit que c'est à l'expérience que nous devons la notion de l'existence continuée des objets, que c'est par le toucher que nous acquérons celle de leur 1450 distance ; qu'il faut peut-être que l'œil apprenne à voir, comme la langue à parler ; qu'il ne serait pas étonnant que le secours d'un des sens fût nécessaire à l'autre, et que le toucher, qui nous assure de l'existence des objets hors de nous, lorsqu'ils sont présents à nos yeux, est peut-être encore le sens à qui il est réservé de nous constater, je ne dis pas leurs figures et autres modifications, mais même leur présence. »

On ajoute à ces raisonnements les fameuses expériences de Cheselden [*] [75]. Le jeune homme à qui cet

---

[*] Voyez les *Éléments de la philosophie de Newton*, par M. de Voltaire (NdA).

habile chirurgien abaissa les cataractes, ne distingua de longtemps ni grandeurs, ni distances, ni situations, ni 1460 même figures. Un objet d'un pouce mis devant son œil, et qui lui cachait une maison, lui paraissait aussi grand que la maison. Il avait tous les objets sur les yeux, et ils lui semblaient appliqués à cet organe, comme les objets du tact le sont à la peau. Il ne pouvait distinguer ce qu'il avait jugé rond, à l'aide de ses mains, d'avec ce qu'il avait jugé angulaire ; ni discerner avec les yeux si ce qu'il avait senti être en haut ou en bas, était en effet en haut ou en bas. Il parvint, mais ce ne fut pas sans peine, à apercevoir que sa maison était plus grande que sa chambre, mais nullement à concevoir 1470 comment l'œil pouvait lui donner cette idée. Il lui fallut un grand nombre d'expériences réitérées, pour s'assurer que la peinture représentait des corps solides ; et quand il se fut bien convaincu, à force de regarder des tableaux, que ce n'étaient point des surfaces seulement qu'il voyait ; il y porta la main, et fut bien étonné de ne rencontrer qu'un plan uni et sans aucune saillie ; il demanda alors quel était le trompeur, du sens du toucher ou du sens de la vue. Au reste, la peinture fit le même effet sur les sauvages, la première 1480 fois qu'ils en virent : ils prirent des figures peintes pour des hommes vivants, les interrogèrent, et furent tout surpris de n'en recevoir aucune réponse ; cette erreur ne venait certainement pas en eux du peu d'habitude de voir.

Mais que répondre aux autres difficultés ? qu'en effet l'œil expérimenté d'un homme fait voir mieux les objets, que l'organe imbécile et tout neuf d'un enfant ou d'un aveugle de naissance, à qui l'on vient d'abaisser les cataractes. Voyez, Madame, toutes les preuves qu'en donne 1490 M. l'abbé de Condillac, à la fin de son *Essai sur l'origine des connaissances humaines*, où il se propose en objection les expériences faites par Cheselden, et rapportées par M. de Voltaire. Les effets de la lumière sur un œil qui en est affecté pour la première fois, et les conditions requises dans les humeurs de cet organe, la cornée, le cristallin, etc. y sont exposés avec beaucoup de netteté et de force, et ne permettent guère de douter que la vision ne se fasse très

imparfaitement dans un enfant qui ouvre les yeux pour la
première fois, ou dans un aveugle à qui l'on vient de faire
l'opération.

Il faut donc convenir que nous devons apercevoir dans
les objets une infinité de choses que l'enfant ni l'aveugle-
né n'y aperçoivent point, quoiqu'elles se peignent également au fond de leurs yeux ; que ce n'est pas assez que les
objets nous frappent, qu'il faut encore que nous soyons
attentifs à leurs impressions ; que par conséquent on ne
voit rien la première fois qu'on se sert de ses yeux ; qu'on
n'est affecté dans les premiers instants de la vision, que
d'une multitude de sensations confuses qui ne se
débrouillent qu'avec le temps, et par la réflexion habituelle
sur ce qui se passe en nous ; que c'est l'expérience seule
qui nous apprend à comparer les sensations avec ce qui les
occasionne ; que les sensations n'ayant rien qui ressemble
essentiellement aux objets, c'est à l'expérience à nous instruire sur des analogies qui semblent être de pure institution ; en un mot, on ne peut douter que le toucher ne
serve beaucoup à donner à l'œil une connaissance précise
de la conformité de l'objet avec la représentation qu'il en
reçoit ; et je pense que, si tout ne s'exécutait pas dans la
nature par les lois infiniment générales ; si, par exemple, la
piqûre de certains corps durs était douloureuse, et celle
d'autres corps, accompagnée de plaisir, nous mourrions
sans avoir recueilli la cent millionième partie des expériences nécessaires à la conservation de notre corps et à
notre bien-être.

Cependant je ne pense nullement que l'œil ne puisse
s'instruire, ou, s'il est permis de parler ainsi, s'expérimenter de lui-même. Pour s'assurer par le toucher de
l'existence et de la figure des objets, il n'est pas nécessaire
de voir ; pourquoi faudrait-il toucher pour s'assurer des
mêmes choses par la vue ? Je connais tous les avantages
du tact, et je ne les ai pas déguisés ; quand il a été question
de Saunderson, ou de l'aveugle du Puiseaux ; mais je ne
lui ai point reconnu celui-là. On conçoit sans peine que
l'usage d'un des sens peut être perfectionné et accéléré par
les observations de l'autre ; mais nullement qu'il y ait
entre leurs fonctions une dépendance essentielle. Il y a
assurément dans les corps des qualités que nous n'y aper-

cevrions jamais sans l'attouchement : c'est le tact qui nous 1540
instruit de la présence de certaines modifications insen-
sibles aux yeux qui ne les aperçoivent que quand ils ont été
avertis par ce sens ; mais ces services sont réciproques ; et
dans ceux qui ont la vue plus fine que le toucher, c'est le
premier de ces sens qui instruit l'autre de l'existence
d'objets et de modifications qui lui échapperaient par leur
petitesse. Si l'on vous plaçait à votre insu, entre le pouce
et l'index, un papier ou quelque autre substance unie,
mince et flexible, il n'y aurait que votre œil qui pût vous
informer que le contact de ces doigts ne se ferait pas 1550
immédiatement. J'observerai en passant qu'il serait infiniment plus difficile de tromper là-dessus un aveugle,
qu'une personne qui a l'habitude de voir.

Un œil vivant et animé aurait sans doute de la peine à
s'assurer que les objets extérieurs ne font pas partie de lui-
même, qu'il en est tantôt voisin, tantôt éloigné, qu'ils sont
figurés, qu'ils sont plus grands les uns que les autres,
qu'ils ont de la profondeur, etc. mais je ne doute nullement
qu'il ne les vît à la longue, et qu'il ne les vît assez distinctement pour en discerner au moins les limites grossières. 1560
Le nier, ce serait perdre de vue la destination des organes,
ce serait oublier les principaux phénomènes de la vision,
ce serait se dissimuler qu'il n'y a point de peintre assez
habile pour approcher de la beauté et de l'exactitude des
miniatures qui se peignent dans le fond de nos yeux ; qu'il
n'y a rien de plus précis que la ressemblance de la représentation à l'objet représenté, que la toile de ce tableau
n'est pas si petite, qu'il n'y a nulle confusion entre les
figures, qu'elles occupent à peu près un demi-pouce en
carré ; et que rien n'est plus difficile d'ailleurs que d'expli- 1570
quer comment le toucher s'y prendrait pour enseigner à
l'œil à apercevoir, si l'usage de ce dernier organe était
absolument impossible sans le secours du premier.

Mais je ne m'en tiendrai pas à de simples présomptions,
et je demanderai si c'est le toucher qui apprend à l'œil à
distinguer les couleurs ? Je ne pense pas qu'on accorde au
tact un privilège aussi extraordinaire : cela supposé, il
s'ensuit que si l'on présente à un aveugle à qui l'on vient
de restituer la vue, un cube noir, avec une sphère rouge sur

1580   un grand fond blanc, il ne tardera pas à discerner les limites de ces figures [76].

Il tardera, pourrait-on me répondre, tout le temps nécessaire aux humeurs de l'œil pour se disposer convenablement ; à la cornée, pour prendre la convexité requise à la vision ; à la prunelle, pour être susceptible de la dilatation et du rétrécissement qui lui sont propres ; aux filets de la rétine, pour n'être ni trop ni trop peu sensibles à l'action de la lumière ; au cristallin, pour s'exercer aux mouvements en avant et en arrière qu'on lui soupçonne ; ou aux
1590   muscles, pour bien remplir leurs fonctions ; aux nerfs optiques, pour s'accoutumer à transmettre la sensation ; au globe entier de l'œil, pour se prêter à toutes les dispositions nécessaires, et à toutes les parties qui le composent, pour concourir à l'exécution de cette miniature dont on tire un si bon parti, quand il s'agit de démontrer que l'œil s'expérimentera de lui-même.

J'avoue que, quelque simple que soit le tableau que je viens de présenter à l'œil d'un aveugle-né, il n'en distinguera bien les parties que quand l'organe réunira toutes les
1600   conditions précédentes ; mais c'est peut-être l'ouvrage d'un moment ; et il ne serait pas difficile, en appliquant les raisonnements qu'on vient de m'objecter, à une machine un peu composée, à une montre, par exemple, de démontrer par le détail de tous les mouvements qui se passent dans le tambour, la fusée, les roues, les palettes, le balancier, etc. qu'il faudrait quinze jours à l'aiguille pour parcourir l'espace d'une seconde. Si on répond que ces mouvements sont simultanés, je répliquerai qu'il en est peut-être de même de ceux qui se passent dans l'œil, quand il
1610   s'ouvre pour la première fois, et de la plupart des jugements qui se font en conséquence. Quoi qu'il en soit de ces conditions qu'on exige dans l'œil pour être propre à la vision, il faut convenir que ce n'est point le toucher qui les lui donne, que cet organe les acquiert de lui-même, et que par conséquent il parviendra à distinguer les figures qui s'y peindront, sans le secours d'un autre sens.

Mais encore une fois, dira-t-on, quand en sera-t-il là ? peut-être beaucoup plus promptement qu'on ne pense. Lorsque nous allâmes visiter ensemble le cabinet du Jar-
1620   din royal, vous souvenez-vous, Madame, de l'expérience

du miroir concave, et de la frayeur que vous eûtes lorsque vous vîtes venir à vous la pointe d'une épée, avec la même vitesse que la pointe de celle que vous aviez à la main s'avançait vers la surface du miroir [77]. Cependant vous aviez l'habitude de rapporter au-delà des miroirs tous les objets qui s'y peignent. L'expérience n'est donc ni si nécessaire, ni même si infaillible qu'on le pense, pour apercevoir les objets ou leurs images où elles sont. Il n'y a pas jusqu'à votre perroquet qui ne m'en fournît une preuve : la première fois qu'il se vit dans une glace, il en approcha son bec ; et ne se rencontrant pas lui-même qu'il prenait pour son semblable, il fit le tour de la glace. Je ne veux point donner au témoignage du perroquet plus de force qu'il n'en a ; mais c'est une expérience animale où le préjugé ne peut avoir de part.

Cependant m'assurera-t-on qu'un aveugle-né n'a rien distingué pendant deux mois, je n'en serai point étonné ; j'en conclurai seulement la nécessité de l'expérience de l'organe, mais nullement la nécessité de l'attouchement pour l'expérimenter. Je n'en comprendrai que mieux combien il importe de laisser séjourner quelque temps un aveugle-né dans l'obscurité, quand on le destine à des observations, de donner à ses yeux la liberté de s'exercer, ce qu'il fera plus commodément dans les ténèbres qu'au grand jour, et de ne lui accorder dans les expériences qu'une espèce de crépuscule, ou de se ménager du moins dans le lieu où elles se feront l'avantage d'augmenter ou de diminuer à discrétion la clarté. On ne me trouvera que plus disposé à convenir que ces sortes d'expériences seront toujours très difficiles et très incertaines, et que le plus court en effet, quoiqu'en apparence le plus long, c'est de prémunir le sujet de connaissances philosophiques qui le rendent capable de comparer les deux conditions par lesquelles il a passé, et de nous informer de la différence de l'état d'un aveugle et de celui d'un homme qui voit. Encore une fois, que peut-on attendre de précis de celui qui n'a aucune habitude de réfléchir et de revenir sur lui-même, et qui, comme l'aveugle de Cheselden, ignore les avantages de la vue, au point d'être insensible à sa disgrâce, et de ne point imaginer que la perte de ce sens nuise beaucoup à ses plaisirs. Saunderson à qui l'on ne refusera

pas le titre de philosophe, n'avait certainement pas la
même indifférence ; et je doute fort qu'il eût été de l'avis
de l'auteur de l'excellent *Traité sur les systèmes*. Je soup-
çonnerais volontiers le dernier de ces philosophes d'avoir
donné lui-même dans un petit système, lorsqu'il a prétendu, « que si la vie de l'homme n'avait été qu'une sensation non interrompue de plaisir ou de douleur, heureux
dans un cas sans aucune idée de malheur, malheureux dans
1670 l'autre sans aucune idée de bonheur, il eût joui ou souffert ; et que comme si telle eût été sa nature, il n'eût point
regardé autour de lui pour découvrir si quelque être veillait
à sa conservation, ou travaillait à lui nuire. Que c'est le
passage alternatif de l'un à l'autre de ces états qui l'a fait
réfléchir, etc. [78] ».

Croyez-vous, Madame, qu'en descendant de perceptions claires en perceptions claires (car c'est la manière de
philosopher de l'auteur, et la bonne), il fût jamais parvenu
à cette conclusion. Il n'en est pas du bonheur et du mal-
1680 heur ainsi que des ténèbres et de la lumière ; l'un ne
consiste pas dans une privation pure et simple de l'autre.
Peut-être eussions-nous assuré que le bonheur ne nous
était pas moins essentiel que l'existence et la pensée, si
nous en eussions joui sans aucune altération ; mais je n'en
peux pas dire autant du malheur. Il eût été très naturel de
le regarder comme un état forcé de se sentir innocent, de
se croire pourtant coupable, et d'accuser ou d'excuser la
nature tout comme on fait.

M. l'abbé de Condillac pense-t-il qu'un enfant ne se
1690 plaigne quand il souffre, que parce qu'il n'a pas souffert
sans relâche depuis qu'il est au monde ? S'il me répond,
« qu'exister et souffrir ce serait la même chose pour celui
qui aurait toujours souffert, et qu'il n'imaginerait pas
qu'on pût suspendre sa douleur, sans détruire son existence » ; peut-être, lui répliquerai-je, l'homme malheureux sans interruption n'eût pas dit, qu'ai-je fait pour
souffrir ? mais qui l'eût empêché de dire, qu'ai-je fait pour
exister ? cependant je ne vois pas pourquoi il n'eût point
eu les deux verbes synonymes, *j'existe* et *je souffre*, l'un
1700 pour la prose et l'autre pour la poésie ; comme nous avons
les deux expressions, *je vis* et *je respire*. Au reste, vous
remarquerez mieux que moi, Madame, que cet endroit de

M. l'abbé de Condillac est très parfaitement écrit ; et je crains bien que vous ne disiez, en comparant ma critique avec sa réflexion, que vous aimez mieux encore une erreur de Montaigne, qu'une vérité de Charron.

Et toujours des écarts, me direz-vous ! Oui, Madame, c'est la condition de notre traité. Voici maintenant mon opinion sur les deux questions précédentes : Je pense que la première fois que les yeux de l'aveugle-né s'ouvriront à 1710 la lumière, il n'apercevra rien du tout, qu'il faudra quelque temps à son œil pour s'expérimenter ; mais qu'il s'expérimentera de lui-même et sans le secours du toucher, et qu'il parviendra non seulement à distinguer les couleurs, mais à discerner au moins les limites grossières des objets. Voyons à présent si, dans la supposition qu'il acquît cette aptitude dans un temps fort court, ou qu'il l'obtînt en agitant ses yeux dans les ténèbres où l'on aurait eu l'attention de l'enfermer et de l'exhorter à cet exercice, pendant quelque temps après l'opération et avant les expériences ; 1720 voyons, dis-je, s'il reconnaîtrait à la vue les corps qu'il aurait touchés, et s'il serait en état de leur donner les noms qui leur conviennent ; c'est la dernière question qui me reste à résoudre.

Pour m'en acquitter d'une manière qui vous plaise, puisque vous aimez la méthode, je distinguerai plusieurs sortes de personnes sur lesquelles les expériences peuvent se tenter. Si ce sont des personnes grossières, sans éducation, sans connaissances, et non préparées, je pense que, quand l'opération de la cataracte aura parfaitement détruit 1730 le vice de l'organe et que l'œil sera sain, les objets s'y peindront très distinctement ; mais que ces personnes n'étant habituées à aucune sorte de raisonnement, ne sachant ce que c'est que sensation, idée ; n'étant point en état de comparer les représentations qu'elles ont reçues par le toucher, avec celles qui leur viennent par les yeux, elles prononceront, voilà un rond, voilà un carré, sans qu'il y ait de fond à faire sur leur jugement ; ou même elles conviendront ingénument, qu'elles n'aperçoivent rien dans les objets qui se présentent à leur vue, qui ressemble à ce 1740 qu'elles ont touché.

Il y a d'autres personnes qui, comparant les figures qu'elles apercevront aux corps, avec celles qui faisaient

impression sur leurs mains, et appliquant par la pensée leur attouchement sur ces corps qui sont à distance, diront de l'un que c'est un carré, et de l'autre que c'est un cercle, mais sans trop savoir pourquoi ; la comparaison des idées qu'elles ont prises par le toucher, avec celles qu'elles reçoivent par la vue, ne se faisant pas en elles assez dis-
1750　tinctement pour les convaincre de la vérité de leur juge-ment.

Je passerai, Madame, sans digression à un métaphysi-cien, sur lequel on tenterait l'expérience. Je ne doute nul-lement que celui-ci ne raisonnât dès l'instant où il com-mencerait à apercevoir distinctement les objets, comme s'il les avait vus toute sa vie, et qu'après avoir comparé les idées qui lui viennent par les yeux, avec celles qu'il a prises par le toucher, il ne dît avec la même assurance que vous et moi : « Je serais fort tenté de croire que c'est ce
1760　corps que j'ai toujours nommé cercle, et que c'est celui-ci que j'ai toujours appelé carré ; mais je me garderai bien de prononcer que cela est ainsi. Qui m'a révélé que si j'en approchais ils ne disparaîtraient pas sous mes mains, que sais-je si les objets de ma vue sont destinés à être aussi les objets de mon attouchement ? J'ignore si ce qui m'est visible est palpable ; mais quand je ne serais point dans cette incertitude, et que je croirais sur la parole des per-sonnes qui m'environnent, que ce que je vois est réelle-ment ce que j'ai touché, je n'en serais guère plus avancé.
1770　Ces objets pourraient fort bien se transformer dans mes mains, et me renvoyer par le tact des sensations toutes contraires à celles que j'en éprouve par la vue. Messieurs, ajouterait-il, ce corps me semble le carré, celui-ci le cercle ; mais je n'ai aucune science qu'ils soient tels au toucher qu'à la vue. »

Si nous substituons un géomètre au métaphysicien, Saunderson à Locke, il dira comme lui, que s'il en croit ses yeux, des deux figures qu'il voit, c'est celle qu'il appe-lait carré, et celle-ci qu'il appelait cercle : « Car je m'aper-
1780　çois, ajouterait-il, qu'il n'y a que la première où je puisse arranger les fils, et placer les épingles à grosse tête, qui marquaient les points angulaires du carré, et qu'il n'y a que la seconde à laquelle je puisse inscrire ou circonscrire les fils qui m'étaient nécessaires pour démontrer les pro-

priétés du cercle. Voilà donc un cercle, voilà donc un carré ! Mais, aurait-il continué avec Locke, peut-être que quand j'appliquerai mes mains sur ces figures, elles se transformeront l'une en l'autre ; de manière que la même figure pourrait me servir à démontrer aux aveugles les propriétés du cercle, et à ceux qui voient les propriétés du carré. Peut-être que je verrais un carré, et qu'en même temps je sentirais un cercle. Non, aurait-il repris, je me trompe. Ceux à qui je démontrais les propriétés du cercle et du carré, n'avaient pas les mains sur mon abaque, et ne touchaient pas les fils que j'avais tendus, et qui limitaient mes figures ; cependant ils me comprenaient. Ils ne voyaient donc pas un carré, quand je sentais un cercle ; sans quoi nous ne nous fussions jamais entendus ; je leur eusse tracé une figure et démontré les propriétés d'une autre ; je leur eusse donné une ligne droite pour un arc de cercle, et un arc de cercle pour une ligne droite. Mais puisqu'ils m'entendaient tous, tous les hommes voient donc les uns comme les autres ? je vois donc carré ce qu'ils voyaient carré, et circulaire ce qu'ils voyaient circulaire. Ainsi voilà ce que j'ai toujours nommé carré, et voilà ce que j'ai toujours nommé cercle [79]. »

J'ai substitué le cercle à la sphère et le carré au cube, parce qu'il y a toute apparence que nous ne jugeons des distances que par l'expérience, et conséquemment que celui qui se sert de ses yeux pour la première fois, ne voit que des surfaces, et qu'il ne sait ce que c'est que saillie ; la saillie d'un corps à la vue, consistant en ce que quelques-uns de ses points paraissent plus voisins de nous que les autres.

Mais quand l'aveugle-né jugerait, dès la première fois qu'il voit, de la saillie et de la solidité des corps, et qu'il serait en état de discerner non seulement le cercle du carré, mais aussi la sphère du cube ; je ne crois pas pour cela qu'il en fût de même de tout autre objet plus composé. Il y a bien de l'apparence que l'aveugle-née de M. de Réaumur a discerné les couleurs les unes des autres ; mais il y a trente à parier contre un, qu'elle a prononcé au hasard sur la sphère et sur le cube ; je tiens pour certain qu'à moins d'une révélation il ne lui a pas été possible de reconnaître ses gants, sa robe de chambre et son soulier.

Ces objets sont chargés d'un si grand nombre de modifications ; il y a si peu de rapport entre leur forme totale et
celle des membres, qu'ils sont destinés à orner ou à couvrir, que c'eût été un problème cent fois plus embarrassant
1830 pour Saunderson de déterminer l'usage de son bonnet
carré que pour M. d'Alembert ou Clairaut, celui de retrouver l'usage de ses tables.

Saunderson n'eût pas manqué de supposer qu'il règne
un rapport géométrique entre les choses et leur usage, et
conséquemment il eût aperçu en deux ou trois analogies,
que sa calotte était faite pour sa tête ; il n'y a là aucune
forme arbitraire qui tendît à l'égarer. Mais qu'eût-il pensé
des angles et de la houppe de son bonnet carré ? à quoi bon
cette touffe ? pourquoi plutôt quatre angles que six, se fut-
1840 il demandé ? et ces deux modifications, qui sont pour nous
une affaire d'ornements, auraient été pour lui la source
d'une foule de raisonnements absurdes, ou plutôt l'occasion d'une excellente satire de ce que nous appelons le bon
goût.

En pesant mûrement les choses, on avouera que la différence qu'il y a entre une personne qui a toujours vu, mais
à qui l'usage d'un objet est inconnu, et celle qui connaît
l'usage d'un objet, mais qui n'a jamais vu, n'est pas à
l'avantage de celle-ci : cependant croyez-vous, Madame,
1850 que si l'on vous montrait aujourd'hui pour la première fois
une garniture, vous parvinssiez jamais à deviner que c'est
un ajustement, et que c'est un ajustement de tête ? Mais s'il
est d'autant plus difficile à un aveugle-né, qui voit pour la
première fois, de bien juger des objets, selon qu'ils ont un
plus grand nombre de formes, qui l'empêcherait de prendre
un observateur tout habillé et immobile dans un fauteuil
placé devant lui, pour un meuble ou pour une machine ; et
un arbre, dont l'air agiterait les feuilles et les branches,
pour un être se mouvant, animé et pensant. Madame,
1860 combien nos sens nous suggèrent de choses, et que nous
aurions de peine sans nos yeux, à supposer qu'un bloc de
marbre ne pense ni ne sent [80] !

Il reste donc pour démontré que Saunderson aurait été
assuré qu'il ne se trompait pas dans le jugement qu'il
venait de porter du cercle et du carré seulement, et qu'il y
a des cas où le raisonnement et l'expérience des autres

peuvent éclairer la vue sur la relation du toucher, et l'instruire que ce qui est tel pour l'œil est tel aussi pour le tact.

Il n'en serait cependant pas moins essentiel, lorsqu'on se proposerait la démonstration de quelque proposition 1870 d'éternelle vérité, comme on les appelle, d'éprouver sa démonstration en la privant du témoignage des sens ; car vous apercevrez bien, Madame, que si quelqu'un prétendait vous prouver que la projection de deux lignes parallèles sur un tableau doit se faire par deux lignes convergentes, parce que deux allées paraissent telles, il oublierait que la proposition est vraie pour un aveugle comme pour lui.

Mais la supposition précédente de l'aveugle-né en suggère deux autres : l'une d'un homme qui aurait vu dès sa 1880 naissance, et qui n'aurait point eu le sens du toucher, et l'autre d'un homme en qui les sens de la vue et du toucher seraient perpétuellement en contradiction. On pourrait demander du premier, si, lui restituant le sens qui lui manque, et lui ôtant le sens de la vue par un bandeau, il reconnaîtrait les corps au toucher. Il est évident que la géométrie, en cas qu'il en fût instruit, lui fournirait un moyen infaillible de s'assurer si les témoignages des deux sens sont contradictoires ou non. Il n'aurait qu'à prendre le cube ou la sphère entre ses mains, en démontrer à quel- 1890 qu'un les propriétés, et prononcer, si on le comprend, qu'on voit cube ce qu'il sent cube, et que c'est par conséquent le cube qu'il tient [81]. Quant à celui qui ignorerait cette science, je pense qu'il ne lui serait pas plus facile de discerner par le toucher le cube de la sphère, qu'à l'aveugle de M. Molyneux de les distinguer par la vue.

À l'égard de celui en qui les sensations de la vue et du toucher seraient perpétuellement contradictoires, je ne sais ce qu'il penserait des formes, de l'ordre, de la symétrie, de la beauté, de la laideur, etc. Selon toute apparence, il 1900 serait, par rapport à ces choses, ce que nous sommes relativement à l'étendue et à la durée réelles des êtres. Il prononcerait en général qu'un corps a une forme ; mais il devrait avoir du penchant à croire que ce n'est ni celle qu'il voit ni celle qu'il sent : un tel homme pourrait bien être mécontent de ses sens, mais ses sens ne seraient ni contents ni mécontents des objets. S'il était tenté d'en

accuser un de fausseté, je crois que ce serait au toucher qu'il s'en prendrait. Cent circonstances l'inclineraient à
1910 penser que la figure des objets change plutôt par l'action de ses mains sur eux, que par celle des objets sur ses yeux ; mais en conséquence de ces préjugés, la différence de dureté et de mollesse qu'il observerait dans les corps, serait fort embarrassante pour lui.

Mais de ce que nos sens ne sont pas en contradiction sur les formes, s'ensuit-il qu'elles nous soient mieux connues ? Qui nous a dit que nous n'avons point affaire à de faux témoins ? nous jugeons pourtant. Hélas ! Madame, quand on a mis les connaissances humaines dans la balance de
1920 Montaigne, on n'est pas éloigné de prendre sa devise. Car que savons-nous ce que c'est que la matière ? nullement ; ce que c'est que l'esprit et la pensée ? encore moins ; ce que c'est que le mouvement, l'espace et la durée ? point du tout ; des vérités géométriques ? interrogez des mathématiciens de bonne foi, et ils vous avoueront que leurs propositions sont toutes identiques, et que tant de volumes sur le cercle, par exemple, se réduisent à nous répéter en cent mille façons différentes, que c'est une figure où toutes les lignes tirées du centre à la circonférence sont égales [82]. Nous
1930 ne savons donc presque rien ? cependant combien d'écrits dont les auteurs ont tous prétendu savoir quelque chose ! Je ne devine pas pourquoi le monde ne s'ennuie point de lire et de ne rien apprendre, à moins que ce ne soit par la même raison qu'il y a deux heures que j'ai l'honneur de vous entretenir, sans m'ennuyer et sans vous rien dire. Je suis avec un profond respect,

MADAME,

Votre très humble et très obéissant Serviteur ***

INDEX

Lettre

SUR

LES SOURDS

ET MUETS,

À L'USAGE

DE CEUX QUI ENTENDENT

ET QUI PARLENT

AVEC DES ADDITIONS [1]

... Versisque viarum
Indiciis raptos ; pedibus vestigia rectis
Ne qua forent...

Æneid. Lib. VIII [2].

À AMSTERDAM

M.DCC.LXXII *

---

* Première édition : 1751.

LETTRE
DE L'AUTEUR
À M. B. SON LIBRAIRE [3]

De V... ce 20 janvier 1751.

Je vous envoie, Monsieur, la lettre à l'auteur des *Beaux-Arts réduits à un même principe*, revue, corrigée et augmentée sur les conseils de mes amis, mais toujours avec son même titre [4].

Je conviens que ce titre est applicable indistinctement au grand nombre de ceux qui *parlent sans entendre* ; au petit nombre de ceux qui *entendent sans parler* ; et au très petit nombre de ceux qui *savent parler et entendre* ; quoique ma *Lettre* ne soit guère qu'à l'usage de ces derniers.

Je conviens encore qu'il est fait à l'imitation d'un 10 autre qui n'est pas trop bon ; mais je suis las d'en chercher un meilleur *. Ainsi de quelque importance que vous paraisse le choix d'un titre, celui de ma *Lettre* restera tel qu'il est.

Je n'aime guère les citations ; celles du grec moins que les autres : elles donnent à un ouvrage l'air scientifique, qui n'est plus chez nous à la mode. La plupart des lecteurs en sont effrayés ; et j'ôterais d'ici cet épouvantail, si je pensais en libraire ; mais il n'en est rien : laissez donc le grec partout où j'en ai mis. Si vous vous souciez fort peu 20 qu'un ouvrage soit bon, pourvu qu'il se lise ; ce dont je me soucie moi, c'est de bien faire le mien, au hasard d'être un peu moins lu.

Quant à la multitude des objets sur lesquels je me plais à voltiger, sachez et apprenez à ceux qui vous conseillent, que ce n'est point un défaut dans une lettre, où l'on est censé converser librement, et où le dernier mot d'une phrase est une transition suffisante [5].

---

* *Lettre sur les aveugles à l'usage de ceux qui voient* (NdA).

Vous pouvez donc m'imprimer, si c'est là tout ce qui
30   vous arrête ; mais que ce soit sans nom d'auteur, s'il vous
plaît ; j'aurai toujours le temps de me faire connaître. Je
sais d'avance à qui l'on n'attribuera pas mon ouvrage ; et
je sais bien encore à qui l'on ne manquerait pas de l'attribuer, s'il y avait de la singularité dans les idées, une certaine imagination, du style, je ne sais quelle hardiesse de
penser que je serais bien fâché d'avoir, un étalage de
mathématiques, de métaphysique, d'italien, d'anglais, et
surtout moins de latin et de grec, et plus de musique.

Veillez, je vous prie, à ce qu'il ne se glisse point de
40   fautes dans les exemples ; il n'en faudrait qu'une pour tout
gâter. Vous trouverez dans la planche du dernier livre de
Lucrèce, de la belle édition d'Havercamp [6], la figure qui
me convient ; il faut seulement en écarter un enfant qui la
cache à moitié, lui supposer une blessure au-dessous du
sein, et en faire prendre le trait. M. de S... mon ami [7], s'est
chargé de revoir les épreuves ; il demeure rue Neuve-
des... Je suis,

MONSIEUR,

Votre, etc.

LETTRE
SUR LES SOURDS ET MUETS,
À L'USAGE DE CEUX QUI ENTENDENT
ET QUI PARLENT

Où l'on traite de l'origine des inversions, de l'harmonie du style, du sublime de situation, de quelques avantages de la langue française sur la plupart des langues anciennes et modernes, et par occasion de l'expression particulière aux beaux-arts.

Je n'ai point eu dessein, Monsieur [8], de me faire honneur de vos recherches, et vous pouvez revendiquer dans cette lettre tout ce qui vous conviendra. S'il est arrivé à mes idées d'êtrevoisines des vôtres, c'est comme au lierre à qui il arrive quelquefois de mêler sa feuille à celle du chêne. J'aurais pu m'adresser à M. l'abbé de Condillac, ou à M. Dumarsais [9], car ils ont aussi traité la matière des inversions ; mais vous vous êtes offert le premier à ma pensée, et je me suis accommodé de vous, bien persuadé que le public ne prendrait point une rencontre heureuse 10
pour une préférence [10]. La seule crainte que j'aie, c'est celle de vous distraire, et de vous ravir des instants que vous donnez sans doute à l'étude de la philosophie, et que vous lui devez.

Pour bien traiter la matière des inversions, je crois qu'il est à propos d'examiner comment les langues se sont formées. Les objets sensibles ont les premiers frappé les sens, et ceux qui réunissaient plusieurs qualités sensibles à la fois ont été les premiers nommés ; ce sont les différents individus qui composent cet univers [11]. On a ensuite dis- 20
tingué les qualités sensibles les unes des autres, on leur a donné des noms ; ce sont la plupart des adjectifs. Enfin, abstraction faite de ces qualités sensibles, on a trouvé ou cru trouver quelque chose de commun dans tous ces individus, comme l'impénétrabilité, l'étendue, la couleur, la figure etc. et l'on a formé les noms métaphysiques et généraux, et presque tous les substantifs. Peu à peu on s'est

accoutumé à croire que ces noms représentaient des êtres
réels : on a regardé les qualités sensibles comme de
30 simples accidents ; et l'on s'est imaginé que l'adjectif était
réellement subordonné au substantif, quoique le substantif
ne soit proprement rien, et que *l'adjectif soit tout.* Qu'on
vous demande ce que c'est qu'un corps, vous répondrez
que c'est *une substance étendue, impénétrable figurée,
colorée et mobile.* Mais ôtez de cette définition tous les
adjectifs, que restera-t-il pour cet être imaginaire que vous
appelez *substance* ? Si on voulait ranger dans la même
définition les termes, suivant l'ordre naturel, on dirait,
colorée, figurée, étendue, impénétrable, mobile, subs-
40 *tance.* C'est dans cet ordre que les différentes qualités des
portions de la matière affecteraient, ce me semble, un
homme qui verrait un corps pour la première fois. L'œil
serait frappé d'abord de la figure, de la couleur et de
l'étendue ; le toucher s'approchant ensuite du corps, en
découvrirait l'impénétrabilité ; et la vue et le toucher
s'assureraient de la mobilité [12]. Il n'y aurait donc point
d'inversion dans cette définition ; et il y en a une dans
celle que nous avons donnée d'abord. De là il résulte, que
si on veut soutenir qu'il n'y a point d'inversion en fran-
50 çais, ou du moins qu'elle est beaucoup plus rare que dans
les langues savantes, on peut le soutenir tout au plus dans
ce sens que nos constructions sont pour la plupart
uniformes ; que le substantif y est toujours ou presque toujours placé avant l'adjectif, et le verbe entre deux. Car si
on examine cette question en elle-même, savoir si l'adjectif doit être placé devant ou après le substantif, on trouvera
que nous renversons souvent l'ordre naturel des idées :
l'exemple que je viens d'apporter en est une preuve.

Je dis *l'ordre naturel* des idées ; car il faut distinguer ici
60 *l'ordre naturel* d'avec *l'ordre d'institution*, et pour ainsi
dire, *l'ordre scientifique* ; celui des vues de l'esprit,
lorsque la langue fut tout à fait formée [13].

Les adjectifs, représentant pour l'ordinaire les qualités
sensibles, sont les premiers dans l'ordre naturel des idées ;
mais pour un philosophe, ou plutôt pour bien des philosophes qui se sont accoutumés à regarder les substantifs
abstraits comme des êtres réels, ces substantifs marchent
les premiers dans l'ordre scientifique, étant, selon leur

façon de parler, le support ou le soutien des adjectifs. Ainsi
des deux définitions du corps que nous avons données, la 70
première suit l'ordre scientifique ou d'institution ; la
seconde l'ordre naturel.

De là on pourrait tirer une conséquence ; c'est que nous
sommes peut-être redevables à la philosophie péripatéticienne, qui a réalisé tous les êtres généraux et métaphysiques, de n'avoir presque plus dans notre langue de ce que
nous appelons des inversions dans les langues anciennes.
En effet nos auteurs gaulois en ont beaucoup plus que nous,
et cette philosophie a régné tandis que notre langue se per-
fectionnait sous Louis XIII et sous Louis XIV [14]. Les 80
Anciens qui généralisaient moins, et qui étudiaient plus la
nature en détail et par individus, avaient dans leur langue
une marche moins monotone, et peut-être le mot d'inversion eût-il été fort étrange pour eux. Vous ne m'objecterez
point ici, Monsieur, que la philosophie péripatéticienne est
celle d'Aristote, et par conséquent d'une partie des
Anciens ; car vous apprendrez sans doute à vos disciples
que notre péripatéticisme était bien différent de celui
d'Aristote.

Mais il n'est peut-être pas nécessaire de remonter à la 90
naissance du monde, et à l'origine du langage, pour expliquer comment les inversions se sont introduites et conservées dans les langues. Il suffirait, je crois, de se transporter
en idée chez un peuple étranger dont on ignorerait la
langue ; ou, ce qui revient presque au même, on pourrait
employer un homme qui s'interdisant l'usage des sons
articulés, tâcherait de s'exprimer par gestes [15].

Cet homme n'ayant aucune difficulté sur les questions
qu'on lui proposerait, n'en serait que plus propre aux
expériences ; et l'on n'en inférerait que plus sûrement de 100
la succession de ses gestes, quel est l'ordre d'idées qui
aurait paru le meilleur aux premiers hommes pour se
communiquer leurs pensées par gestes, et quel est celui
dans lequel ils auraient pu inventer les signes oratoires.

Au reste, j'observerais de donner à mon *muet de convention* tout le temps de composer sa réponse ; et quant aux
questions, je ne manquerais pas d'y insérer les idées dont
je serais le plus curieux de connaître l'expression par geste
et le sort dans une pareille langue. Ne serait-ce pas une

110 chose, sinon utile, du moins amusante, que de multiplier
les essais sur les mêmes idées ; et que de proposer les
mêmes questions à plusieurs personnes en même temps.
Pour moi, il me semble qu'un philosophe qui s'exercerait
de cette manière avec quelques-uns de ses amis, bons
esprits et bons logiciens, ne perdrait pas entièrement son
temps. Quelque Aristophane en ferait, sans doute, une
scène excellente ; mais qu'importe ? On se dirait à soi-
même ce que Zénon disait à son Prosélyte : εἰ
φιλοσοφίας ἐπιθυμεῖς, παρασκευάζου αὐτόθεν, ὡς
120 καταγελαθησόμενος, ὡς, etc. Si tu veux être philosophe,
attends-toi à être tourné en ridicule [16]. La belle maxime,
Monsieur, et qu'elle serait bien capable de mettre au-
dessus des discours des hommes et de toutes considérations frivoles, des âmes moins courageuses encore que les
nôtres !

Il ne faut pas que vous confondiez l'exercice que je
vous propose ici avec la pantomime ordinaire. Rendre une
action, ou rendre un discours par des gestes, ce sont deux
versions fort différentes. Je ne doute guère qu'il n'y eût
130 des inversions dans celles de nos muets ; que chacun d'eux
n'eût son style, et que les inversions n'y missent des différences aussi marquées que celles qu'on rencontre dans les
anciens auteurs grecs et latins [17]. Mais comme le style
qu'on a est toujours celui qu'on juge le meilleur, la conversation qui suivrait les expériences ne pourrait qu'être très
philosophique et très vive : car tous nos muets de convention seraient obligés, quand on leur restituerait l'usage de
la parole, de justifier non seulement leur expression, mais
encore la préférence qu'ils auraient donnée dans l'ordre de
140 leurs gestes, à telle ou telle idée.

Cette réflexion, Monsieur, me conduit à une autre. Elle
est un peu éloignée de la matière que je traite ; mais dans
une lettre les écarts sont permis, surtout lorsqu'ils peuvent
conduire à des vues utiles.

Mon idée serait donc de décomposer pour ainsi dire un
homme, et de considérer ce qu'il tient de chacun des sens
qu'il possède [18]. Je me souviens d'avoir été quelquefois
occupé de cette espèce d'anatomie métaphysique, et je
trouvais que de tous les sens l'œil était le plus superficiel,
150 l'oreille le plus orgueilleux, l'odorat le plus voluptueux, le

goût le plus superstitieux et le plus inconstant, le toucher le plus profond et le plus philosophe. Ce serait, à mon avis, une société plaisante, que celle de cinq personnes dont chacune n'aurait qu'un sens ; il n'y a pas de doute que ces gens-là ne se traitassent tous d'insensés, et je vous laisse à penser avec quel fondement. C'est là pourtant une image de ce qui arrive à tout moment dans le monde ; on n'a qu'un sens et l'on juge de tout. Au reste il y a une observation singulière à faire sur cette société de cinq personnes dont chacune ne jouirait que d'un sens ; c'est que par la faculté qu'elles auraient d'abstraire, elles pourraient toutes être géomètres, s'entendre à merveille, et ne s'entendre qu'en géométrie [19]. Mais je reviens à nos muets de convention, et aux questions dont on leur demanderait la réponse.

Si ces questions étaient de nature à en permettre plus d'une, il arriverait presque nécessairement qu'un des muets en ferait une, un autre muet une autre ; et que la comparaison de leurs discours serait, sinon impossible, du moins difficile. Cet inconvénient m'a fait imaginer qu'au lieu de proposer une question, peut-être voudrait-il mieux proposer un discours à traduire du français en gestes [20]. Il ne faudrait pas manquer d'interdire l'ellipse aux traducteurs. La langue des gestes n'est déjà pas trop claire, sans augmenter encore son laconisme par l'usage de cette figure. On conçoit aux efforts que font les sourds et muets de naissance pour se rendre intelligibles, qu'ils expriment tout ce qu'ils peuvent exprimer. Je recommanderais donc à nos muets de convention de les imiter et de ne former, autant qu'ils le pourraient, aucune phrase où le sujet et l'attribut avec toutes leurs dépendances ne fussent énoncés. En un mot, ils ne seraient libres que sur l'ordre qu'ils jugeraient à propos de donner aux idées, ou plutôt aux gestes qu'ils emploieraient pour les représenter.

Mais il me vient un scrupule : c'est que, les pensées s'offrant à notre esprit, je ne sais par quel mécanisme, à peu près sous la forme qu'elles auront dans le discours, et pour ainsi dire, tout habillées ; il y aurait à craindre que ce phénomène particulier ne gênât le geste de nos muets de convention ; qu'ils ne succombassent à une tentation qui entraîne presque tous ceux qui écrivent dans une autre langue que la leur, la tentation de modeler l'arrangement

de leurs signes sur l'arrangement des signes de la langue qui leur est habituelle, et que, de même que nos meilleurs latinistes modernes, sans nous en excepter ni l'un ni l'autre, tombent dans des tours français, la construction de nos muets ne fût pas la vraie construction d'un homme qui n'aurait jamais eu aucune notion de langue [21]. Qu'en pensez-vous, Monsieur ? cet inconvénient serait peut-être moins fréquent que je ne l'imagine, si nos muets de convention
200 étaient plus philosophes que rhéteurs [22] ; mais en tout cas, on pourrait s'adresser à un sourd et muet de naissance.

Il vous paraîtra singulier sans doute, qu'on vous renvoie à celui que la nature a privé de la faculté d'entendre et de parler, pour en obtenir les véritables notions de la formation du langage. Mais considérez, je vous prie, que l'ignorance est moins éloignée de la vérité que le préjugé, et qu'un sourd et muet de naissance est sans préjugé sur la manière de communiquer la pensée ; que les inversions n'ont point passé d'une autre langue dans la sienne ; que
210 s'il en emploie, c'est la nature seule qui les lui suggère, et qu'il est une image très approchée de ces hommes fictifs, qui, n'ayant aucun signe d'institution, peu de perceptions, presque point de mémoire, pourraient passer aisément pour des animaux à deux pieds ou à quatre [23].

Je peux vous assurer, Monsieur, qu'une pareille traduction ferait beaucoup d'honneur, quand elle ne serait guère meilleure que la plupart de celles qu'on nous a données depuis quelque temps [24]. Il ne s'agirait pas seulement ici d'avoir bien saisi le sens et la pensée ; il faudrait encore
220 que l'ordre des signes de la traduction correspondît fidèlement à l'ordre des gestes de l'original. Cet essai demanderait un philosophe qui sût interroger son auteur, entendre sa réponse et la rendre avec exactitude : mais la philosophie ne s'acquiert pas en un jour.

Il faut avouer cependant que l'une de ces choses faciliterait beaucoup les autres, et que la question étant donnée avec une exposition précise des gestes qui composeraient la réponse, on parviendrait à substituer aux gestes à peu près leur équivalent en mots ; je dis à peu près, parce qu'il
230 y a des gestes sublimes que toute l'éloquence oratoire ne rendra jamais. Tel est celui de Macbeth dans la tragédie de Shakespeare. La somnambule Macbeth s'avance en

silence et les yeux fermés sur la scène ; imitant l'action d'une personne qui se lave les mains, comme si les siennes eussent encore été teintes du sang de son roi qu'elle avait égorgé il y avait plus de vingt ans. Je ne sais rien de si pathétique en discours que le silence et le mouvement des mains de cette femme. Quelle image du remords [25] ?

La manière dont une autre femme annonça la mort à son époux incertain de son sort, est encore une de ces présentations dont l'énergie du langage oral n'approche pas. Elle se transporta avec son fils entre ses bras dans un endroit de la campagne où son mari pouvait l'apercevoir de la tour où il était enfermé ; et après s'être fixé le visage pendant quelque temps du côté de la tour, elle prit une poignée de terre qu'elle répandit en croix sur le corps de son fils qu'elle avait étendu à ses pieds. Son mari comprit le signe, et se laissa mourir de faim [26]. On oublie la pensée la plus sublime ; mais ces traits ne s'effacent point. Que de réflexions ne pourrais-je pas faire ici, Monsieur, sur le sublime de situation, si elles ne me jetaient pas trop hors de mon sujet !

On a fort admiré et avec justice un grand nombre de beaux vers dans la magnifique scène d'*Héraclius*, où Phocas ignore lequel des deux princes est son fils. Pour moi l'endroit de cette scène que je préfère à tout le reste, est celui où le tyran se tourne successivement vers les deux princes en les appelant du nom de son fils, et où les deux princes restent froids et immobiles.

Martian ! à ce mot aucun ne veut répondre [27].

Voilà ce que le papier ne peut jamais rendre ; voilà où le geste triomphe du discours !

Épaminondas à la bataille de Mantinée est percé d'un trait mortel ; les médecins déclarent qu'il expirera dès qu'on arrachera le trait de son corps ; il demande où est son bouclier, c'était un déshonneur de le perdre dans le combat : on le lui apporte, il arrache le trait lui-même [28].

Dans la sublime scène qui termine la tragédie de *Rodogune*, le moment le plus théâtral est, sans contredit, celui où Antiochus porte la coupe à ses lèvres, et où Timagène entre sur la scène en criant : *ah ! Seigneur ?* quelle foule d'idées et de sentiments ce geste et ce mot ne font ils pas éprouver à la fois [29] ! Mais je m'écarte toujours. Je reviens donc au sourd et muet de naissance. J'en connais un dont on pourrait se servir d'autant plus utilement, qu'il ne manque pas d'esprit, et qu'il a le geste expressif, comme vous l'allez voir.

Je jouais un jour aux échecs, et le muet me regardait jouer ; mon adversaire me réduisit dans une position embarrassante ; le muet s'en aperçut à merveille, et croyant la partie perdue, il ferma les yeux, inclina la tête, et laissa
280 tomber ses bras, signes par lesquels il m'annonçait qu'il me tenait pour mat ou mort. Remarquez en passant combien la langue des gestes est métaphorique [30]. Je crus d'abord qu'il avait raison ; cependant comme le coup était composé, et que je n'avais pas épuisé les combinaisons, je ne me pressai pas de céder, et je me mis à chercher une ressource. L'avis du muet était toujours qu'il n'y en avait point ; ce qu'il disait très clairement en secouant la tête, et remettant les pièces perdues sur l'échiquier. Son exemple invita les autres spectateurs à parler sur le coup ; on l'exa-
290 mina, et à force d'essayer de mauvais expédients, on en découvrit un bon. Je ne manquai pas de m'en servir et de faire entendre au muet qu'il s'était trompé, et que je sortirais d'embarras malgré son avis. Mais lui, me montrant du doigt tous les spectateurs les uns après les autres, et faisant en même temps un petit mouvement des lèvres qu'il accompagna d'un grand mouvement de ses deux bras qui allaient et venaient dans la direction de la porte et des tables, me répondit qu'il y avait peu de mérite à être sorti du mauvais pas où j'étais, avec les conseils du *tiers*, du
300 *quart* et des *passants* ; ce que ses gestes signifiaient si clairement, que personne ne s'y trompa, et que l'expression populaire, consulter le tiers, le quart et les passants, vint à plusieurs en même temps ; ainsi bonne ou mauvaise, notre muet rencontra cette expression en gestes.

Vous connaissez au moins de réputation une machine singulière sur laquelle l'inventeur se proposait d'exécuter des sonates de couleurs. J'imaginai que, s'il y avait un être au monde qui dût prendre quelque plaisir à de la musique oculaire et qui pût en juger sans prévention, c'était un
310 sourd et muet de naissance. Je conduisis donc le mien rue Saint-Jacques dans la maison où l'on voyait la machine aux couleurs [31]. Ah ! Monsieur, vous ne devinerez jamais

l'impression que cette machine fit sur lui, et moins encore les pensées qui lui vinrent.

Vous concevez d'abord qu'il n'était pas possible de lui rien communiquer sur la nature et les propriétés merveilleuses du clavecin ; que n'ayant aucune idée du son, celles qu'il prenait de l'instrument oculaire n'étaient assurément pas relatives à la musique, et que la destination de cette machine lui était tout aussi incompréhensible que l'usage que nous faisons des organes de la parole. Que pensait-il donc, et quel était le fondement de l'admiration dans laquelle il tomba à l'aspect des éventails du père Castel [32] ? Cherchez, Monsieur ; devinez ce qu'il conjectura de cette machine ingénieuse, que peu de gens ont vue, dont plusieurs ont parlé, et dont l'invention ferait bien de l'honneur à la plupart de ceux qui en ont parlé avec dédain : ou plutôt, écoutez. Le voici.

Mon sourd s'imagina que ce génie inventeur était sourd et muet aussi ; que son clavecin lui servait à converser avec les autres hommes ; que chaque nuance avait sur le clavier la valeur d'une des lettres de l'alphabet, et qu'à l'aide des touches et de l'agilité des doigts, il combinait ces lettres, en formait des mots, des phrases, enfin tout un discours en couleurs [33].

Après cet effort de pénétration, convenez qu'un sourd et muet pouvait être assez content de lui-même. Mais le mien ne s'en tint pas là. Il crut tout d'un coup qu'il avait saisi ce que c'était que la musique et tous les instruments de musique. Il crut que la musique était une façon particulière de communiquer la pensée, et que les instruments, les vielles, les violons, les trompettes étaient entre nos mains d'autres organes de la parole. C'était bien là, direz-vous, le système d'un homme qui n'avait jamais entendu ni instrument ni musique. Mais considérez, je vous prie, que ce système qui est évidemment faux pour vous, est presque démontré pour un sourd et muet. Lorsque ce sourd se rappelle l'attention que nous donnons à la musique, et à ceux qui jouent d'un instrument ; les signes de joie ou de tristesse qui se peignent sur nos visages et dans nos gestes, quand nous sommes frappés d'une belle harmonie ; et qu'il compare ces effets avec ceux du discours et des autres objets extérieurs, comment peut-il imaginer qu'il n'y a pas de bon sens dans les sons, quelque chose que ce puisse être, et que ni les voix ni les instruments ne réveillent en nous aucune perception distincte [34] ?

N'est-ce pas là, Monsieur, une fidèle image de nos pensées, de nos raisonnements, de nos systèmes, en un mot de ces concepts qui ont fait de la réputation à tant de
360 philosophes ? Toutes les fois qu'ils ont jugé de choses qui, pour être bien comprises, semblaient demander un organe qui leur manquait, ce qui leur est souvent arrivé, ils ont montré moins de sagacité et se sont trouvés plus loin de la vérité que le sourd et muet dont je vous entretiens. Car après tout, si on ne parle pas aussi distinctement avec un instrument qu'avec la bouche, et si les sons ne peignent pas aussi nettement la pensée que le discours, encore disent-ils quelque chose.

L'aveugle dont il est question dans la *Lettre à l'usage de*
370 *ceux qui voient*, marqua assurément de la pénétration, dans le jugement qu'il porta du télescope et des lunettes ; sa définition du miroir est surprenante. Mais je trouve plus de profondeur et de vérité dans ce que mon sourd imagina du clavecin oculaire du père Castel, de nos instruments et de notre musique [35]. S'il ne rencontra pas exactement ce que c'était, il rencontra presque ce que ce devrait être.

Cette sagacité vous surprendra moins peut-être, si vous considérez que celui qui se promène dans une galerie de peintures fait, sans y penser, le rôle d'un sourd qui s'amu-
380 serait à examiner des muets qui s'entretiennent sur des sujets qui lui sont connus. Ce point de vue est un de ceux sous lesquels j'ai toujours regardé les tableaux qui m'ont été présentés ; et j'ai trouvé que c'était un moyen sûr d'en connaître les actions amphibologiques et les mouvements équivoques ; d'être promptement affecté de la froideur ou du tumulte d'un fait mal ordonné ou d'une conversation mal instituée ; et de saisir dans une scène mise en couleurs, tous les vices d'un jeu languissant ou forcé.

Le terme de jeu qui est propre au théâtre, et que je viens
390 d'employer ici, parce qu'il rend bien mon idée, me rappelle une expérience que j'ai faite quelquefois, et dont j'ai tiré plus de lumière sur les mouvements et les gestes que de toutes les lectures du monde. Je fréquentais jadis beaucoup les spectacles, et je savais par cœur la plupart de nos

bonnes pièces. Les jours que je me proposais un examen des mouvements et du geste, j'allais aux troisièmes loges : car plus j'étais éloigné des acteurs, mieux j'étais placé. Aussitôt que la toile était levée, et le moment venu où tous les autres spectateurs se disposaient à écouter ; moi, je mettais mes doigts dans mes oreilles, non sans quelque 400 étonnement de la part de ceux qui m'environnaient, et qui ne me comprenant pas, me regardaient presque comme un insensé qui ne venait à la comédie que pour ne la pas entendre. Je m'embarrassais fort peu des jugements, et je me tenais opiniâtrement les oreilles bouchées, tant que l'action et le jeu de l'acteur me paraissaient d'accord avec le discours que je me rappelais. Je n'écoutais que quand j'étais dérouté par les gestes, ou que je croyais l'être. Ah ! Monsieur, qu'il y a peu de comédiens en état de soutenir une pareille épreuve, et que les détails dans lesquels je 410 pourrais entrer seraient humiliants pour la plupart d'entre eux. Mais j'aime mieux vous parler de la nouvelle surprise où l'on ne manquait pas de tomber autour de moi, lorsqu'on me voyait répandre des larmes dans les endroits pathétiques, et toujours les oreilles bouchées. Alors on n'y tenait plus, et les moins curieux hasardaient des questions auxquelles je répondais froidement « que chacun avait sa façon d'écouter, et que la mienne était de me boucher les oreilles pour mieux entendre » ; riant en moi-même des propos que ma bizarrerie apparente ou réelle occasionnait, 420 et bien plus encore de la simplicité de quelques jeunes gens qui se mettaient aussi les doigts dans les oreilles pour entendre à ma façon, et qui étaient tout étonnés que cela ne leur réussît pas.

Quoi que vous pensiez de mon expédient, je vous prie de considérer que, si pour juger sainement de l'intonation, il faut écouter le discours sans voir l'acteur ; il est tout naturel de croire que pour juger sainement du geste et des mouvements, il faut considérer l'acteur sans entendre le discours. Au reste, cet écrivain célèbre par *Le Diable boi-* 430 *teux*, *Le Bachelier de Salamanque*, *Gil Blas de Santillane*, *Turcaret*, un grand nombre de pièces de théâtre et d'opéras-comiques ; par son fils l'inimitable Montmenil ; M. Lesage était devenu si sourd dans sa vieillesse, qu'il fallait, pour s'en faire entendre, mettre la bouche sur son cornet, et

crier de toute sa force. Cependant il allait à la représentation de ses pièces ; il n'en perdait presque pas un mot, il
disait même qu'il n'avait jamais mieux jugé ni du jeu ni de
ses pièces que depuis qu'il n'entendait plus les acteurs ; et
440 je me suis assuré par l'expérience qu'il disait vrai [36].

Sur quelque étude du langage par gestes, il m'a donc
paru que la bonne construction exigeait qu'on présentât
d'abord l'idée principale ; parce que cette idée manifestée
répandait du jour sur les autres, en indiquant à quoi les
gestes devaient être rapportés [37]. Quand le sujet d'une proposition oratoire ou gesticulée n'est pas annoncé, l'application des autres signes reste suspendue. C'est ce qui
arrive à tout moment dans les phrases grecques et latines ;
et jamais dans les phrases gesticulées, lorsqu'elles sont
450 bien construites.

Je suis à table avec un sourd et muet de naissance. Il
veut commander à son laquais de me verser à boire. Il
avertit d'abord son laquais ; il me regarde ensuite. Puis il
imite du bras et de la main droite les mouvements d'un
homme qui verse à boire. Il est presque indifférent dans
cette phrase lequel des deux derniers signes suive ou précède l'autre. Le muet peut, après avoir averti le laquais, ou
placer le signe qui désigne la chose ordonnée, ou celui qui
dénote la personne à qui le message s'adresse ; mais le
460 lieu du premier geste est fixé. Il n'y a qu'un muet sans
logique qui puisse le déplacer. Cette transposition serait
presque aussi ridicule que l'inadvertance d'un homme qui
parlerait sans qu'on sût bien à qui son discours s'adresse.
Quant à l'arrangement des deux autres gestes, c'est peut-
être moins une affaire de justesse que de goût, de fantaisie,
de convenance, d'harmonie, d'agrément et de style. En
général, plus une phrase renfermera d'idées et plus il y
aura d'arrangements possibles de gestes ou d'autres
signes : plus il y aura de danger de tomber dans des
470 contresens, dans des amphibologies, et dans les autres
vices de construction. Je ne sais si l'on peut juger sainement des sentiments et des mœurs d'un homme par ses
écrits ; mais je crois qu'on ne risquerait pas à se tromper
sur la justesse de son esprit, si l'on en jugeait par son style
ou plutôt par sa construction. Je puis du moins vous
assurer que je ne m'y suis jamais trompé. J'ai vu que tout

homme dont on ne pouvait corriger les phrases qu'en les refaisant tout à fait, était un homme dont on n'aurait pu réformer la tête qu'en lui en donnant une autre.

Mais entre tant d'arrangements possibles, comment lorsqu'une langue est morte, distinguer les constructions que l'usage autorisait ? la simplicité et l'uniformité des nôtres m'enhardissent à dire que, si jamais la langue française meurt, on aura plus de facilité à l'écrire et à la parler correctement que les langues grecques ou latines. Combien d'inversions n'employons-nous pas aujourd'hui en latin et en grec, que l'usage du temps de Cicéron et de Démosthène, ou l'oreille sévère de ces orateurs proscrirait ?

Mais, me dira-t-on, n'avons-nous pas dans notre langue des adjectifs qui ne se placent qu'avant le substantif ; n'en avons-nous pas d'autres qui ne se placent jamais qu'après ? Comment nos neveux s'instruiront-ils de ces finesses ? La lecture des bons auteurs n'y suffit pas. J'en conviens avec vous, et j'avoue que si la langue française meurt, les savants à venir qui feront assez de cas de nos auteurs pour l'apprendre et pour s'en servir, ne manqueront pas d'écrire indistinctement *blanc bonnet* ou *bonnet blanc*, *méchant auteur* ou *auteur méchant*, *homme galant* ou *galant homme*, et une infinité d'autres qui donneraient à leurs ouvrages un air tout à fait ridicule, si nous ressuscitions pour les lire ; mais qui n'empêcheront pas leurs contemporains ignorants de s'écrier à la lecture de quelque pièce française : *Racine n'a pas écrit plus correctement ; c'est Despréaux tout pur ; Bossuet n'aurait pas mieux dit ; cette prose a le nombre, la force, l'élégance, la facilité de celle de Voltaire.* Mais si un petit nombre de cas embarrassants font dire tant de sottises à ceux qui viendront après nous ; que devons-nous penser aujourd'hui de nos écrits en grec et en latin, et des applaudissements qu'ils obtiennent [38] ?

On éprouve, en s'entretenant avec un sourd et muet de naissance une difficulté presque insurmontable à lui désigner les parties indéterminées de la quantité soit en nombre, soit en étendue, soit en durée, et à lui transmettre toute abstraction en général [39]. On n'est jamais sûr de lui avoir fait entendre la différence des temps *je fis, j'ai fait, je faisais, j'aurais fait.* Il en est de même des propositions

conditionnelles. Donc si j'avais raison de dire qu'à l'origine du langage, les hommes ont commencé par donner
520 des noms aux principaux objets des sens, *aux fruits, à l'eau, aux arbres, aux animaux, aux serpents, etc. aux passions, aux lieux, aux personnes, etc. aux qualités, aux quantités, aux temps, etc.* je peux encore ajouter que les signes des *temps* ou des portions de la durée ont été les derniers inventés. J'ai pensé que pendant des siècles entiers, les hommes n'ont eu d'autres temps que le présent de l'indicatif ou de l'infinitif que les circonstances déterminaient à être tantôt un futur, tantôt un parfait.

Je me suis cru autorisé dans cette conjecture par l'état
530 présent de la *langue franque*. Cette langue est celle que parlent les diverses nations chrétiennes qui commercent en Turquie et dans les échelles du Levant. Je la crois telle aujourd'hui qu'elle a toujours été, et il n'y a pas d'apparence qu'elle se perfectionne jamais. La base en est un italien corrompu. Ses verbes n'ont pour tous temps que le présent de l'infinitif dont les autres termes de la phrase ou les conjonctures modifient la signification : ainsi *je t'aime, je t'aimais, je t'aimerai,* c'est en langue franque *mi amarti. Tous ont chanté, que chacun chante, tous chante-*
540 *ront, tutti cantara. Je veux, je voulais, j'ai voulu, je voudrais t'épouser, mi voleri sposarti* [40].

J'ai pensé que les inversions s'étaient introduites et conservées dans le langage, parce que les signes oratoires avaient été institués selon l'ordre des gestes, et qu'il était naturel qu'ils gardassent dans la phrase le rang que le droit d'aînesse leur avait assigné. J'ai pensé que par la même raison, l'abus des temps des verbes ayant dû subsister, même après la formation complète des conjugaisons, les uns s'étaient absolument passés de certains temps, comme
550 les Hébreux qui n'ont ni présent ni imparfait, et qui disent fort bien *Credidi propter quod locutus sum*, au lieu de *Credo et ideo loquor ; j'ai cru et c'est par cette raison que j'ai parlé,* ou *je crois et c'est par cette raison que je parle* ; et que les autres avaient fait un double emploi du même temps, comme les Grecs chez qui les aoristes s'interprètent tantôt au présent, tantôt au passé. Entre une infinité d'exemples, je me contenterai de vous en citer un seul qui vous est peut-être moins connu que les autres. Épictète dit

Θέλουσι καὶ αὐτοὶ φιλοσοφεῖν, ἄνθρωπε, πρῶτον ἐπίσκεψαι, ὁποῖόν ἐστι τὸ πρᾶγμα· εἶτα καὶ τὴν σεαυτοῦ 560
φύσιν καταμάθε, εἰ δύνασαι βαστάσαι, πένταθλος εἶναι
βούλει, ἤ παλαιστής ; ἴδε σεαυτοῦ τοὺς βραχίονας, τοὺς
μηροὺς, τὴν ὀσφὺν καταμάθε [41].

Épict. *Enchirid.* p. 42.

Ce qui signifie proprement : « ces gens veulent aussi
être philosophes. Homme, aie d'abord appris ce que c'est
que la chose que tu veux être. Aie étudié tes forces et le
fardeau. Aie vu, si tu peux l'avoir porté. Aie considéré tes
bras et tes cuisses. Aie éprouvé tes reins, si tu veux être
quinquertion ou lutteur ». Mais ce qui se rend beaucoup
mieux en donnant aux aoristes premiers ἐπίσκεψαι, βασ- 570
τάσαι et aux aoristes seconds καταμάθε, ἴδε, la valeur du
présent. « Ces gens veulent aussi être philosophes. Homme,
apprends d'abord ce que c'est que la chose ; connais tes
forces et le fardeau que tu veux porter ; considère tes bras
et tes cuisses ; éprouve tes reins, si tu prétends être quinquertion ou lutteur. » Vous n'ignorez pas que ces quin-
quertions étaient des gens qui avaient la vanité de se
signaler dans tous les exercices de la gymnastique [42].

Je regarde ces bizarreries des *temps* comme des restes
de l'imperfection originelle des langues, des traces de leur 580
enfance, contre lesquelles le bon sens qui ne permet pas à
la même expression de rendre des idées différentes, eût
vainement réclamé ses droits dans la suite. Le pli était pris,
et l'usage aurait fait taire le bon sens. Mais il n'y a peut-
être pas un seul écrivain grec ou latin, qui se soit aperçu de
ce défaut : je dis plus, pas un peut-être qui n'ait imaginé
que son discours ou l'ordre d'institution de ses signes, sui-
vait exactement celui des vues de son esprit ; cependant il
est évident qu'il n'en était rien. Quand Cicéron commence
l'oraison pour Marcellus par *Diuturni silentii, Patres* 590
Conscripti, quo eram his temporibus usus, etc. l'on voit
qu'il avait eu dans l'esprit antérieurement à son long
silence une idée qui devait suivre, qui commandait la terminaison de son long silence, et qui le contraignait à dire
Diuturni silentii, et non pas *Diuturnum silentium* [43].

Ce que je viens de dire de l'inversion du commencement de l'oraison pour Marcellus, est applicable à toute

autre inversion. En général dans une période grecque ou
latine, quelque longue qu'elle soit, on s'aperçoit dès le
600 commencement que l'auteur ayant eu une raison d'employer telle ou telle terminaison, plutôt que toute autre, il
n'y avait point dans ses idées l'inversion qui règne dans
ses termes. En effet, dans la période précédente qu'est ce
qui déterminait Cicéron à écrire *Diuturni silentii* au génitif, *quo* à l'ablatif, *eram* à l'imparfait, et ainsi du reste,
qu'un ordre d'idées préexistant dans son esprit, tout
contraire à celui des expressions, ordre auquel il se confor-
mait sans s'en apercevoir, subjugué par la longue habitude
de transposer [44] ? Et pourquoi Cicéron n'aurait-il pas
610 transposé sans s'en apercevoir, puisque la chose nous
arrive à nous-mêmes, à nous qui croyons avoir formé notre
langue sur la suite naturelle des idées ? J'ai donc eu raison
de distinguer l'ordre naturel des idées et des signes, de
l'ordre scientifique et d'institution.

Vous avez pourtant cru, Monsieur, devoir soutenir que
dans la période de Cicéron dont il s'agit entre nous, il n'y
avait point d'inversion [45], et je ne disconviens pas qu'à certains égards vous ne puissiez avoir raison ; mais il faut
pour s'en convaincre faire deux réflexions, qui, ce me
620 semble, vous ont échappé. La première c'est que l'inversion, proprement dite, ou l'ordre d'institution, l'ordre scientifique et grammatical, n'étant autre chose qu'un ordre
dans les mots contraire à celui des idées, ce qui sera inversion pour l'un, souvent ne le sera pas pour l'autre [46]. Car
dans une suite d'idées, il n'arrive pas toujours que tout le
monde soit également affecté par la même. Par exemple, si
de ces deux idées contenues dans la phrase *serpentem
fuge*, je vous demande quelle est la principale, vous me
direz, vous, que c'est le serpent ; mais un autre prétendra
630 que c'est la fuite, et vous aurez tous deux raison. L'homme
peureux ne songe qu'au serpent ; mais celui qui craint
moins le serpent que ma perte, ne songe qu'à ma fuite :
l'un s'effraye et l'autre m'avertit [47]. La seconde chose que
j'ai à remarquer, c'est que dans une suite d'idées que nous
avons à offrir aux autres, toutes les fois que l'idée principale qui doit les affecter, n'est pas la même que celle qui
nous affecte, eu égard à la disposition différente où nous
sommes, nous et nos auditeurs, c'est cette idée qu'il faut

d'abord leur présenter ; et l'inversion dans ce cas n'est proprement qu'oratoire : appliquons ces réflexions à la pre- 640
mière période de l'oraison *pro Marcello*. Je me figure Cicéron montant à la tribune aux harangues, et je vois que la première chose qui a dû frapper ses auditeurs, c'est qu'il a été longtemps sans y monter ; ainsi *diuturni silentii*, le long silence qu'il a gardé, est la première idée qu'il doit leur présenter, quoique l'idée principale pour lui ne soit pas celle-là, mais *hodiernus dies finem attulit* ; car ce qui frappe le plus un orateur qui monte en chaire, c'est qu'il va parler, et non qu'il a gardé longtemps le silence. Je remarque encore une autre finesse dans le génitif *diuturni* 650
silentii ; les auditeurs ne pouvaient penser au long silence de Cicéron, sans chercher en même temps la cause, et de ce silence, et de ce qui le déterminait à le rompre. Or le génitif étant un cas suspensif, leur fait naturellement attendre toutes ces idées que l'orateur ne pouvait leur présenter à la fois.

Voilà, Monsieur, plusieurs observations, ce me semble, sur le passage dont nous parlons, et que vous auriez pu faire. Je suis persuadé que Cicéron aurait arrangé tout autrement cette période, si au lieu de parler à Rome, il eût 660
été tout à coup transporté en Afrique, et qu'il eût eu à plaider à Carthage. Vous voyez donc par là, Monsieur, que ce qui n'était pas une inversion pour les auditeurs de Cicéron, pouvait, devait même en être une pour lui [48].

Mais allons plus loin : je soutiens que quand une phrase ne renferme qu'un très petit nombre d'idées, il est fort difficile de déterminer quel est l'ordre naturel que ces idées doivent avoir par rapport à celui qui parle [49]. Car si elles ne se présentent pas toutes à la fois, leur succession est au moins si rapide, qu'il est souvent impossible de démêler 670
celle qui nous frappe la première. Qui sait même si l'esprit ne peut pas en avoir un certain nombre exactement dans le même instant ? Vous allez peut-être, Monsieur, crier au paradoxe. Mais veuillez auparavant examiner avec moi comment l'article *hic, ille, le*, s'est introduit dans la langue latine et dans la nôtre. Cette discussion ne sera ni longue ni difficile, et pourra vous rapprocher d'un sentiment qui vous révolte.

680 Transportez-vous d'abord au temps où les adjectifs et les substantifs latins qui désignent les qualités sensibles des êtres, et les différents individus de la nature, étaient presque tous inventés, mais où l'on n'avait point encore d'expression pour ces vues fines et déliées de l'esprit, dont la philosophie a même aujourd'hui tant de peine à marquer les différences. Supposez ensuite deux hommes pressés de la faim, mais dont l'un n'ait point d'aliment en vue, et dont l'autre soit au pied d'un arbre si élevé qu'il n'en puisse atteindre le fruit. Si la sensation fait parler ces deux hommes, le premier dira *j'ai faim, je mangerais volon-*
690 *tiers* ; et le second, *le beau fruit ! j'ai faim, je mangerais volontiers.* Mais il est évident que celui-là a rendu précisément par son discours tout ce qui s'est passé dans son âme ; qu'au contraire il manque quelque chose dans la phrase de celui-ci, et qu'une des vues de son esprit y doit être sous-entendue. L'expression *je mangerais volontiers*, quand on n'a rien à sa portée, s'étend en général à tout ce qui peut apaiser la faim ; mais la même expression se restreint, et ne s'entend plus que d'un beau fruit, quand ce fruit est présent. Ainsi, quoique ces deux hommes aient dit
700 *j'ai faim, je mangerais volontiers*, il y avait dans l'esprit de celui qui s'est écrié *le beau fruit !* un retour vers ce fruit ; et l'on ne peut douter que si l'article *le* eût été inventé, il n'eût dit *le beau fruit ! j'ai faim : je mangerais volontiers icelui*, ou *icelui je mangerais volontiers.* L'article *le* ou *icelui* n'est dans cette occasion et dans toutes les semblables, qu'un signe employé pour désigner le retour de l'âme sur un objet qui l'avait antérieurement occupée ; et l'invention de ce signe est, ce me semble, une preuve de la marche didactique de l'esprit [50].
710 N'allez pas me faire des difficultés sur le lieu que ce signe occuperait dans la phrase, en suivant l'ordre naturel des vues de l'esprit. Car quoique tous ces jugements, *le beau fruit ! j'ai faim, je mangerais volontiers icelui*, soient rendus chacun par deux ou trois expressions, ils ne supposent tous qu'une seule vue de l'âme ; celui du milieu *j'ai faim*, se rend en latin par le seul mot *esurio*. Le fruit et la qualité s'aperçoivent en même temps ; et quand un Latin disait *esurio*, il croyait ne rendre qu'une seule idée. *Je mangerais volontiers icelui*, ne sont que des modes d'une

seule sensation. *Je* marque la personne qui l'éprouve ;   720
mangerais, le désir et la nature de la sensation éprouvée ;
volontiers, son intensité ou sa force ; *icelui*, la présence de
l'objet désiré ; mais la sensation n'a point dans l'âme ce
développement successif du discours ; et si elle pouvait
commander à vingt bouches, chaque bouche disant son
mot, toutes les idées précédentes seraient rendues à la
fois ; c'est ce qu'elle exécuterait à merveille sur un clavecin oculaire, si le système de mon muet était institué, et
que chaque couleur fût l'élément d'un mot. Aucune langue
n'approcherait de la rapidité de celle-ci. Mais au défaut de   730
plusieurs bouches voici ce qu'on a fait : on a attaché plusieurs idées à une seule expression ; si ces expressions
énergiques étaient plus fréquentes, au lieu que la langue se
traîne sans cesse après l'esprit, la quantité d'idées rendues
à la fois pourrait être telle que la langue allant plus vite
que l'esprit, il serait forcé de courir après elle. Que deviendrait alors l'inversion qui suppose décomposition des
mouvements simultanés de l'âme, et multitude d'expressions ? Quoique nous n'ayons guère de ces termes qui
équivalent à un long discours, ne suffit-il pas que nous en   740
ayons quelques-uns, que le grec et le latin en fourmillent,
et qu'ils soient employés et compris sur-le-champ, pour
vous convaincre que l'âme éprouve une foule de perceptions, sinon à la fois, du moins avec une rapidité si tumul-
tueuse, qu'il n'est guère possible d'en découvrir la loi.

Si j'avais affaire à quelqu'un qui n'eût pas encore la
facilité de saisir des idées abstraites, je lui mettrais ce système de l'entendement humain en relief, et je lui dirais :
Monsieur, considérez l'homme automate comme une hor-
loge ambulante [51] ; que le cœur en représente le grand res-   750
sort, et que les parties contenues dans la poitrine soient les
autres pièces principales du mouvement. Imaginez dans la
tête un timbre garni de petits marteaux, d'où partent une
multitude infinie de fils qui se terminent à tous les points
de la boîte : élevez sur ce timbre une de ces petites figures
dont nous ornons le haut de nos pendules, qu'elle ait
l'oreille penchée comme un musicien qui écouterait si son
instrument est bien accordé ; cette petite figure sera *l'âme*.
Si plusieurs des petits cordons sont tirés dans le même instant, le timbre sera frappé de plusieurs coups, et la petite   760

figure entendra plusieurs sons à la fois. Supposez qu'entre
ces cordons il y en ait certains qui soient toujours tirés ;
comme nous ne nous sommes assurés du bruit qui se fait
le jour à Paris que par le silence de la nuit, il y aura en
nous des sensations qui nous échapperont souvent par leur
continuité ; telle sera celle de notre existence [52]. L'âme ne
s'en aperçoit que par un retour sur elle-même, surtout dans
l'état de santé. Quand on se porte bien, aucune partie du
corps, ne nous instruit de son existence ; si quelqu'une
770 nous en avertit par la douleur, c'est à coup sûr que nous
nous portons mal ; si c'est par le plaisir, il n'est pas toujours certain que nous nous portions mieux.

Il ne tiendrait qu'à moi de suivre ma comparaison plus
loin, et d'ajouter que les sons rendus par le timbre ne s'étei-
gnent pas sur-le-champ ; qu'ils ont de la durée ; qu'ils forment des accords avec ceux qui les suivent ; que la petite
figure attentive les compare et les juge consonants ou
dissonants ; que la mémoire actuelle, celle dont nous avons
besoin pour juger et pour discourir, consiste dans la réso-
780 nance du timbre ; le jugement dans la formation des
accords, et le discours dans leur succession, que ce n'est pas
sans raison qu'on dit de certains cerveaux, qu'ils sont mal
timbrés. Et cette loi de liaison si nécessaire dans les longues
phrases harmoniques ; cette loi qui demande qu'il y ait entre
un accord et celui qui le suit, au moins un son commun, res-
terait-elle donc ici sans application ? Ce son commun, à
votre avis, ne ressemble-t-il pas beaucoup au moyen terme
du syllogisme ? Et que sera-ce que cette analogie qu'on
remarque entre certaines âmes, qu'un jeu de la nature qui
790 s'est amusée à mettre deux timbres l'un à la quinte et l'autre
à la tierce d'un troisième. Avec la fécondité de ma comparaison et la folie de Pythagore, je vous démontrerais la
sagesse de cette loi des Scythes, qui ordonnait d'avoir un
ami, qui en permettait deux et qui en défendait trois. Parmi
les Scythes, vous dirais-je, une tête était mal timbrée, si le
son principal qu'elle rendait n'avait dans la société aucun
harmonique ; trois amis formaient l'accord parfait ; un quatrième ami surajouté, ou n'eût été que la réplique de l'un
des trois autres, ou bien il eût rendu l'accord dissonant [53].

800 Mais je laisse ce langage figuré que j'emploierais tout
au plus pour récréer et fixer l'esprit volage d'un enfant, et

je reviens au ton de la philosophie *à qui il faut des raisons et non des comparaisons.*

En examinant les discours que la sensation de la faim ou de la soif faisaient tenir en différentes circonstances, on eut souvent occasion de s'apercevoir que les mêmes expressions s'employaient pour rendre des vues de l'esprit qui n'étaient pas les mêmes ; et l'on inventa les signes *vous, lui, moi, le* et une infinité d'autres qui particularisent. L'état de l'âme dans un instant indivisible fut représenté par une foule de termes que la précision du langage exigea, et qui distribuèrent une impression totale en parties : et parce que ces termes se prononçaient successivement, et ne s'entendaient qu'à mesure qu'ils se prononçaient, on fut porté à croire que les affections de l'âme qu'ils représentaient avaient la même succession ; mais il n'en est rien. Autre chose est l'état de notre âme ; autre chose le compte que nous en rendons soit à nous-mêmes, soit aux autres : autre chose la sensation totale et instantanée de cet état ; autre chose l'attention successive et détaillée que nous sommes forcés d'y donner pour l'analyser, la manifester et nous faire entendre. Notre âme est un tableau mouvant d'après lequel nous peignons sans cesse : nous employons bien du temps à le rendre avec fidélité ; mais il existe en entier et tout à la fois : l'esprit ne va pas à pas comptés comme l'expression. Le pinceau n'exécute qu'à la longue ce que l'œil du peintre embrasse tout d'un coup. La formation des langues exigeait la décomposition ; mais *voir* un objet, le *juger* beau, *éprouver* une sensation agréable, *désirer* la possession, c'est l'état de l'âme dans un même instant ; et ce que le grec et le latin rendent par un seul mot. Ce mot prononcé, tout est dit, tout est entendu. Ah ! Monsieur, combien notre entendement est modifié par les signes ; et que la diction la plus vive est encore une froide copie de ce qui s'y passe [54] :

> Les ronces dégouttantes
> Portent de ses cheveux les dépouilles sanglantes.

Voilà une des peintures les plus ressemblantes que nous ayons [55]. Cependant qu'elle est encore loin de ce que j'imagine !

Je vous exhorte, Monsieur, à peser ces choses, si vous voulez sentir combien la question des inversions est compliquée. Pour moi qui m'occupe plutôt à former des nuages qu'à les dissiper, et à suspendre les jugements qu'à juger, je vais vous démontrer encore que si le paradoxe que je viens d'avancer n'est pas vrai, si nous n'avons pas plusieurs perceptions à la fois, il est impossible de raisonner et de discourir. Car discourir ou raisonner, c'est comparer deux ou plusieurs idées. Or comment comparer

850 des idées qui ne sont pas présentes à l'esprit dans le même temps [56] ? Vous ne pouvez me nier que nous n'ayons à la fois plusieurs sensations, comme celles de la couleur d'un corps et de sa figure ; or je ne vois pas quel privilège les sensations auraient sur les idées abstraites et intellectuelles. Mais la mémoire, à votre avis, ne suppose-t-elle pas dans un jugement deux idées à la fois présentes à l'esprit ? l'idée qu'on a actuellement, et le souvenir de celle qu'on a eue ? Pour moi, je pense que c'est par cette raison que le jugement et la grande mémoire vont si rare-

860 ment ensemble. Une grande mémoire suppose une grande facilité d'avoir à la fois ou rapidement plusieurs idées différentes ; et cette facilité nuit à la comparaison tranquille d'un petit nombre d'idées que l'esprit doit, pour ainsi dire, envisager fixement. Une tête meublée d'un grand nombre de choses disparates, est assez semblable à une bibliothèque de volumes dépareillés. C'est une de ces compilations germaniques, hérissées sans raison et sans goût, d'hébreu, d'arabe, de grec et de latin, qui sont déjà fort grosses, qui grossissent encore, qui grossiront tou-

870 jours, et qui n'en seront que plus mauvaises. C'est un de ces magasins remplis d'analyses et de jugements d'ouvrages que l'analyste n'a point entendus ; magasins de marchandises mêlées ; dont il n'y a proprement que le bordereau qui lui appartienne [57] : c'est un commentaire où l'on rencontre souvent ce qu'on ne cherche point ; rarement ce qu'on cherche, et presque toujours les choses dont on a besoin, égarées dans la foule des inutiles.

Une conséquence de ce qui précède, c'est qu'il n'y a point et que peut-être même il ne peut y avoir d'inversion

880 dans l'esprit, surtout si l'objet de la contemplation est abstrait et métaphysique ; et que quoique le grec dise νικῆσαι

ὀλύμπια θέλεις, κἀγὼ νή τοὺς θεούς· κόμψον γάρ ἐστιν, et le latin *honores plurimùm valent apud prudentes, si sibi collatos intelligant* [58] ; la syntaxe française, et l'entendement gêné par la syntaxe, grecque ou latine, disent sans inversion : « *Vous voudriez bien être de l'Académie française ? et moi aussi ; car c'est un honneur ; et le sage peut faire cas d'un honneur qu'il sent qu'il mérite.* » Je ne voudrais donc pas avancer généralement et sans distinction que les Latins ne renversent point, et que c'est nous qui renversons. Je dirais seulement qu'au lieu de comparer notre phrase à l'ordre didactique des idées, si on la compare à l'ordre d'invention des mots, au langage des gestes auquel le langage oratoire a été substitué par degré, il paraît que nous renversons, et que de tous les peuples de la terre il n'y en a point qui ait autant d'inversions que nous : mais que si l'on compare notre construction à celle des vues de l'esprit assujetti par la syntaxe grecque ou latine, comme il est naturel de faire, il n'est guère possible d'avoir moins d'inversions que nous n'en avons. Nous disons les choses en français comme l'esprit est forcé de les considérer en quelque langue qu'on écrive. Cicéron a pour ainsi dire suivi la syntaxe française, avant que d'obéir à la syntaxe latine [59].

D'où il s'ensuit, ce me semble, que la communication de la pensée étant l'objet principal du langage, notre langue est de toutes les langues la plus châtiée, la plus exacte et la plus estimable ; celle en un mot qui a retenu le moins de ces négligences que j'appellerais volontiers des restes de la *balbutie* des premiers âges. Ou pour continuer le parallèle sans partialité, je dirais que nous avons gagné à n'avoir point d'inversions, de la netteté, de la clarté, de la précision, qualités essentielles au discours ; et que nous y avons perdu de la chaleur, de l'éloquence et de l'énergie [60]. J'ajouterais volontiers que la marche didactique et réglée à laquelle notre langue est assujettie, la rend plus propre aux sciences ; et que par les tours et les inversions que le grec, le latin, l'italien, l'anglais, se permettent, ces langues sont plus avantageuses pour les lettres. Que nous pouvons mieux qu'aucun autre peuple faire parler l'esprit, et que le bon sens choisirait la langue française ; mais que l'imagination et les passions donneraient la préférence aux

langues anciennes et à celles de nos voisins. Qu'il faut parler français dans la société et dans les écoles de philosophie ; et grec, latin, anglais dans les chaires et sur les théâtres : que notre langue sera celle de la vérité, si jamais elle revient sur la terre ; et que la grecque, la latine, et les autres seront les langues de la fable et du mensonge. Le français est fait pour instruire, éclairer et convaincre ; le
930 grec, le latin, l'italien, l'anglais pour persuader, émouvoir et tromper ; parlez grec, latin, italien au peuple, mais parlez français au sage [61].

Un autre désavantage des langues à inversion, c'est d'exiger soit du lecteur, soit de l'auditeur, de la contention et de la mémoire. Dans une phrase latine ou grecque un peu longue, que de cas, de régimes, de terminaisons à combiner ! on n'entend presque rien qu'on ne soit à la fin. Le français ne donne point cette fatigue. On le comprend à mesure qu'il est parlé. Les idées se présentent dans notre
940 discours suivant l'ordre que l'esprit a dû suivre, soit en grec, soit en latin, pour satisfaire aux règles de la syntaxe. La Bruyère vous fatiguera moins à la longue que Tite-Live. L'un est pourtant un moraliste profond, l'autre un historien clair. Mais cet historien enchâsse si bien ses phrases, que l'esprit sans cesse occupé à les déboîter les unes de dedans les autres, et à les restituer dans un ordre didactique et lumineux, se lasse de ce petit travail, comme le bras le plus fort, d'un poids léger qu'il faut toujours porter. Ainsi, tout bien considéré, notre langue *pédestre* a
950 sur les autres l'avantage de l'utile sur l'agréable.

Mais une des choses qui nuisent le plus dans notre langue et dans les langues anciennes à l'ordre naturel des idées, c'est cette harmonie du style à laquelle nous sommes devenus si sensibles, que nous lui sacrifions souvent tout le reste [62]. Car il faut distinguer dans toutes les langues trois états par lesquels elles ont passé successivement au sortir de celui où elles n'étaient qu'un mélange confus de cris et de gestes, mélange qu'on pourrait appeler du nom de langage animal. Ces trois états sont l'état de *naissance*, celui de *for-*
960 *mation*, et l'état de *perfection*. La langue naissante était un composé de mots et de gestes où les adjectifs sans genre ni cas, et les verbes sans conjugaisons ni régimes conservaient partout la même terminaison ; dans la langue formée, il y

avait des mots, des cas, des genres, des conjugaisons, des régimes, en un mot les signes oratoires nécessaires pour tout exprimer, mais il n'y avait que cela. Dans la langue perfectionnée, on a voulu de plus de l'harmonie, parce qu'on a cru qu'il ne serait pas inutile de flatter l'oreille en parlant à l'esprit. Mais comme on préfère souvent l'accessoire au principal ; souvent aussi l'on a renversé l'ordre des idées pour ne pas nuire à l'harmonie : C'est ce que Cicéron a fait en partie dans la période pour Marcellus. Car la première idée qui a dû frapper ses auditeurs, après celle de son long silence, c'est la raison qui l'y a obligé ; il devait donc dire : *Diuturni silentii, quo, non timore aliquo, sed partim dolore, partim verecundia, eram his temporibus usus, finem hodiernus dies attulit.* Comparez cette phrase avec la sienne, vous ne trouverez d'autre raison de préférence que celle de l'harmonie. De même dans une autre phrase de ce grand orateur, *Mors, terrorque civium ac sociorum Romanorum* [63], il est évident que l'ordre naturel demandait *terror morsque.* Je ne cite que cet exemple parmi une infinité d'autres.

Cette observation peut nous conduire à examiner s'il est permis de sacrifier quelquefois l'ordre naturel à l'harmonie. L'on ne doit, ce me semble, user de cette licence que quand les idées qu'on renverse sont si proches l'une de l'autre, qu'elles se présentent presque à la fois à l'oreille et à l'esprit, à peu près comme on renverse la basse fondamentale en basse continue pour la rendre plus chantante ; quoique la basse continue ne soit véritablement agréable qu'autant que l'oreille y démêle la progression naturelle de la basse fondamentale qui l'a suggérée [64]. N'allez pas vous imaginer à cette comparaison que c'est un grand musicien qui vous écrit : il n'y a que deux jours que je commence à l'être ; mais vous savez combien l'on aime à parler de ce qu'on vient d'apprendre.

Il me semble qu'on pourrait trouver plusieurs autres rapports entre l'harmonie du style et l'harmonie musicale. Dans le style, par exemple, lorsqu'il est question de peindre de grandes choses ou des choses surprenantes, il faut quelquefois sinon sacrifier, du moins altérer l'harmonie et dire :

> *Magnum Jovis incrementum* [65].
>
> *Nec brachia longo*
> *Margine terrarum porrexerat Amphitrite* [66].
>
> *Ferte citi ferrum, date tela, scandite muros* [67].
>
> *Vite quoque omnis*
> *Omnibus e nervis atque ossibus exsolvatur* [68].
>
> *Longo sed proximus intervallo* [69].

Ainsi dans la musique, il faut quelquefois dérouter
1010 l'oreille pour surprendre et contenter l'imagination. On
pourrait observer aussi, qu'au lieu que les licences dans
l'arrangement des mots ne sont jamais permises qu'en
faveur de l'harmonie du style ; les licences dans l'harmonie musicale ne le sont au contraire souvent que pour
faire naître plus exactement et dans l'ordre le plus naturel
les idées que le musicien veut exciter [70].

Il faut distinguer dans tout discours en général la pensée
et l'expression ; si la pensée est rendue avec clarté, pureté et
précision, c'en est assez pour la conversation familière : joi-
1020 gnez à ces qualités le choix des termes, avec le nombre et
l'harmonie de la période, et vous aurez le style qui convient
à la chaire ; mais vous serez encore loin de la poésie, surtout
de la poésie que l'ode et le poème épique déploient dans
leurs descriptions. Il passe alors dans le discours du poète
un esprit qui en meut et vivifie toutes les syllabes. Qu'est-ce
que cet esprit ? j'en ai quelquefois senti la présence ; mais
tout ce que j'en sais, c'est que c'est lui qui fait que les
choses sont dites et représentées tout à la fois [71] ; que dans
le même temps que l'entendement les saisit, l'âme en est
1030 émue, l'imagination les voit, et l'oreille les entend ; et que
le discours n'est plus seulement un enchaînement de termes
énergiques qui exposent la pensée avec force et noblesse,
mais que c'est encore un tissu d'hiéroglyphes entassés les
uns sur les autres qui la peignent. Je pourrais dire en ce sens
que toute poésie est emblématique [72].

Mais l'intelligence de l'emblème poétique n'est pas
donnée à tout le monde ; il faut être presque en état de le
créer pour le sentir fortement. Le poète dit :

> *Et des fleuves français les eaux ensanglantées*
1040 > *Ne portaient que des morts aux mers épouvantées* [73].

Mais qui est-ce qui voit dans la première syllabe de *portaient*, les eaux gonflées de cadavres, et le cours des fleuves comme suspendu par cette digue ? Qui est-ce qui voit la masse des eaux et des cadavres s'affaisser et descendre vers les mers à la seconde syllabe du même mot ? L'effroi des mers est montré à tout lecteur dans *épouvantées* ; mais la prononciation emphatique de sa troisième syllabe me découvre encore leur vaste étendue. Le poète dit :

Soupire, étend les bras, ferme l'œil et s'endort [74].   1050

Tous s'écrient, que cela est beau ! Mais celui qui s'assure du nombre des syllabes d'un vers par ses doigts, sentira-t-il combien il est heureux pour un poète qui a le *soupir* à peindre, d'avoir dans sa langue un mot dont la première syllabe est sourde, la seconde tenue, et la dernière muette. On lit *étend les bras*, mais on ne soupçonne guère la longueur et la lassitude des bras d'être représentées dans ce monosyllabe pluriel ; ces bras étendus retombent si doucement avec le premier hémistiche du vers, que presque personne ne s'en aperçoit, non plus que du mouvement subit 1060 de la paupière dans *ferme l'œil*, et du passage imperceptible de la veille au sommeil dans la chute du second hémistiche *ferme l'œil et s'endort*.

L'homme de goût remarquera sans doute que le poète a quatre actions à peindre, et que son vers est divisé en quatre membres : que les deux dernières actions sont si voisines l'une de l'autre, qu'on ne discerne presque point d'intervalles entre elles et que des quatre membres du vers, les deux derniers unis par une conjonction et par la vitesse de la prosodie de l'avant-dernier, sont aussi presque 1070 indivisibles : que chacune de ces actions prend de la durée totale du vers, la quantité qui lui convient par sa nature ; et qu'en les renfermant toutes quatre dans un seul vers, le poète a satisfait à la promptitude avec laquelle elles ont coutume de se succéder. Voilà, Monsieur, un de ces problèmes que le génie poétique résout sans se les proposer. Mais cette solution est-elle à la portée de tous les lecteurs ? Non, Monsieur, non ; aussi je m'attends bien que ceux qui n'ont pas saisi d'eux-mêmes ces hiéroglyphes en lisant le vers de Despréaux (et ils seront en grand nombre) 1080 riront de mon commentaire, se rappelleront celui du *Chef-d'œuvre d'un inconnu* [75], et me traiteront de visionnaire.

Je croyais avec tout le monde, qu'un poète pouvait être traduit par un autre : c'est une erreur, et me voilà désabusé [76]. On rendra la pensée, on aura peut-être le bonheur de trouver l'équivalent d'une expression ; Homère aura dit ἔκλαγξαν δ'ἄρ' οἰστοί [77], et on rencontrera *tela sonant humeris* [78] ; c'est quelque chose, mais ce n'est pas tout. L'emblème délié, l'hiéroglyphe subtil qui règne dans une description entière, et qui dépend de la distribution des longues et des brèves dans les langues à quantité marquée, et de distribution des voyelles entre les consonnes dans les mots de toute langue ; tout cela disparaît nécessairement dans la meilleure traduction [79].

Virgile dit d'Euryale blessé d'un coup mortel :

> *Pulchrosque per artus*
> *It cruor ; inque humeros cervix collapsa recumbit,*
> *Purpureus veluti cum flos succisus aratro*
> *Languescit moriens, lassove papavera collo*
> *Demisere caput, pluvia cum forte gravantur* [80].

Je ne serais guère plus étonné de voir ces vers s'engendrer par quelque jet fortuit de caractères [81], que d'en voir passer toutes les beautés hiéroglyphiques dans une traduction ; et l'image d'un jet de sang, *it cruor* ; et celle de la tête d'un moribond qui retombe sur son épaule, *cervix collapsa recumbit* ; et le bruit d'une faux * qui scie, *succisus* ; et la défaillance de *languescit moriens* ; et la mollesse de la tige du pavot, *lassove papavera collo* ; et le *demisere caput*, et le *gravantur* qui finit le tableau. *Demisere* est aussi mou que la tige d'une fleur ; *gravantur*, pèse autant que son calice chargé de pluie. *Collapsa* marque effort et chute. Le même hiéroglyphe double se trouve à *papavera*. Les deux premières syllabes tiennent la tête du pavot droite, et les deux dernières l'inclinent. Car vous conviendrez que toutes ces images sont renfermées dans les quatre vers de Virgile, vous qui m'avez paru quelquefois si touché de l'heureuse parodie qu'on lit dans Pétrone du *lassove papavera collo* de Virgile,

---

* *Aratrum* ne signifie point une faux ; mais on verra plus bas pourquoi je le traduis ainsi (NdA).

appliqué à la faiblesse d'Ascylte au sortir des bras de Circé. Vous n'auriez pas été si agréablement affecté de cette application, si vous n'eussiez reconnu dans le *lasso papavera* 1120 *collo*, une peinture fidèle du désastre d'Ascylte [82].

Sur l'analyse du passage de Virgile, on croirait aisément qu'il ne me laisse rien à désirer, et qu'après y avoir remarqué plus de beautés, peut-être qu'il n'y en a, mais plus, à coup sûr, que le poète n'y en a voulu mettre, mon imagination et mon goût doivent être pleinement satisfaits. Point du tout, Monsieur : je vais risquer de me donner deux ridicules à la fois, celui d'avoir vu des beautés qui ne sont pas, et celui de reprendre des défauts qui ne sont pas davantage. Vous le dirai-je ? je trouve le *gravantur* un peu 1130 trop lourd pour la tête légère d'un pavot ; et l'*aratro* qui suit le *succisus* ne me paraît pas en achever la peinture hiéroglyphique. Je suis presque sûr qu'Homère eût placé à la fin de son vers un mot qui eût continué à mon oreille le bruit d'un instrument qui scie, ou peint à mon imagination la chute molle du sommet d'une fleur.

C'est la connaissance, ou plutôt le sentiment vif de ces expressions hiéroglyphiques de la poésie, perdues pour les lecteurs ordinaires, qui décourage les imitateurs de génie. C'est là ce qui faisait dire à Virgile, qu'il était aussi difficile 1140 d'enlever un vers à Homère que d'arracher un clou à la massue d'Hercule. Plus un poète est chargé de ces hiéroglyphes, plus il est difficile à rendre ; et les vers d'Homère en fourmillent. Je n'en veux pour exemple que ceux où Jupiter aux sourcils d'ébène, confirme à Thétis aux épaules d'ivoire, la promesse de venger l'injure faite à son fils.

> ἦ, καὶ κυανέῃσιν ἐπ᾽ ὀφρύσι νεῦσε κρονίων.
> ἀμβρόσιαι δ᾽ ἄρα χαῖται ἐπερρώσαντο ἄνακτος
> κρατὸς ᾽ἀπ᾽ ἀθανάτοιο, μέγαν δ᾽ἐλέλιξεν ὄλυμπον [83] !

Combien d'images dans ces trois vers ! on voit le fron- 1150 cement des sourcils de Jupiter dans ἐπ᾽ ὀφρύσι, dans νεῦσε Κρονίων, et surtout dans le redoublement heureux des Κ, d'ἦ καὶ κυανέησιν : la descente et les ondes de ses cheveux dans ἐπερρώσαντο ἄνακτος, la tête immortelle du Dieu majestueusement relevée par l'élision d'ἀπό dans κρατὸς ἀπ᾽ ἀθανάτοιο : l'ébranlement de l'Olympe dans les deux premières syllabes d'ἐλέλιξεν : la masse et le

bruit de l'Olympe dans les dernières de μέγαν et d'ἐλε-
λιξεν, et dans le dernier mot entier *où l'Olympe ébranlé*
1160 *retombe avec le vers*, ὄλυμπον.

Ce vers qui s'est rencontré au bout de ma plume, rend,
faiblement à la vérité, deux hiéroglyphes : l'un de Virgile et
l'autre d'Homère, l'un d'ébranlement et l'autre de chute.

Où l'Olympe ébranlé retombe avec le vers.
Hom. ἐλέλιξεν ὄλυμπον ; Virg. *Procumbit humi bos* [84] :

C'est le retour des λ dans ἐλέλιξεν ὄλυμπον, qui
réveille l'idée d'ébranlement. Le même retour des *L* se fait
dans *où l'Olympe ébranlé*, mais avec cette différence que
les *L* y étant plus éloignées les unes des autres que dans
1170 ἐλέλιξεν ὄλυμπον, l'ébranlement est moins prompt et
moins analogue au mouvement des sourcils. *Retombe avec
le vers* rendrait assez bien le *procumbit humi bos*, sans la
prononciation des *vers* qui est moins sourde et moins
emphatique que celle de *bos*, qui d'ailleurs se sépare beaucoup mieux d'avec *humi*, que *vers* ne se sépare d'avec
l'article *le*, ce qui rend le monosyllabe de Virgile plus isolé
que le *mien*, et la chute de son *bos* plus complète et plus
lourde que celle de mon *vers*.

Une réflexion qui ne sera guère plus déplacée ici que la
1180 harangue de l'empereur du Mexique dans le chapitre « Des
coches » de Montaigne, c'est qu'on avait une étrange véné-
ration pour les Anciens, et une grande frayeur de Despréaux,
lorsqu'on s'avisa de demander s'il fallait ou non entendre les
deux vers suivants d'Homère comme Longin les a entendus,
et comme Boileau et La Motte les ont traduits.

> Jupiter pater, sed tu libera a caligine filios Achivorum
> Ζεῦ πάτερ, ἀλλὰ σὺ ῥῦσαι ὑπ' ἠέρος υἱας ᾿Αχαιῶν,
> Fac serenitatem, daque oculis videre.
> ποίησον δ' αἴθρην, δὸς δ' ὀφθαλμοῖσιν ἰδέσθαι·
> 1190 Et in lucem perde nos, quando quidem tibi placuit ita.
> ἐν δὲ φάει καὶ ὄλεσσον, ἐπέι νύ τοι εὔαδεν οὕτως [85].
> Grand Dieu, chasse la nuit qui nous couvre les yeux,
> Et combats contre nous à la clarté des Cieux.
> BOIL.

Voilà, s'écrie Boileau avec le rhéteur Longin, les véritables sentiments d'un guerrier. Il ne demande pas la vie ;
un héros n'était pas capable de cette bassesse : mais

comme il ne voit point d'occasion de signaler son courage au milieu de l'obscurité, il se fâche de ne point combattre ; il demande donc en hâte que le jour paraisse pour faire au moins une fin digne de son grand cœur, quand il devrait avoir à combattre Jupiter même [86]. 1200

> Grand Dieu, rends-nous le jour et combats contre nous !
> LA MOTTE [87].

Eh ! Messieurs, répondrai-je à Longin et à Boileau, il ne s'agit point des sentiments que doit avoir un guerrier, ni du discours qu'il doit tenir dans la circonstance où se trouve Ajax ; Homère savait apparemment ces choses aussi bien que vous ; mais de traduire fidèlement deux vers d'Homère : et si par hasard il n'y avait rien dans ces vers de ce que vous y louez, que deviendraient vos éloges et vos réflexions ? Que faudrait-il penser de Longin, de La Motte et de Boileau, si 1210 par hasard ils avaient supposé des fanfaronnades impies, où il n'y a qu'une prière sublime et pathétique ? et c'est justement ce qui leur est arrivé. Qu'on lise et qu'on relise tant qu'on voudra les deux vers d'Homère, on n'y verra pas autre chose que, père des dieux et des hommes, Ζεῦ πάτερ, chasse la nuit qui nous couvre les yeux, et puisque tu as résolu de nous perdre, perds-nous du moins à la clarté des cieux.

> *Faudra-t-il sans combats terminer sa carrière ?*
> *Grand Dieu, chassez la nuit qui nous couvre les yeux,*
> *Et que nous périssions à la clarté des cieux.* 1220

Si cette traduction ne rend pas le pathétique des vers d'Homère, du moins on n'y trouve plus le contresens de celle de La Motte et de Boileau.

Il n'y a là aucun défi à Jupiter, on n'y voit qu'un héros prêt à mourir, si c'est la volonté de Jupiter, et qui ne lui demande d'autre grâce que celle de mourir en combattant, Ζεῦ πάτερ ; *Jupiter ! Pater !* Est-ce ainsi que le philosophe Ménippe [88] s'adresse à Jupiter !

Aujourd'hui qu'on est à l'abri des hémistiches du redoutable Despréaux, et que l'esprit philosophique nous 1230 a appris à ne voir dans les choses que ce qui y est, et à ne louer que ce qui est véritablement beau ; j'en appelle à tous les savants et à tous les gens de goût, à M. de Voltaire, à M. de Fontenelle, etc. et je leur demande si Despréaux et

La Motte n'ont pas défiguré l'Ajax d'Homère, et si Longin n'a pas trouvé qu'il n'en était que plus beau. Je sais quels hommes ce sont que Longin, Despréaux et La Motte : je reconnais tous ces auteurs pour mes maîtres, et ce n'est point eux que j'attaque ; c'est Homère que j'ose défendre.

1240   L'endroit du serment de Jupiter, et mille autres que j'aurais pu citer, prouvent assez qu'il n'est pas nécessaire de prêter des beautés à Homère ; et celui du discours d'Ajax ne prouve que trop qu'en lui en prêtant on risque de lui ôter celles qu'il a. Quelque génie qu'on ait, on ne dit pas mieux qu'Homère quand il dit bien. Entendons-le du moins avant que de tenter d'enchérir sur lui. Mais il est tellement chargé de ces hiéroglyphes poétiques dont je vous entretenais tout à l'heure, que ce n'est pas à la dixième lecture qu'on peut se flatter d'y avoir tout vu. On pourrait dire
1250   que Boileau a eu dans la littérature le même sort que Descartes en philosophie, et que ce sont eux qui nous ont appris à relever les petites fautes qui leur sont échappées.

Si vous me demandez en quel temps l'hiéroglyphe syllabique s'est introduit dans le langage. Si c'est une propriété du langage naissant, ou du langage formé, ou du langage perfectionné ; je vous répondrai que les hommes en instituant les premiers éléments de leur langue, ne suivirent, selon toute apparence, que le plus ou le moins de facilité qu'ils rencontrèrent dans la conformation des organes de la
1260   parole, pour prononcer certaines syllabes plutôt que d'autres, sans consulter le rapport que les éléments de leurs mots pouvaient avoir ou par leur quantité ou par leurs sons, avec les qualités physiques des êtres qu'ils devaient désigner. Le son de la voyelle *A* se prononçant avec beaucoup de facilité, fut le premier employé ; et on le modifia en mille manières différentes, avant que de recourir à un autre son. La langue hébraïque vient à l'appui de cette conjecture. La plupart de ses mots ne sont que des modifications de la voyelle *A* ; et cette singularité du langage ne dément point ce que l'histoire
1270   nous apprend de l'ancienneté du peuple. Si l'on examine l'hébreu avec attention, on prendra nécessairement des dispositions à le reconnaître pour le langage des premiers habitants de la terre [89]. Quant aux Grecs, il y avait longtemps qu'ils parlaient, et ils devaient avoir les organes de la prononciation très exercés, lorsqu'ils introduisirent dans leurs mots

la quantité, l'harmonie, et l'imitation syllabique des mouvements et des bruits physiques. Sur le penchant qu'on remarque dans les enfants, quand ils ont à désigner un être dont ils ignorent le nom, de suppléer au nom par quelqu'une des qualités sensibles de l'être ; je présume que ce fut en passant de l'état de langage naissant à celui de langage formé, que la langue s'enrichit de l'harmonie syllabique, et que l'harmonie périodique s'introduisit dans les ouvrages plus ou moins marquée, à mesure que le langage s'avança de l'état de langage formé, à celui de langage perfectionné. 1280

Quoi qu'il en soit de ces dates, il est constant que celui à qui l'intelligence des propriétés hiéroglyphiques des mots n'a pas été donnée, ne saisira souvent dans les épithètes que le matériel, et sera sujet à les trouver oisives ; il accusera des idées d'être lâches, ou des images d'être éloignées, parce 1290 qu'il n'apercevra pas le lien subtil qui les resserre. Il ne verra pas que dans l'*it cruor* de Virgile, *it* est en même temps analogue au jet du sang, et au petit mouvement des gouttes d'eau sur les feuilles d'une fleur ; et il perdra une de ces bagatelles qui règlent les rangs entre les écrivains excellents.

La lecture des poètes les plus clairs a donc aussi sa difficulté ? oui sans doute ; et je puis assurer qu'il y a mille fois plus de gens en état d'entendre un géomètre qu'un poète, parce qu'il y a mille gens de bon sens contre un homme de goût, et mille personnes de goût, contre une d'un goût exquis. 1300

On m'écrit que dans un discours prononcé par M. l'abbé de Bernis [90], le jour de la réception de M. de Bissy [91] à l'Académie française, Racine est accusé d'avoir manqué de goût dans l'endroit où il a dit d'Hippolyte,

> Il suivait tout pensif le chemin de Mycènes,
> Sa main sur les chevaux laissait flotter les rênes.
> Ses superbes coursiers qu'on voyait autrefois
> Pleins d'une ardeur si noble obéir à sa voix,
> L'œil morne maintenant, et la tête baissée,
> Semblaient se conformer à sa triste pensée [92]. 1310

Si c'est la description en elle-même que M. l'abbé de Bernis attaque, ainsi qu'on me l'assure, et non le hors de propos, il serait difficile de vous donner une preuve plus récente et plus forte de ce que je viens d'avancer sur la difficulté de la lecture des poètes.

On n'aperçoit rien, ce me semble, dans les vers précédents qui ne caractérise l'abattement et le chagrin.

> Il suivait tout pensif le chemin de Mycènes,
> Sa main sur les chevaux laissait flotter les rênes.

1320   *Les chevaux* est bien mieux que *ses chevaux* ; mais combien l'image de ce qu'étaient ces superbes coursiers, n'ajoute-t-elle pas à l'image de ce qu'ils sont devenus ? La nutation de tête d'un cheval qui chemine attristé, n'est-elle pas imitée dans une certaine nutation syllabique du vers ?

> L'œil morne maintenant et la tête baissée.

Mais voyez comme le poète ramène les circonstances à son héros…

> … Ses superbes coursiers, etc.
> Semblaient se conformer à sa triste pensée.

1330   Le *semblaient* me paraît trop sage pour un poète ; car il est constant que les animaux qui s'attachent à l'homme, sont sensibles aux marques extérieures de sa joie et de sa tristesse. L'éléphant s'afflige de la mort de son conducteur ; le chien mêle ses cris à ceux de son maître, et le cheval s'attriste si celui qui le guide est chagrin.

La description de Racine est donc fondée dans la nature : elle est noble ; c'est un tableau poétique qu'un peintre imiterait avec succès. La poésie, la peinture, le bon goût et la vérité, concourent donc à venger Racine de la critique de 1340   M. l'abbé de Bernis.

Mais si l'on nous faisait remarquer à *Louis-le-Grand* [93] toutes les beautés de cet endroit de la tragédie de Racine, on ne manquait pas de nous avertir en même temps qu'elles étaient déplacées dans la bouche de Théramène, et que Thésée aurait eu raison de l'arrêter, et de lui dire : eh ! laissez-là le char et les chevaux de mon fils, et parlez-moi de lui. Ce n'est pas ainsi, nous ajoutait le célèbre Porée, qu'Antiloche annonce à Achille la mort de Patrocle. Antiloche s'approche du héros les larmes aux yeux, et lui 1350   apprend en deux mots la terrible nouvelle,

> δάκρυα θερμὰ χέων φάτο δ' ἀγγελίην ἀλεγεινήν·
> κεῖται Πάτροκλος, etc.

« Patrocle n'est plus ; on combat pour son cadavre ; Hector a ses armes [94]. » Il y a plus de sublime dans ces deux vers d'Homère, que dans toute la pompeuse déclamation de Racine. *Achille, vous n'avez plus d'ami, et vos armes sont perdues...* À ces mots qui ne sent qu'Achille doit voler au combat ? Lorsqu'un morceau pèche contre le décent et le vrai, il n'est beau ni dans la tragédie ni dans le poème épique. Les détails de celui de Racine ne convenaient que dans la bouche d'un poète 1360 parlant en son nom, et décrivant la mort d'un de ses héros.

C'est ainsi que l'habile rhéteur nous instruisait ; il avait certes de l'esprit et du goût ; et l'on peut dire de lui que *ce fut le dernier des Grecs* [95]. Mais ce *Philopemene* des rhéteurs faisait ce qu'on fait aujourd'hui. Il remplissait d'esprit ses ouvrages, et il semblait réserver son goût pour juger des ouvrages des autres.

Je reviens à M. l'abbé de Bernis ; a-t-il prétendu seulement que la description de Racine était déplacée ? c'est précisément ce que le P. Porée nous apprenait il y a trente à qua- 1370 rante ans : a-t-il accusé de mauvais goût l'endroit que je viens de citer ? l'idée est nouvelle ; mais est-elle juste ?

Au reste, on m'écrit encore qu'il y a dans le discours de M. l'abbé de Bernis des morceaux bien pensés, bien exprimés et en grand nombre ; vous en devez savoir là-dessus plus que moi ; vous, Monsieur, qui ne manquez aucune de ces occasions où l'on se promet d'entendre de belles choses. Si par hasard il ne se trouvait dans le discours de M. l'abbé de Bernis rien de ce que j'y viens de reprendre, et qu'on m'eût fait un rapport infidèle, cela n'en prouverait que mieux l'utilité d'une 1380 bonne *Lettre à l'usage de ceux qui entendent et qui parlent*.

Partout où l'hiéroglyphe accidentel aura lieu, soit dans un vers, soit sur un obélisque, comme il est ici l'ouvrage de l'imagination, et là celui du mystère, il exigera pour être entendu, ou une imagination ou une sagacité peu communes. Mais s'il est si difficile de bien entendre des vers, combien ne l'est-il pas davantage d'en faire ? On me dira peut-être *tout le monde fait des vers* ; et je répondrai simplement, *presque personne ne fait des vers.* Tout art d'imitation ayant ses hiéroglyphes particuliers, je voudrais bien que quelque esprit 1390 instruit et délicat s'occupât un jour à les comparer entre eux.

Balancer les beautés d'un poète avec celles d'un autre poète, c'est ce qu'on a fait mille fois. Mais rassembler les

Vita quoque omnis

Omnibus è nervis atque ossibus exsolvetur.
                                                    Lucret.

Illa, graves oculos conata attollere, rursus
Deficit: infixum stridit sub pectore vulnus.
Ter sese attollens, cubitoque innixa levavit;
Ter revoluta toro est; oculisque errantibus, alto
Quaesivit coelo lucem, ingemuitque repertâ.
                                                    Virg.

beautés communes de la poésie, de la peinture et de la musique, en montrer les analogies, expliquer comment le poète, le peintre et le musicien rendent la même image, saisir les emblèmes fugitifs de leur expression, examiner s'il n'y aurait pas quelque similitude entre ces emblèmes, etc. c'est ce qui reste à faire, et ce que je vous conseille d'ajouter à vos *Beaux-Arts réduits à un même principe*. Ne manquez pas non plus de mettre à la tête de cet ouvrage un chapitre sur ce que c'est que la belle nature ; car je trouve des gens qui me soutiennent que faute de l'une de ces choses votre traité reste sans fondement ; et que faute de l'autre, il manque d'application. Apprenez-leur, Monsieur, une bonne fois comment chaque art imite la nature dans un même objet ; et démontrez-leur qu'il est faux, ainsi qu'ils le prétendent, que toute nature soit belle, et qu'il n'y ait de laide nature que celle qui n'est pas à sa place. Pourquoi, me disent-ils, un vieux chêne gercé, tortu, ébranché, et que je ferais couper s'il était à ma porte, est-il précisément celui que le peintre y planterait, s'il avait à peindre ma chaumière ? Ce chêne est-il beau ? est-il laid ? qui a raison du propriétaire ou du peintre ? Il n'est pas un seul objet d'imitation sur lequel ils ne fassent la même difficulté et beaucoup d'autres. Ils veulent que je leur dise encore pourquoi une peinture admirable dans un poème deviendrait ridicule sur la toile et par quelle singularité le peintre qui se proposerait de rendre avec son pinceau ces beaux vers de Virgile :

> *Interea magno misceri murmure Pontum,*
> *Emissamque hiemem sensit Neptunus, et imis*
> *Stagna refusa vadis ; graviter commotus, et alto*
> *Prospiciens summa placidum caput extulit unda* [96].

Par quelle singularité, disent-ils, ce peintre ne pourrait prendre le moment frappant, celui où Neptune élève sa tête hors des eaux ? pourquoi le Dieu ne paraissant alors qu'un homme décollé, sa tête si majestueuse dans le poème ferait-elle un mauvais effet sur les ondes ? Comment arrive-t-il que ce qui ravit notre imagination déplaise à nos yeux ? La belle nature n'est donc pas une pour le peintre et pour le poète, continuent-ils ? et Dieu sait les conséquences qu'ils tirent de cet aveu. En attendant que vous me délivriez de ces raisonneurs importuns, je vais m'amuser sur un seul exemple de l'imitation de la nature dans un même objet, d'après la poésie, la peinture et la musique.

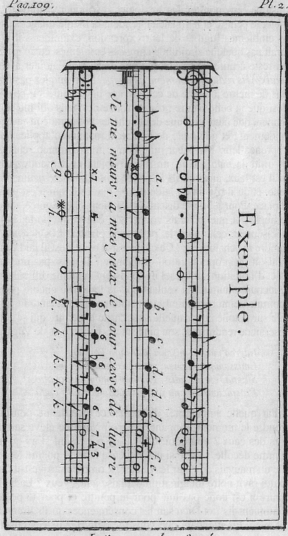

Exemple.

Je ne meurs; a mes yeux le jour cesse de lui-re.

Cet objet d'imitation des trois arts est une femme mourante : le poète dira :

> Illa graves oculos conata attollere, rursus
> Deficit. Infixum stridet sub pectore vulnus.
> Ter sese attollens cubitoque annexa levavit ;
> Ter revoluta toro est, oculisque errantibus alto   1440
> Quæsivit cælo lucem, ingemuitque reperta [97].
>   VIRG.

Ou

>   vita quoque omnis
> Omnibus e nervis atque ossibus exsolvatur [98].
>   LUCRET.

Le musicien * commencera par pratiquer un intervalle de semi-ton en descendant (*a*) ; *illa graves oculos conata attollere, rursus deficit.* Puis il montera par un intervalle de fausse quinte (*r*) [99] ; et après un repos, par l'intervalle encore plus pénible de triton (*b*) ; *ter sese attollens* ; suivra un petit intervalle de semi-ton en montant (*c*) ; *oculis errantibus alto quæsivit cælo lucem.* Ce petit intervalle en montant sera le rayon de lumière. C'était le dernier effort de la moribonde ; elle ira ensuite toujours en déclinant par des degrés conjoints (*d*), *revoluta toro est.* Elle expirera enfin et s'éteindra par un intervalle de demiton (*e*), *vita quoque omnis, omnibus e nervis atque ossibus exsolvatur.* Lucrèce peint la résolution des forces par la lenteur de deux spondées, *exsolvatur* ; et le musicien la rendra par deux blanches en degrés conjoints (*f*) ; la cadence sur la seconde de ces blanches, sera une imitation très frappante du mouvement vacillant d'une lumière qui s'éteint.

Parcourez maintenant des yeux l'expression du peintre [100], vous y reconnaîtrez partout l'*exsolvatur* de Lucrèce, dans les jambes, dans la main gauche, dans le bras droit. Le peintre n'ayant qu'un moment n'a pu rassembler autant de symptômes mortels que le poète ; mais en revanche ils sont bien plus frappants [101]. C'est la chose même que le peintre montre ; les expressions du musicien et du poète n'en sont que des hiéroglyphes. Quand le

---

* Voyez la planche (NdA).

Lettres sur les Sourds.

musicien saura son art, les parties d'accompagnement concourront ou à fortifier l'expression de la partie chantante, ou à ajouter de nouvelles idées que le sujet demandait, et que la partie chantante n'aura pu rendre. Aussi les premières mesures de la basse seront-elles ici d'une harmonie très lugubre, qui résultera d'un accord de septième superflue (*g*) [102], mise comme hors des règles ordinaires, et suivie d'un autre accord dissonant de fausse quinte (*h*). Le reste sera un enchaînement de sixtes et de tierces molles (*k*) qui caractériseront l'épuisement des forces, et qui conduiront à leur extinction. C'est l'équivalent des spondées de Virgile, *alto quæsivit cœlo lucem.*

Au reste, j'ébauche ici ce qu'une main plus habile peut achever. Je ne doute point que l'on ne trouvât dans nos peintres, nos poètes et nos musiciens des exemples, et plus analogues encore les uns aux autres et plus frappants du sujet même que j'ai choisi : mais je vous laisse le soin de les chercher et d'en faire usage, à vous, Monsieur, qui devez être peintre, poète, philosophe et musicien ; car vous n'auriez pas tenté de réduire les beaux-arts à un même principe, s'ils ne vous étaient pas tous à peu près également connus.

Comme le poète et l'orateur savent quelquefois tirer parti de l'harmonie du style, et que le musicien rend toujours sa composition plus parfaite quand il en bannit certains accords, et des accords qu'il emploie, certains intervalles ; je loue le soin de l'orateur et le travail du musicien et du poète, autant que je blâme cette noblesse prétendue qui nous a fait exclure de notre langue un grand nombre d'expressions énergiques [103]. Les Grecs, les Latins qui ne connaissaient guère cette fausse délicatesse, disaient en leur langue ce qu'ils voulaient, et comme ils le voulaient. Pour nous, à force de raffiner, nous avons appauvri la nôtre, et n'ayant souvent qu'un terme propre à rendre une idée, nous aimons mieux affaiblir l'idée que de ne pas employer un terme noble. Quelle perte pour ceux d'entre nos écrivains qui ont l'imagination forte, que celle de tant de mots que nous revoyons avec plaisir dans Amyot et dans Montaigne [104]. Ils ont commencé par être rejetés du beau style, parce qu'ils avaient passé dans le peuple ; et ensuite rebutés par le peuple même, qui à la longue est

toujours le singe des Grands, ils sont devenus tout à fait
inusités. Je ne doute point que nous n'ayons bientôt,
comme les Chinois, la langue *parlée* et la langue *écrite*. Ce
sera, Monsieur, presque ma dernière réflexion. Nous avons
fait assez de chemin ensemble, et je sens qu'il est temps de
se séparer. Si je vous arrête encore un moment à la sortie
du labyrinthe où je vous ai promené, c'est pour vous en
rappeler en peu de mots les détours [105].

1520   *J'ai cru* que pour bien connaître la nature des inversions, il était à propos d'examiner comment le langage
oratoire était formé.

J'ai inféré de cet examen 1°. que notre langue était
pleine d'inversions, si on la comparait avec le langage
animal, ou avec le premier état du langage oratoire, l'état
où ce langage était sans cas, sans régime, sans déclinai-
sons, sans conjugaisons, en un mot sans syntaxe. 2°. Que
si nous n'avions dans notre langue presque rien de ce que
nous appelons inversion dans les langues anciennes, nous
1530 en étions peut-être redevables au péripatéticisme moderne,
qui, réalisant les êtres abstraits, leur avait assigné dans le
discours la place d'honneur.

En appuyant sur ces premières vérités, j'ai pensé que,
sans remonter à l'origine du langage oratoire, on pourrait
s'en assurer par l'étude seule de la langue des gestes.

J'ai proposé deux moyens de connaître la langue des
gestes ; les expériences sur un muet de convention, et la
conversation assidue avec un sourd et muet de naissance.

L'idée du muet de convention, ou celle d'ôter la parole
1540 à un homme pour s'éclairer sur la formation du langage,
cette idée, dis-je, un peu généralisée, m'a conduit à considérer l'homme distribué en autant d'êtres distincts et
séparés qu'il a de sens ; et j'ai conçu que si, pour bien
juger de l'intonation d'un acteur, il fallait l'écouter sans le
voir, il était naturel de le regarder sans l'entendre, pour
bien juger de son geste.

À l'occasion de l'énergie du geste, j'en ai rapporté
quelques exemples frappants, qui m'ont engagé dans la
considération d'une sorte de sublime, que j'appelle
1550 *sublime de situation.*

L'ordre qui doit régner entre les gestes d'un sourd et
muet de naissance, dont la conversation familière m'a paru

préférable aux expériences sur un muet de convention ; et la difficulté qu'on a de transmettre certaines idées à ce sourd et muet, m'ont fait distinguer entre les signes oratoires, les *premiers* et les *derniers* institués.

J'ai vu que les signes qui marquaient dans le discours les parties indéterminées de la *quantité*, et surtout celles *du temps*, avaient été du nombre des derniers institués ; et *j'ai compris* pourquoi quelques langues manquaient de plusieurs *temps*, et pourquoi d'autres langues faisaient un double emploi du même *temps*. 1560

Ce manque de *temps* dans une langue, et cet abus des *temps* dans une autre, m'ont fait distinguer dans toute langue en général, trois états différents, l'état de *naissance*, celui de *formation*, et l'état de *perfection*.

J'ai vu sous la langue formée l'esprit enchaîné par la syntaxe, et dans l'impossibilité de mettre entre ses concepts l'ordre qui règne dans les périodes grecques et latines ; d'où *j'ai conclu* 1°. que, quel que soit l'ordre des termes dans une langue ancienne ou moderne, l'esprit de 1570 l'écrivain a suivi l'ordre didactique de la syntaxe française ; 2°. que cette syntaxe étant la plus simple de toutes, la langue française avait à cet égard, et à plusieurs autres, l'avantage sur les langues anciennes.

J'ai fait plus : j'ai démontré par l'introduction et par l'utilité de l'article *hic*, *ille*, dans la langue latine, et *le* dans la langue française, et par la nécessité d'avoir plusieurs perceptions à la fois pour former un jugement ou un discours, que, quand l'esprit ne serait point subjugué par 1580 les syntaxes grecques et latines, la suite de ses vues ne s'éloignerait guère de l'arrangement didactique de nos expressions.

En suivant le passage de l'état de langue formée à l'état de langue perfectionnée, *j'ai rencontré* l'harmonie.

J'ai comparé l'harmonie du style à l'harmonie musicale, et *je me suis convaincu* 1°. que dans les mots la première était un effet de la *quantité*, et d'un certain entrelacement des voyelles avec les consonnes, suggéré par l'instinct ; et que dans la période elle résultait de l'arran- 1590 gement des mots. 2°. Que l'harmonie syllabique et l'harmonie périodique engendraient une espèce d'hiéroglyphe particulier à la poésie ; et *j'ai considéré* cet hiéroglyphe dans l'analyse de trois ou quatre morceaux des plus grands poètes.

Sur cette analyse, *j'ai cru pouvoir assurer* qu'il était impossible de rendre un poète dans une autre langue, et qu'il était plus commun de bien entendre un géomètre qu'un poète.

1600   *J'ai prouvé* par deux exemples la difficulté de bien entendre un poète ; par l'exemple de Longin, de Boileau et de La Motte, qui se sont trompés sur un endroit d'Homère ; et par l'exemple de M. l'abbé de Bernis, qui m'a paru s'être trompé sur un endroit de Racine.

Après avoir fixé la date de l'introduction de l'hiéroglyphe syllabique dans une langue, quelle qu'elle soit, *j'ai remarqué* que chaque art d'imitation avait son hiéroglyphe, et qu'il serait à souhaiter qu'un écrivain instruit et délicat en entreprît la comparaison.

1610   Dans cet endroit, *j'ai tâché*, Monsieur, de vous faire entendre que quelques personnes attendaient de vous ce travail, et que ceux qui ont lu vos *Beaux-Arts réduits à l'imitation de la belle nature*, se croyaient en droit d'exiger que vous leur expliquassiez clairement ce que c'est que *la belle nature*.

En attendant que vous fissiez la comparaison des hiéroglyphes de la poésie, de la peinture et de la musique, *j'ai osé* la tenter sur un même sujet.

L'harmonie musicale qui entrait nécessairement dans 1620 cette comparaison, m'a ramené à l'harmonie oratoire. *J'ai dit* que les entraves de l'une et de l'autre étaient beaucoup plus supportables, que je ne sais quelle prétendue délicatesse qui tend de jour en jour à appauvrir notre langue ; et je le répétais, lorsque je me suis retrouvé dans l'endroit où je vous avais laissé.

N'allez pas vous imaginer, Monsieur, sur ma dernière réflexion, que je me repente d'avoir préféré notre langue à toutes les langues anciennes, et à la plupart des langues modernes. Je persiste dans mon sentiment, et je pense tou1630 jours que le français a sur le grec, le latin, l'italien, l'anglais, etc. l'avantage de l'utile sur l'agréable.

L'on m'objectera peut être que si, de mon aveu, les langues anciennes et celles de nos voisins servent mieux à l'agrément, il est d'expérience qu'on n'en est pas abandonné dans les occasions utiles : mais je répondrai que si notre langue est admirable dans les choses utiles, elle sait aussi se prêter aux choses agréables. Y a-t-il quelque caractère qu'elle n'ait pris avec succès ? Elle est folâtre dans Rabelais, naïve dans La Fontaine et Brantôme, harmonieuse dans Malherbe et Fléchier, sublime dans Cor- 1640 neille et Bossuet : que n'est-elle point dans Boileau, Racine, Voltaire, et une foule d'autres écrivains en vers et en prose ? Ne nous plaignons donc pas. Si nous savons nous en servir, nos ouvrages seront aussi précieux pour la postérité, que les ouvrages des Anciens le sont pour nous. Entre les mains d'un homme ordinaire, le grec, le latin, l'anglais, l'italien ne produiront que des choses communes ; le français produira des miracles sous la plume d'un homme de génie. En quelque langue que ce soit, l'ouvrage que le génie soutient ne tombe jamais. 1650

L'AUTEUR
DE LA LETTRE PRÉCÉDENTE
À M. B. SON LIBRAIRE

Rien de plus dangereux, Monsieur, que de faire la critique d'un ouvrage qu'on n'a point lu, et à plus forte raison, d'un ouvrage qu'on ne connaît que par *ouï-dire* ; c'est précisément le cas où je me trouve.

Une personne qui avait assisté à la dernière assemblée publique de l'Académie française, m'avait assuré que M. l'abbé de Bernis avait repris, non comme simplement déplacés, mais comme mauvais en eux-mêmes, ces vers du récit de Théramène,

10   Ses superbes coursiers, qu'on voyait autrefois
        Pleins d'une ardeur si noble obéir à sa voix,
        L'œil morne maintenant, et la tête baissée,
        Semblaient se conformer à sa triste pensée.

J'ai cru, sans aucun dessein de désobliger M. l'abbé de Bernis, pouvoir attaquer un sentiment que j'avais lieu de regarder comme le sien. Mais il me revient de tous côtés dans ma solitude, que M. l'abbé de Bernis n'a prétendu blâmer dans ces vers de Racine, que *le hors de propos* et non l'image en elle-même. On ajoute que bien loin de
20 donner sa critique pour nouvelle, il n'a cité les vers dont il s'agit, que comme l'exemple le plus connu, et par conséquent le plus propre à convaincre de la faiblesse que les grands hommes ont quelquefois de se laisser entraîner au mauvais goût.

Je crois donc, Monsieur, devoir déclarer publiquement que je suis entièrement de l'avis de M. l'abbé de Bernis, et rétracter en conséquence une critique prématurée.

Je vous envoie ce désaveu si convenable à un philosophe qui n'aime et ne cherche que la vérité. Je vous prie
30 de le joindre à ma lettre même, afin qu'ils subsistent ou qu'ils soient oubliés ensemble ; et surtout de le faire parvenir à M. l'abbé Raynal pour qu'il en puisse faire men-

tion dans son *Mercure* [106] ; et à M. l'abbé de Bernis, que je n'ai jamais eu l'honneur de voir, et qui m'est seulement connu par la réputation que lui ont méritée son amour pour les lettres, son talent distingué pour la poésie, la délicatesse de son goût, la douceur de ses mœurs, et l'agrément de son commerce. Voilà sur quoi je n'aurai point à me rétracter, tout le monde étant de même avis. Je suis très sincèrement, Monsieur,

40

Votre très, etc.

À V. ce 3 mars 1751.

AVIS
À PLUSIEURS HOMMES

Les questions auxquelles on a tâché de satisfaire dans la lettre qui suit, ont été proposées par la personne même à qui elle est adressée ; et elle n'est pas la centième femme à Paris qui soit en état d'en entendre les réponses.

LETTRE
À MADEMOISELLE...

Non, Mademoiselle [107], je ne vous ai point oubliée ; j'avoue seulement que le moment de loisir qu'il me fallait pour arranger mes idées, s'est fait attendre assez long-temps. Mais enfin il s'est présenté entre le premier et le second volume du grand ouvrage qui m'occupe [108], et j'en profite comme d'un intervalle de beau temps dans des jours pluvieux.

Vous ne concevez pas, dites-vous, comment dans la supposition singulière d'un homme distribué en autant de par-
10 ties pensantes que nous avons de sens, il arriverait que chaque sens devînt géomètre, et qu'il se formât jamais entre les cinq sens une société, où l'on parlerait de tout, et où l'on ne s'entendrait qu'en géométrie. Je vais tâcher d'éclaircir cet endroit ; car toutes les fois que vous aurez de la peine à m'entendre, je dois penser que c'est ma faute.

L'odorat voluptueux n'aura pu s'arrêter sur des fleurs ; l'oreille délicate être frappée des sons ; l'œil prompt et rapide se promener sur différents objets ; le goût inconstant et capricieux changer de saveurs ; le toucher pesant et
20 matériel s'appuyer sur des solides, sans qu'il reste à chacun de ces observateurs la mémoire ou la conscience d'une, de deux, trois, quatre, etc. perceptions différentes ; ou celle de la même perception une, deux, trois, quatre fois réitérée, et par conséquent la notion des nombres, *un,*

deux, trois, quatre, etc. Les expériences fréquentes qui nous constatent l'existence des êtres ou de leurs qualités sensibles, nous conduisent en même temps à la notion abstraite des nombres ; et quand le toucher, par exemple, dira, « j'ai saisi deux globes, un cylindre » ; de deux choses l'une : ou il ne s'entendra pas ; ou avec la notion de globe et de cylindre, il aura celle des nombres *un* et *deux* qu'il pourra séparer par abstraction, des corps auxquels il les appliquait, et se former un objet de méditation et de calculs ; de calculs arithmétiques, si les symboles de ses notions numériques ne désignent ensemble ou séparément qu'une collection d'unités déterminée ; de calculs algébriques, si plus généraux, ils s'étendent chacun indéterminément à toute collection d'unités.

Mais la vue, l'odorat et le goût sont capables des mêmes progrès scientifiques. Nos sens distribués en autant d'êtres pensants, pourraient donc s'élever tous aux spéculations les plus sublimes de l'arithmétique et de l'algèbre ; fonder les profondeurs de l'analyse ; se proposer entre eux les problèmes les plus compliqués sur la nature des équations, et les résoudre comme s'ils étaient des Diophantes [109]. C'est peut-être ce que fait l'huître dans sa coquille.

Quoi qu'il en soit, il s'ensuit que les mathématiques pures entrent dans notre âme par tous les sens, et que les notions abstraites nous devraient être bien familières. Cependant ramenés nous-mêmes sans cesse par nos besoins et par nos plaisirs, de la sphère des abstractions, vers les êtres réels, il est à présumer que nos sens personnifiés ne feraient pas une longue conversation, sans rejoindre les qualités des êtres, à la notion abstraite des nombres. Bientôt l'œil bigarrera son discours et ses calculs de couleurs, et l'oreille dira de lui : *voilà sa folie qui le tient ;* le goût, *c'est bien dommage* ; l'odorat, *il entend l'analyse à merveille* ; et le toucher, *mais il est fou à lier, quand il en est sur ses couleurs.* Ce que j'imagine de l'œil, convient également aux quatre autres sens. Ils se trouveront tous un ridicule ; et pourquoi nos sens ne seraient-ils pas séparés, ce qu'ils sont bien quelquefois réunis ?

Mais les notions des nombres ne seront pas les seules qu'ils auront communes. L'odorat devenu géomètre, et regardant la fleur comme un centre, trouvera la loi selon

laquelle l'odeur s'affaiblit en s'en éloignant ; et il n'y en a pas un des autres qui ne puisse s'élever, sinon au calcul, du moins à la notion des *intensités* et des *rémissions* [110]. On pourrait former une table assez curieuse des qualités sen-
70 sibles, et des notions abstraites, communes et particulières à chacun des sens ; mais ce n'est pas ici mon affaire. Je remarquerai seulement que plus un sens serait riche, plus il aurait de notions particulières, et plus il paraîtrait extra-vagant aux autres. Il traiterait ceux-ci d'êtres bornés, mais en revanche ces êtres bornés le prendraient sérieusement pour un fou ; que le plus sot d'entre eux se croirait infailli-blement le plus sage ; qu'un sens ne serait guère contredit que sur ce qu'il saurait le mieux ; qu'ils seraient presque toujours quatre contre un, ce qui doit donner bonne opi-
80 nion des jugements de la multitude ; qu'au lieu de faire de nos sens personnifiés une société de cinq personnes, si on en compose un peuple, ce peuple se divisera nécessaire-ment en cinq sectes, la secte des yeux, celle des nez, la secte des palais, celle des oreilles, et la secte de mains ; que ces sectes auront toutes la même origine, l'ignorance et l'intérêt ; que l'esprit d'intolérance et de persécution se glissera bientôt entre elles ; que les yeux seront condamnés aux Petites-Maisons [111], comme des visionnaires ; les nez regardés comme des imbéciles ; les palais évités comme
90 des gens insupportables par leurs caprices et leur fausse délicatesse ; les oreilles détestées pour leur curiosité et leur orgueil, et les mains méprisées pour leur matérialisme ; et que si quelque puissance supérieure secondait les intentions droites et charitables de chaque parti, en un instant la nation entière serait exterminée.

Il me semble qu'avec la légèreté de La Fontaine et l'esprit philosophique de La Motte [112], on ferait une fable excellente de ces idées ; mais elle ne serait pas meilleure que celle de Platon. Platon suppose que nous sommes tous
100 assis dans une caverne, le dos tourné à la lumière, et le visage vers le fond ; que nous ne pouvons presque remuer la tête, et que nos yeux ne se portent jamais que sur ce qui se passe devant nous. Il imagine entre la lumière et nous, une longue muraille au-dessus de laquelle paraissent, vont, viennent, avancent, reculent et disparaissent toutes sortes de figures, dont les ombres sont projetées vers le fond de

la caverne. Le peuple meurt sans jamais avoir aperçu que ces ombres. S'il arrive à un homme sensé de soupçonner le prestige, de vaincre, à force de se tourmenter, la puissance qui lui tenait la tête tournée, d'escalader la muraille et de sortir de la caverne ; qu'il se garde bien, s'il y rentre jamais, d'ouvrir la bouche de ce qu'il aura vu [113]. Belle leçon pour les philosophes ! Permettez, Mademoiselle, que j'en profite comme si je l'étais devenu, et que je passe à d'autres choses.

Vous me demandez ensuite comment nous avons plusieurs perceptions à la fois. Vous avez de la peine à le concevoir ; mais concevez-vous plus facilement que nous puissions former un jugement, ou comparer deux idées, à moins que l'une ne nous soit présente par la perception, et l'autre par la mémoire [114] ? Plusieurs fois, dans le dessein d'examiner ce qui se passait dans ma tête, et de *prendre mon esprit sur le fait*, je me suis jeté dans la méditation la plus profonde, me retirant en moi-même avec toute la contention dont je suis capable ; mais ces efforts n'ont rien produit. Il m'a semblé qu'il faudrait être tout à la fois au-dedans et hors de soi, et faire en même temps le rôle d'observateur, et celui de la machine observée. Mais il en est de l'esprit, comme de l'œil ; il ne se voit pas. Il n'y a que Dieu qui sache comment le syllogisme s'exécute en nous. Il est l'auteur de la pendule ; il a placé l'âme ou le *mouvement* dans la boîte, et les heures se marquent en sa présence. Un monstre à deux têtes emmanchées sur un même cou, nous apprendrait peut-être quelque nouvelle. Il faut donc attendre que la nature qui combine tout, et qui amène avec les siècles les phénomènes les plus extraordinaires, nous donne un *Dicéphale* qui se contemple lui-même, et dont une des têtes fasse des observations sur l'autre.

Je vous avoue que je ne suis pas en état de répondre aux questions que vous me proposez sur les sourds et muets de naissance. Il faudrait recourir au muet mon ancien ami, ou, ce qui vaudrait encore mieux, consulter M. Pereire [115]. Mais les occupations continuelles qui m'obsèdent ne m'en laissent pas le loisir [116]. Il ne faut qu'un instant pour former un système ; les expériences demandent du temps. J'en

viens donc tout de suite à la difficulté que vous me faites
sur l'exemple que j'ai tiré du premier livre de l'*Énéide*.

Je prétends dans ma *Lettre* que le beau moment du
150 poète n'est pas toujours le beau moment du peintre, et
c'est aussi votre avis. Mais vous ne concevez pas que cette
tête de Neptune, qui dans le poème s'élève si majestueusement sur les flots, fît un mauvais effet sur la toile. Vous
dites : « J'admire la tête de Neptune dans Virgile, parce
que les eaux ne dérobent point à mon imagination le reste
de la figure ; et pourquoi ne l'admirerais-je pas aussi sur la
toile de Carle [117], si son pinceau sait donner de la transparence aux flots ? »

Je peux, ce me semble, vous en apporter plusieurs rai-
160 sons. La première et qui n'est pas la meilleure, c'est que
tout corps qui n'est plongé qu'en partie dans un fluide est
défiguré par un effet de la réfraction qu'un imitateur fidèle
de la nature est obligé de rendre, et qui écarterait la tête de
Neptune de dessus ses épaules. La seconde, c'est que
quelque transparence que le pinceau puisse donner à l'eau,
l'image des corps qui y sont plongés est toujours fort affai-
blie. Ainsi, toute l'attention du spectateur se réunissant sur
la tête de Neptune, le Dieu n'en serait pas moins décollé.
Mais je vais plus loin. Je suppose qu'un peintre puisse
170 sans conséquence négliger l'effet de la réfraction, et que
son pinceau sache rendre toute la limpidité naturelle des
eaux. Je crois que son tableau serait encore défectueux,
s'il choisissait le moment où Neptune élève sa tête sur les
flots. Il pécherait contre une règle que les grands maîtres
observent inviolablement, et que la plupart de ceux qui
jugent de leurs productions, ne connaissent pas assez.
C'est que dans les occasions sans nombre où des figures
projetées sur une figure humaine, ou plus généralement
sur une figure animale, doivent en couvrir une partie ;
180 cette partie dérobée par la projection, ne doit jamais être
entière et complète. En effet, si c'était un poing ou un
bras, la figure paraîtrait manchotte ; si c'était un autre
membre, elle paraîtrait mutilée de ce membre, et par
conséquent estropiée. Tout peintre qui craindra de rappeler à l'imagination des objets désagréables évitera l'apparence d'une amputation chirurgicale. Il ménagera la dis-
position relative de ses figures, de manière que, quelque

portion visible des membres cachés annonce toujours l'existence du reste.

Cette maxime s'étend, quoique avec moins de sévérité, à tous les autres objets. Brisez vos colonnes, si vous voulez ; mais ne les sciez pas. Elle est ancienne, et nous la trouvons constamment observée dans les bustes. On leur a donné avec le col entier, une partie des épaules et de la poitrine. Les artistes scrupuleux diraient donc encore dans l'exemple dont il s'agit, que les flots décollent Neptune. Aussi aucun ne s'est-il avisé de prendre cet instant. Ils ont tous préféré la seconde image du poète, le moment suivant, où le Dieu est presque tout entier hors des eaux, et où l'on commence à apercevoir les roues légères de son char.

Mais si vous continuez d'être mécontente de cet exemple, le même poète m'en fournira d'autres qui prouveront mieux, que la poésie nous fait admirer des images dont la peinture serait insoutenable, et que notre imagination est moins scrupuleuse que nos yeux. En effet qui pourrait supporter sur la toile la vue de Polyphème faisant craquer sous ses dents les os d'un des compagnons d'Ulysse ? Qui verrait sans horreur un géant tenant un homme en travers dans sa bouche énorme, et le sang ruisselant sur sa barbe et sur sa poitrine ? Ce tableau ne récréera que des cannibales. Cette nature sera admirable pour des anthropophages, mais détestable pour nous [118].

Je suis étonné, quand je pense à combien d'éléments différents tiennent les règles de l'imitation et du goût, et la définition de la belle nature. Il me semble qu'avant que de prononcer sur ces objets, il faudrait avoir pris parti sur une infinité de questions relatives aux mœurs, aux coutumes, au climat, à la religion, et au gouvernement. Toutes les voûtes sont surbaissées en Turquie [119]. Le musulman imite des croissants partout. Son goût même est subjugué ; et la servitude des peuples se remarque jusque dans la forme des dômes. Mais tandis que le despotisme affaisse les voûtes et les cintres ; le culte brise les figures humaines et les bannit de l'architecture, de la peinture, et des palais.

Quelque autre, Mademoiselle, vous fera l'histoire des opinions différentes des hommes sur le goût, et vous expliquera, ou par des raisons, ou par des conjectures, d'où naît

la bizarre irrégularité que les Chinois affectent partout [120] ;
230 je vais tâcher, pour moi, de vous développer en peu de
mots l'origine de ce que nous appelons le goût en général ;
vous laissant à vous-même le soin d'examiner à combien
de vicissitudes les principes en sont sujets.

La perception des rapports est un des premiers pas de
notre raison [121]. Les rapports sont simples ou composés. Ils
constituent la symétrie. La perception des rapports simples
étant plus facile que celle des rapports composés ; et entre
tous les rapports celui d'égalité étant le plus simple, il était
naturel de le préférer ; et c'est ce qu'on a fait. C'est par cette
240 raison que les ailes d'un bâtiment sont égales, et que les
côtés des fenêtres sont parallèles. Dans les arts, par exemple
en architecture, s'écarter souvent des rapports simples et
des symétries qu'ils engendrent, c'est faire une machine, un
labyrinthe, et non pas un palais. Si les raisons d'utilité, de
variété, d'emplacement, etc. nous contraignent de renoncer
au rapport d'égalité et à la symétrie la plus simple, c'est toujours à regret, et nous nous hâtons d'y revenir par des voies
qui paraissent entièrement arbitraires aux hommes superfi-
ciels. Une statue est faite pour être vue de loin : on lui don-
250 nera un piédestal. Il faut qu'un piédestal soit solide : on lui
choisira entre toutes les figures régulières celle qui oppose
le plus de surface à la terre : c'est un cube. Ce cube sera plus
ferme encore, si ses faces sont inclinées : on les inclinera.
Mais en inclinant les faces du cube, on détruira la régularité
du corps, et avec elle les rapports d'égalité ; on y reviendra
par la plinthe et les moulures. Les moulures, les filets, les
galbes, les plinthes, les corniches, les panneaux, etc. [122] ne
sont que des moyens suggérés par la nature, pour s'écarter
du rapport d'égalité et pour y revenir insensiblement [123].
260 Mais faudra-t-il conserver dans un piédestal quelque idée de
légèreté ? on abandonnera le cube pour le cylindre. S'agira-
t-il de caractériser l'inconstance ? on trouvera dans le
cylindre une stabilité trop marquée, et l'on cherchera une
figure que la statue ne touche qu'en un point. C'est ainsi que
la Fortune sera placée sur un globe, et le Destin sur un cube.

Ne croyez pas, Mademoiselle, que ces principes ne
s'étendent qu'à l'architecture. Le goût en général consiste
dans la perception des rapports. Un beau tableau, un
poème, une belle musique ne nous plaisent que par les rap-

ports que nous y remarquons. Il en est même d'une belle 270
vue [124], comme d'un beau concert. Je me souviens d'avoir
fait ailleurs une application assez heureuse de ces principes aux phénomènes les plus délicats de la musique ; et
je crois qu'ils embrassent tout [125].

Tout a sa raison suffisante ; mais il n'est pas toujours
facile de la découvrir. Il ne faut qu'un événement pour
l'éclipser sans retour. Les seules ténèbres que les siècles
laissent après eux suffisent pour cela ; et dans quelques
milliers d'années, lorsque l'existence de nos pères aura
disparu dans la nuit des temps, et que nous serons les plus 280
anciens habitants du monde auxquels l'histoire profane
puisse remonter, qui devinera l'origine de ces têtes de
béliers [126], que nos architectes ont transportées des temples
païens sur nos édifices ?

Vous voyez, Mademoiselle, sans attendre si longtemps,
dans quelles recherches s'engagerait dès aujourd'hui celui
qui entreprendrait un traité historique et philosophique sur
le goût. Je ne me sens pas fait pour surmonter ces difficultés qui demandent encore plus de génie que de connaissance. Je jette mes idées sur le papier, et elles deviennent 290
ce qu'elles peuvent [127].

Votre dernière question porte sur un si grand nombre
d'objets différents et d'un examen si délicat, qu'une
réponse qui les embrasserait tous, exigerait plus de temps
et peut-être aussi plus de pénétration et de connaissances
que je n'en ai. Vous paraissez douter *qu'il y ait beaucoup
d'exemples où la poésie, la peinture et la musique fournissent des hiéroglyphes qu'on puisse comparer.* D'abord il
est certain qu'il y en a *d'autres* que celui que j'ai rapporté : mais y en a-t-il *beaucoup* ? c'est ce qu'on ne peut 300
apprendre que par une lecture attentive des grands musiciens, et des meilleurs poètes, jointe à une connaissance
étendue du talent de la peinture et des ouvrages des
peintres.

Vous pensez *que pour comparer l'harmonie musicale
avec l'harmonie oratoire, il faudrait qu'il y eût dans celle-
ci un équivalent de la dissonance* ; et vous avez raison ;
mais la rencontre des voyelles et des consonnes qui s'éli-
dent, le retour d'un même son, et l'emploi de l'*h* aspirée
n'ont-ils pas cette fonction ; et ne faut-il pas en poésie le 310

même art ou plutôt le même génie qu'en musique, pour user de ces ressources ? Voici, Mademoiselle, quelques exemples de dissonances oratoires ; votre mémoire vous en offrira sans doute un grand nombre d'autres.

> Gardez qu'une voyelle à courir trop hâtée
> Ne soit d'une voyelle en son chemin heurtée [128].

BOIL.

> *Mon*strum, h*orren*dum, *in*forme, *in*gens, *cui lumen ademp-*
> *tum* [129].

VIRGIL.

> *Cum Sagana majore u*lulantem [...]
>   *Serpen*tes *atque vid*eres
> *Infer*nas *errare ca*nes [...]
>   [...] *quo pac*to *a*lterna *loquen*tes
> *Umbræ cum Sagana resonarent tris*te *et a*cutum [130].

HORAT.

Tous ces vers sont pleins de dissonances ; et celui qui ne les sent pas n'a point d'oreille.

Il y a, ajoutez-vous enfin, *des morceaux de musique aux-quels on n'attache point d'images, qui ne forment ni pour vous ni pour personne aucune peinture hiéroglyphique, et qui font cependant un grand plaisir à tout le monde.*

Je conviens de ce phénomène ; mais je vous prie de considérer que ces morceaux de musique, qui vous affectent agréablement sans réveiller en vous ni peinture, ni percep-tion distincte de rapports, ne flattent votre oreille que comme l'arc-en-ciel plaît à vos yeux, d'un plaisir de sensa-tion pure et simple ; et qu'il s'en faut beaucoup qu'ils aient toute la perfection que vous en pourriez exiger, et qu'ils auraient, si la vérité de l'imitation s'y trouvait jointe aux charmes de l'harmonie [131]. Convenez, Mademoiselle, que si les astres ne perdaient rien de leur éclat sur la toile, vous les y trouveriez plus beaux qu'au firmament, le plaisir réfléchi qui naît de l'imitation s'unissant au plaisir direct et naturel de la sensation de l'objet. Je suis sûr que jamais clair de lune ne vous a autant affectée dans la nature que dans une des nuits de Vernet [132].

En musique, le plaisir de la sensation dépend d'une dis-position particulière non seulement de l'oreille, mais de tout le système des nerfs. S'il y a des têtes sonnantes, il y a aussi des corps que j'appellerais volontiers harmoniques ; des hommes, en qui toutes les fibres oscillent avec tant de promptitude et de vivacité, que sur l'expérience des mouvements violents que l'harmonie leur cause, ils sentent la possibilité de mouvements plus violents encore, et atteignent à l'idée d'une sorte de musique qui les ferait mourir de plaisir. 350 Alors leur existence leur paraît comme attachée à une seule fibre tendue, qu'une vibration trop forte peut rompre. Ne croyez pas, Mademoiselle, que ces êtres si sensibles à l'harmonie soient les meilleurs juges de l'expression. Ils sont presque toujours au-delà de cette émotion douce, dans laquelle le sentiment ne nuit point à la comparaison. Ils ressemblent à ces âmes faibles, qui ne peuvent entendre l'histoire d'un malheureux sans lui donner des larmes, et pour qui il n'y a point de tragédies mauvaises [133].

Au reste, la musique a plus besoin de trouver en nous ces 360 favorables dispositions d'organes, que ni la peinture, ni la poésie. Son hiéroglyphe est si léger et si fugitif, il est si facile de le perdre ou de le mésinterpréter, que le plus beau morceau de symphonie ne ferait pas un grand effet, si le plaisir infaillible et subit de la sensation pure et simple n'était infiniment au-dessus de celui d'une expression souvent équivoque. La peinture montre l'objet même, la poésie le décrit, la musique en excite à peine une idée. Elle n'a de ressource que dans les intervalles et la durée des sons ; et quelle analogie y a-t-il entre cette espèce de crayons, et le 370 printemps, les ténèbres, la solitude, etc. et la plupart des objets ? Comment se fait-il donc que des trois arts imitateurs de la nature, celui dont l'expression est la plus arbitraire et la moins précise, parle le plus fortement à l'âme ? Serait-ce que montrant moins les objets, il laisse plus de carrière à notre imagination ; ou qu'ayant besoin de secousses pour être émus, la musique est plus propre que la peinture et la poésie à produire en nous cet effet tumultueux [134] ?

Ces phénomènes m'étonneraient beaucoup moins, si notre éducation ressemblait davantage à celle des Grecs. 380 Dans Athènes, les jeunes gens donnaient presque tous dix à douze ans à l'étude de la musique ; et un musicien n'ayant pour auditeurs et pour juges que des musiciens, un morceau sublime devait naturellement jeter toute une

assemblée dans la même frénésie dont sont agités ceux qui font exécuter leurs ouvrages dans nos concerts. Mais il est de la nature de tout enthousiasme de se communiquer et de s'accroître par le nombre des enthousiastes. Les hommes ont alors une action réciproque les uns sur les autres, par
390 l'image énergique et vivante qu'ils s'offrent tous de la passion dont chacun d'eux est transporté : de là cette joie insensée de nos fêtes publiques, la fureur de nos émeutes populaires, et les effets surprenants de la musique chez les Anciens ; effets que le quatrième acte de *Zoroastre* [135] eût renouvelés parmi nous, si notre parterre eût été rempli d'un peuple aussi musicien et aussi sensible que la jeunesse athénienne.

Il ne me reste plus qu'à vous remercier de vos observations. S'il vous en vient quelques autres, faites-moi la grâce
400 de me les communiquer ; mais que ce soit pourtant sans suspendre vos occupations. J'apprends que vous mettez en notre langue *Le Banquet* de Xénophon, et que vous avez dessein de le comparer avec celui de Platon. Je vous exhorte à finir cet ouvrage. Ayez, Mademoiselle, le courage d'être savante. Il ne faut que des exemples tels que le vôtre, pour inspirer le goût des langues anciennes, ou pour prouver du moins que ce genre de littérature est encore un de ceux dans lesquels votre sexe peut exceller. D'ailleurs il n'y aurait que les connaissances que vous aurez acquises qui pussent vous
410 consoler dans la suite du motif singulier que vous avez aujourd'hui de vous instruire. Que vous êtes heureuse ! Vous avez trouvé le grand art, l'art ignoré de presque toutes les femmes, celui de n'être point trompée, et de devoir plus que vous ne pourrez jamais acquitter. Votre sexe n'a pas coutume d'entendre ces vérités, mais j'ose vous les dire, parce que vous les pensez comme moi. J'ai l'honneur d'être avec un profond respect,

MADEMOISELLE,

Votre très humble
et très obéissant
serviteur ***.

OBSERVATIONS
SUR L'EXTRAIT QUE LE JOURNALISTE DE TRÉVOUX
A FAIT DE LA « LETTRE SUR LES SOURDS ET MUETS »
MOIS D'AVRIL, ART. 42, PAG. 841 [136]

On lit page 842 du *Journal* : « *La doctrine de l'auteur paraîtra sans doute trop peu sensible au commun des lecteurs : la plupart diront, après avoir lu cette lettre, Que nous reste-t-il dans l'idée ? quelles traces de lumière et d'érudition ces considérations abstraites laissent-elles à leur suite ?* »

Observation. Je n'ai point écrit pour le commun des lecteurs. Il me suffisait d'être à la portée de l'auteur des *Beaux-Arts réduits à un seul principe*, du journaliste de Trévoux, et de ceux qui ont déjà fait quelques progrès dans 10 l'étude des lettres et de la philosophie. J'ai dit moi-même : « Le titre de ma *Lettre* est équivoque. Il convient indistinctement au grand nombre de ceux qui parlent sans entendre, au petit nombre de ceux qui savent parler et entendre, quoique ma *Lettre* ne soit proprement qu'à l'usage de ces derniers. » Et je pourrais ajouter sur le suffrage des connaisseurs, que si quelque bon esprit se demande, après m'avoir lu : « *quels traits de lumière et d'érudition ces considérations ont-elles laissés à leur suite ?* » rien n'empêchera qu'il ne se réponde : On m'a 20 fait voir*

1°. Comment le langage oratoire a pu se former.

2°. Que ma langue est pleine d'inversions, si on la compare au langage animal.

3°. Que pour bien entendre comment le langage oratoire s'est formé, il serait à propos d'étudier la langue des gestes.

4°. Que la connaissance de la langue des gestes suppose ou des expériences sur un sourd et muet de convention, ou des conversations avec un sourd et muet de naissance. 30

---

* Je répète ici malgré moi ce que j'ai dit à la fin de ma *Lettre* (NdA).

5°. Que l'idée du muet de convention conduit naturellement à examiner l'homme distribué en autant d'êtres distincts et séparés qu'il a de sens, et à rechercher les idées communes et particulières à chacun des sens.

6°. Que, si pour juger de l'intonation d'un acteur il faut écouter sans voir, il faut regarder sans entendre, pour bien juger de son geste.

7°. Qu'il y a un sublime de geste capable de produire sur la scène les grands effets du discours [137].

40 8°. Que l'ordre qui doit régner entre les gestes d'un sourd et muet de naissance, est une histoire assez fidèle de l'ordre dans lequel les signes oratoires auraient pu être substitués aux gestes.

9°. Que la difficulté de transmettre certaines idées à un sourd et muet de naissance caractérise entre les signes oratoires les premiers et les derniers inventés.

10°. Que les signes qui marquent les parties indéterminées du temps, sont du nombre des derniers inventés.

11°. Que c'est là l'origine du manque de certains temps
50 dans quelques langues, et du double emploi d'un même temps dans quelques autres.

12°. Que ces bizarreries conduisent à distinguer dans toute langue, trois états différents, celui de naissance, l'état de formation, et celui de perfection.

13°. Que sous l'état de langue formée, l'esprit enchaîné par la syntaxe ne peut mettre entre ses concepts l'ordre qui règne dans les périodes grecques et latines. D'où l'on peut inférer que, quel que soit l'arrangement des termes dans une langue formée, l'esprit de l'écrivain suit l'ordre de la
60 syntaxe française ; et que cette syntaxe étant la plus simple de toutes, le français doit avoir à cet égard de l'avantage sur le grec et sur le latin.

14°. Que l'introduction de l'article dans toutes les langues, et l'impossibilité de discourir sans avoir plusieurs perceptions à la fois, achèvent de confirmer que la marche de l'esprit d'un auteur grec et latin, ne s'éloignait guère de celle de notre langue.

15°. Que l'harmonie oratoire s'est engendrée sur le passage de l'état de langue formée, à celui de langue perfec-
70 tionnée.

16°. Qu'il faut la considérer dans les mots et dans la période ; et que c'est du concours de ces deux harmonies que résulte l'hiéroglyphe poétique.

17°. Que cet hiéroglyphe rend tout excellent poète difficile à bien entendre, et presque impossible à bien traduire.

18°. Que tout art d'imitation a son hiéroglyphe ; ce qu'on m'a démontré par un essai de comparaison des hiéroglyphes de la musique, de la peinture et de la poésie.

Voilà, se répondrait à lui-même un bon esprit, *ce que des considérations abstraites ont amené ; voilà les traces qu'elles ont laissées à leur suite* ; et c'est quelque chose. 80

On lit, même page du *Journal* : *Mais qui pourra nous répondre qu'il n'y a là-dedans ni paradoxes, ni sentiments arbitraires, ni critiques déplacées.*

Observation. Y a-t-il quelque livre, sans en excepter les *Journaux* de Trévoux, dont on ne puisse dire : *mais qui nous répondra qu'il n'y a là-dedans ni paradoxes, ni sentiments arbitraires, ni critiques déplacées ?*

On lit page suivante du *Journal* : *Tels seront les raisonnements, du moins les soupçons de quelques personnes* 90 *qui sont bien aises de trouver dans un ouvrage des traits faciles à saisir, qui aiment les images, les descriptions, les applications frappantes, en un mot tout ce qui met en jeu les ressorts de l'imagination et du sentiment.*

Observation. Les personnes qui ne lisent point pour apprendre, ou qui veulent apprendre sans s'appliquer, sont précisément celles que l'auteur de la *Lettre sur les sourds et muets* ne se soucie d'avoir ni pour lecteurs ni pour juges. Il leur conseille même de renoncer à Locke, à Bayle, à Platon [138], et en général à tout ouvrage de raison- 100 nement et de métaphysique. Il pense qu'un auteur a rempli sa tâche quand il a su prendre le ton qui convient à son sujet : en effet y a-t-il un lecteur de bon sens, qui dans un chapitre de Locke sur l'abus qu'on peut faire des mots [139], ou dans une lettre sur les inversions [140], s'avise de désirer *des images, des descriptions, des applications frappantes, et ce qui met en jeu les ressorts de l'imagination et du sentiment.*

Aussi lit-on même page du *Journal* : *Il ne faut pas que les philosophes pensent ainsi. Ils doivent entrer avec cou-* 110 *rage dans la matière des inversions. Y a-t-il des inver-*

sions ; n'y en a-t-il point dans notre langue ? Qu'on ne croie pas que ce soit une question de grammaire ; ceci s'élève jusqu'à la plus subtile métaphysique, jusqu'à la naissance même de nos idées.

Observation. Il serait bien étonnant qu'il en fût autrement. Les mots dont les langues sont formées ne sont que les signes de nos idées ; et le moyen de dire quelque chose de philosophique sur l'institution des uns, sans remonter à
120 la naissance des autres ? Mais l'intervalle n'est pas grand ; et il serait difficile de trouver deux objets de spéculation, plus voisins, plus immédiats et plus étroitement liés, que la naissance des idées et l'invention des signes destinés à les représenter. La question des inversions, ainsi que la plupart des questions de grammaire, tient donc à la métaphysique la plus subtile : j'en appelle à M. Dumarsais qui n'eût pas été le premier de nos grammairiens, s'il n'eût pas été en même temps un de nos meilleurs métaphysiciens [141]. C'est par l'application de la métaphysique à la
130 grammaire, qu'il excelle.

On lit page 847 du *Journal* : *L'auteur examine en quel rang nous placerions naturellement nos idées ; et comme notre langue ne s'astreint pas à cet ordre, il juge qu'en ce sens, elle use d'inversions ; ce qu'il prouve aussi par le langage des gestes, article un peu entrecoupé de digressions. Nous devons même ajouter que bien des lecteurs, à la fin de ce morceau pourront se demander à eux-mêmes, s'ils en ont saisi tous les rapports ; s'ils ont compris comment et par où les sourds et muets confirment l'existence des inversions*
140 *dans notre langue. Cela n'empêche pas qu'on ne puisse prendre beaucoup de plaisir*, etc. La suite est une sorte d'éloge que l'auteur partage avec le père Castel.

Observation. Il y a, je le répète, des lecteurs dont je ne veux ni ne voudrai jamais : je n'écris que pour ceux avec qui je serais bien aise de m'entretenir. J'adresse mes ouvrages aux philosophes ; il n'y a guère d'autres hommes au monde pour moi. Quant à ces lecteurs qui cherchent un objet qu'ils ont sous les yeux, voici ce que je leur dis pour la première et la dernière fois que j'ai à leur parler.
150   Vous demandez comment le langage des gestes est lié à la question des inversions, et comment les sourds et muets confirment l'existence des inversions dans notre langue ?

Je vous réponds que le sourd et muet, soit de naissance soit de convention, indique par l'arrangement de ses gestes, l'ordre selon lequel les idées sont placées dans la langue animale ; qu'il nous éclaire sur la date de la substitution successive des signes oratoires aux gestes ; qu'il ne nous laisse aucun doute sur les premiers et les derniers inventés d'entre les signes, et qu'il nous transmet ainsi les notions les plus justes que nous puissions espérer de l'ordre pri- 160 mitif des mots et de la phrase ancienne, avec laquelle il faut comparer la nôtre, pour savoir si nous avons des inver- sions ou si nous n'en avons pas ; car il est nécessaire de connaître ce que c'est que l'ordre naturel, avant que de rien prononcer sur l'ordre renversé.

On lit page suivante du Journal, *que pour bien entendre la lettre il faut se souvenir que* l'ordre d'institution, l'ordre scientifique, l'ordre didactique, l'ordre de syntaxe *sont synonymes.*

Observation. On n'entendrait point la lettre si l'on pre- 170 nait toutes ces expressions pour synonymes. *L'ordre didac- tique* n'est synonyme à aucun des trois autres. *L'ordre de syntaxe, celui d'institution, l'ordre scientifique,* convien- nent à toutes les langues. *L'ordre didactique* est particulier à la nôtre, et à celles qui ont une marche uniforme comme la sienne. *L'ordre didactique* n'est qu'une espèce *d'ordre de syntaxe* ; ainsi on dirait très bien, *l'ordre de notre syn- taxe est didactique.* Quand on relève des bagatelles, on ne peut mettre trop d'exactitude dans ses critiques.

On lit au *Journal,* page 851 : *Le morceau où l'auteur* 180 *compare la langue française avec les langues grecques, latines, italiennes et anglaises, ne sera pas approuvé dans l'endroit où il dit qu'il faut parler français dans la société et dans les écoles de philosophie ; grec, latin, anglais, dans les chaires et sur les théâtres.* Le journaliste remarque *qu'il faut destiner pour la chaire, ce lieu si vénérable, la langue qui explique le mieux les droits de la raison, de la sagesse, de la religion, en un mot de la vérité.*

Observation. Je serai désapprouvé sans doute par tous ces froids discoureurs, par tous ces rhéteurs futiles qui 190 annoncent la parole de Dieu, sur le ton de Sénèque ou de Pline ; mais le serai-je par ceux qui pensent que l'éloquence véritable de la chaire est celle qui touche le cœur, qui

arrache le repentir et les larmes, et qui renvoie le pécheur troublé, abattu, consterné. *Les droits de la raison, de la sagesse, de la religion et de la vérité*, sont assurément les grands objets du prédicateur ; mais doit-il les exposer dans de froides analyses, s'en jouer dans des antithèses, les embarrasser dans un amas de synonymes, et les obscurcir
200 par des termes recherchés, des tours subtils, des pensées louches, et le vernis académique ? Je traiterais volontiers cette éloquence de *blasphématoire*. Aussi n'est-ce pas celle de Bourdaloue, de Bossuet, de Mascaron, de La Rue, de Massillon [142], et de tant d'autres qui n'ont rien épargné pour vaincre la lenteur et la contrainte d'une langue didactique, par la sublimité de leurs pensées, la force de leurs images, et le pathétique de leurs expressions. La langue française se prêtera facilement à la dissertation théologique, au catéchisme, à l'instruction pastorale ; mais au discours ora
210 toire, c'est autre chose.

Au reste, je m'en rapporte à ceux qui en savent là-dessus plus que nous, et je leur laisse à décider laquelle de deux langues, dont l'une serait naturellement uniforme et tardive ; l'autre variée, abondante, impétueuse, pleine d'images et d'inversions, serait la plus propre à remuer des âmes assoupies sur leurs devoirs, à effrayer des pécheurs endurcis sur les suites de leurs crimes, à annoncer des vérités sublimes, à peindre des actes héroïques, à rendre le vice odieux et la vertu attrayante, et à manier tous les
220 grands sujets de la religion d'une manière qui frappe et instruise, mais qui frappe surtout ; car il est moins question dans la chaire d'apprendre *aux fidèles* ce qu'ils ignorent, que de les résoudre à la pratique de ce qu'ils savent.

Nous ne ferons aucune observation sur les deux critiques de la page 852, nous n'aurions presque rien à ajouter à ce que le journaliste en dit lui-même. Il vaut mieux que nous nous hâtions d'arriver à l'endroit important de son extrait, l'endroit auquel il nous apprend qu'il a donné *une attention particulière.* Le voici mot pour mot.

230 On lit page 854 du *Journal : Tout le monde connaît les trois beaux vers du dix-septième livre de l'*Iliade, *lorsque Ajax se plaint à Jupiter des ténèbres qui enveloppent les Grecs.*

Ζεῦ πάτερ, ἀλλὰ σὺ ῥῦσαι ὑπ' ἠέρος υἷας Ἀχαιῶν.
ποίησον δ' αἴθρην, δὸς δ' ὀφθαλμοῖσιν ἰδέσθαι·
ἐν δὲ φάει καὶ ὄλεσσον, ἐπεί νύτοι εὔαδεν οὕτως· [143]

Boileau les a traduits ainsi :

> Grand Dieu, chasse la nuit qui nous couvre les yeux,
> Et combats contre nous à la clarté des cieux [144].

M. de La Motte se contente de dire :   240

> Grand Dieu rends-nous le jour, et combats contre nous.

Or l'auteur de la lettre précédente dit que ni Longin, ni Boileau, ni La Motte n'ont entendu le texte d'Homère, que ces vers doivent se traduire ainsi :

Père des dieux et des hommes, chasse la nuit qui nous couvre les yeux ; et puisque tu as résolu de nous perdre, perds-nous du moins à la clarté des cieux.

Qu'il ne se trouve là aucun défi à Jupiter, qu'on n'y voit qu'un héros prêt à mourir, si c'est la volonté du dieu, et qui ne lui demande d'autre grâce que celle de mourir en   250
combattant.

L'auteur confirme de plus en plus sa pensée, et paraît avoir eu ce morceau extrêmement à cœur ; sur quoi nous croyons devoir faire aussi les observations suivantes :

1°. *La traduction qu'on donne ici, et que nous venons de rapporter, est littérale, exacte et conforme au sens d'Homère.*

2°. *Il est vrai que dans le texte de ce grand poète il n'y a point de défi fait à Jupiter par Ajax. Eustathe* [145] *n'y a rien vu de semblable, et il observe seulement que ces mots,* perds-nous à la clarté des cieux, *ont fondé un proverbe*   260
pour dire, si je dois périr, que je périsse du moins d'une manière moins cruelle.

3°. *Il faut distinguer Longin de nos deux poètes français, Boileau et La Motte : Longin considéré en lui-même et dans son propre texte, nous paraît avoir bien pris le sens d'Homère ; et il serait en effet assez surprenant que nous crussions entendre mieux ce poète grec, que ne l'entendait un savant qui parlait la même langue, et qui l'avait lu toute sa vie.*

Ce rhéteur rapporte les vers d'Homère, puis il ajoute :   270
« C'est là véritablement un sentiment digne d'Ajax. Il ne demande pas de vivre ; c'eût été une demande trop basse

pour un héros : mais voyant qu'au milieu de ces épaisses ténèbres, il ne peut faire aucun usage de sa valeur, il s'indigne de ne pas combattre, il demande que la lumière lui soit *promptement* rendue, afin de mourir d'une manière digne de son grand cœur, quand même Jupiter lui serait opposé de front. »

Telle est la traduction littérale de cet endroit. On n'y
280 *voit point que Longin mette aucun défi dans la pensée ni dans les vers d'*Homère. *Ces mots,* quand même Jupiter lui serait opposé de front, *se lient à ce qui est dans le même livre de l'*Iliade, *lorsque le poète peint Jupiter armé de son égide, dardant ses éclairs, ébranlant le mont Ida, et épouvantant les Grecs. Dans ces funestes circonstances, Ajax croit que le père des dieux dirige lui-même les traits des Troyens ; et l'on conçoit que ce héros, au milieu des ténèbres, peut bien demander, non d'entrer en lice avec le dieu, mais de voir la lumière du jour, pour faire une fin*
290 *digne de son grand cœur, quand même il devrait être en butte aux traits de Jupiter,* quand même Jupiter lui serait opposé de front. *Ces idées ne se croisent point : un brave comme Ajax pouvait espérer qu'il se trouverait quelque belle action à faire, un moment avant que de périr sous les coups de Jupiter irrité et déterminé à perdre les Grecs.*

4°. Boileau prend dans un sens trop étendu le texte de son auteur, lorsqu'il dit : quand il devrait avoir à combattre Jupiter : *Voilà ce qui présente un air de défi dont Longin ne donne point d'exemple. Mais ce trop d'étendue*
300 *ne paraît pas si marqué dans la traduction du demi-vers d'*Homère. *Cet hémistiche,* et combats contre nous, *ne présente pas un défi dans les formes, quoiqu'il eût été mieux d'exprimer cette pensée,* et perds-nous puisque tu le veux. *Nous ne devons rien ajouter sur le vers de La Motte, qui est peut-être encore moins bien que celui de Boileau.*

De tout ceci il s'ensuit que si nos deux poètes français méritent en tout ou en partie la censure de notre auteur, Longin du moins ne la mérite pas ; et qu'il suffit pour s'en convaincre de lire son texte.

310 Voilà très fidèlement tout l'endroit du journaliste sur Longin, sans rien ôter à la force des raisonnements, ni à la manière élégante et précise dont ils sont exposés.

Observations. Le journaliste abandonne La Motte et Boileau, il ne combat que pour Longin ; et ce qu'il oppose en sa faveur se réduit aux propositions suivantes :

1°. Longin parlant la même langue qu'Homère, et ayant lu toute sa vie ce poète, il devait l'entendre mieux que nous.

2°. Il y a dans la traduction de Boileau un air *de défi*, dont Longin ne donne point l'exemple, et les expressions, *quand Jupiter même lui serait opposé de front*, et *quand il* 320 *devrait avoir à combattre Jupiter même*, ne sont point synonymes.

3°. La première de ces expressions, *quand Jupiter même lui serait opposé de front*, est relative aux circonstances dans lesquelles Homère a placé son héros.

Je réponds à la première objection que Longin a pu entendre Homère infiniment mieux que nous, et se tromper sur un endroit de l'*Iliade*.

Je réponds à la seconde objection, que l'expression, *quand même il devrait avoir à combattre Jupiter*, et celle 330 que le journaliste lui substitue, pour rendre la traduction plus exacte et plus littérale, *quand même Jupiter lui serait opposé de front*, me paraîtront synonymes à moi, et je crois à bien d'autres, jusqu'à ce qu'on nous ait montré qu'elles ne le sont pas. Nous continuerons de croire que, *il m'était opposé de front dans cette action*, ou ne signifie rien, ou signifie, *je devais avoir à le combattre*. Le dernier semble même moins fort que l'autre ; il ne présente qu'un *peut-être*, et l'autre annonce un *fait*. Pour avoir deux synonymes il faudrait retrancher *devrait* de la phrase de Boi- 340 leau, on aurait alors, *quand même il aurait à combattre Jupiter*, qui rendrait avec la dernière précision, *quand même Jupiter lui serait opposé de front*. Mais on aurait exclu avec le verbe *devrait*, l'idée d'une nécessité fatale, qui tend à plaindre le héros, et qui tempère son discours.

Mais Dieu n'est pour un soldat chrétien, que ce que Jupiter était pour Ajax. S'il arrivait donc à un de nos poètes de placer un soldat dans les mêmes circonstances qu'Ajax, et de lui faire dire à Dieu : « Rends-moi donc promptement le jour, et que je cherche une fin digne de 350 moi, quand même tu me serais opposé de front » ; que le journaliste me dise s'il ne trouverait dans cette apostrophe ni impiété ni défi.

Ou plutôt je lui demande en grâce de négliger tout ce qui précède, et de ne s'attacher qu'à ce qui suit.

Je vais passer à sa troisième objection, et lui démontrer que dans tout le discours de Longin, il n'y pas un mot qui convienne aux circonstances dans lesquelles Homère a placé son héros, et que la paraphrase entière du rhéteur est
360 à contresens.

J'ai tant de confiance dans mes raisons, que j'abandonne au journaliste même la décision de ce procès littéraire ; mais qu'il décide, qu'il me dise que j'ai tort, c'est tout ce que je lui demande.

Je commence par admettre sa traduction ; je dis ensuite, Si les sentiments de l'Ajax de Longin, sont les sentiments de l'Ajax d'Homère, on peut mettre le discours de l'Ajax de Longin dans la bouche de l'Ajax d'Homère ; car si la paraphrase du rhéteur est juste, elle ne sera qu'un plus
370 grand développement de l'âme du héros du poète. Voici donc, en suivant la traduction du journaliste, ce qu'Ajax eût dit à Jupiter par la bouche de Longin : « *Grand Dieu, je ne te demande pas la vie ; cette prière est au-dessous d'Ajax. Mais comment se défendre ? quel usage faire de sa valeur dans les ténèbres dont tu nous environnes ? Rends-nous donc promptement le jour, et que je cherche une fin digne de moi, quand même tu me serais opposé de front.* »

1°. Quels sont les sentiments qui forment le caractère de ce discours ? l'indignation, la fierté, la valeur, la soif des
380 combats, la crainte d'un trépas obscur, et le mépris de la vie. Quel serait le ton de celui qui le déclamerait ? ferme et véhément ; l'attitude de corps ? noble et altière ; l'air du visage ? indigné ; le port de la tête ? relevé ; l'œil ? sec ; le regard ? assuré : j'en appelle aux premiers acteurs de la scène française. Celui d'entre eux qui s'aviserait d'accompagner ou de terminer ce discours par des larmes, ferait éclater de rire et le parterre, et l'amphithéâtre, et les loges.

2°. Quel mouvement ce discours doit-il exciter ? est-ce bien celui de la pitié ? et fléchira-t-on le dieu, en lui criant d'une
390 voix ferme, à la suite de plusieurs propos voisins de la bravade : « Rends-moi donc *promptement* le jour, et que je cherche une fin digne de moi, quand même tu me serais opposé de front » ? Ce *promptement*, surtout, serait bien placé.

Ajax de Longin.

Lettres sur les Sourds.

Ajax d'Homére.

Lettres sur les Sourds.

Le discours de Longin, mis dans la bouche d'Ajax, ne permet donc ni au héros de répandre des larmes, ni au dieu d'en avoir pitié ; ce n'est donc qu'une amplification gauche des trois vers pathétiques d'Homère ; en voici la preuve dans le quatrième :

ὡς φάτο· τὸν δὲ πατὴρ ὀλοφύρατο δάκρυ χέοντα [146].

Il dit, et le père des dieux et des hommes eut pitié du 400
héros qui répandait des larmes.

Voilà donc un héros en larmes, et un dieu fléchi ; deux circonstances que le discours de Longin excluait du tableau. Et qu'on ne croie pas que ces pleurs sont de rage : des pleurs de rage ne conviennent pas même à l'Ajax de Longin ; car il est indigné, mais non furieux ; et elles cadrent bien moins encore avec la pitié de Jupiter.

Remarquez 1°. qu'il a fallu affaiblir le récit de Longin, pour le mettre avec quelque vraisemblance dans la bouche d'Ajax ; 2°. que la rapidité de ὡς φάτο ; τὸν δέ πατήρ 410
ὀλοφύρατο, etc. ne laisse aucun intervalle entre le discours d'Ajax, et la pitié de Jupiter.

Mais après avoir peint Ajax d'après la paraphrase de Longin, je vais l'esquisser d'après les trois vers d'Homère.

L'Ajax d'Homère a le regard tourné vers le Ciel, des larmes tombent de ses yeux, ses bras sont suppliants, son ton est pathétique et touchant, il dit : « Père des dieux et des hommes, Ζεῦ πάτερ ; chasse la nuit qui nous environne ; δὸς ἰδέσθαι ; et perds-nous du moins à la lumière, si c'est ta volonté de nous perdre, ἐπεί νύτοι εὔαδεν 420
οὖτως.

Ajax s'adresse à Jupiter, comme nous nous adressons à Dieu dans la plus simple et la plus sublime de toutes les prières. Aussi le père des dieux et des hommes, ajoute Homère, eut pitié des larmes que répandait le héros. Toutes ces images se tiennent : il n'y a plus de contradiction entre les parties du tableau. L'attitude, l'intonation, le geste, le discours, son effet, tout est ensemble.

Mais, dira-t-on, y a-t-il un moment où il soit dans le caractère d'un héros farouche, tel qu'Ajax, de s'attendrir ? 430
sans doute, il y en a un. Heureux le poète doué du génie divin qui le lui suggérera. La douleur d'un homme touche plus que celle d'une femme ; et la douleur d'un héros est

bien d'un autre pathétique que celle d'un homme ordinaire. Le Tasse n'a pas ignoré cette source du sublime ; et
voici un endroit de sa *Jérusalem* qui ne le cède en rien à
celui du dix-septième livre d'Homère.

Tout le monde connaît Argant [147]. On n'ignore pas que
ce héros du Tasse est modelé sur l'Ajax d'Homère. Jéru-
440 salem est prise. Au milieu du sac de cette ville, Tancrède
aperçoit Argant environné d'une foule d'ennemis et prêt à
périr par des mains obscures. Il vole à son secours ; il le
couvre de son bouclier, et le conduit sous les murs de la
ville, comme si cette grande victime lui était réservée. Ils
marchent ; ils arrivent ; Tancrède se met sous les armes ;
Argant, le terrible Argant oubliant le péril et sa vie, laisse
tomber les siennes, et tourne ses regards pleins de douleur,
sur les murs de Jérusalem que la flamme parcourt. « *À
quoi penses-tu ?* lui crie Tancrède. *Serait-ce que l'instant*
450 *de ta mort est venu ! c'est trop tard. Je pense,* lui répond
Argant, *que c'en est fait de cette capitale ancienne des
villes de Judée ; que c'est en vain que je l'ai défendue, et
que ta tête que le Ciel me destine sans doute, est une trop
petite vengeance pour tout le sang qu'on y verse.* »

> Or qual pensier t'hà preso ?
> Pensi ch'è giunta l'ora a te prescritta !
> S'antivedendo ciò timido stai,
> È il tuo timore intempestivo omai.

460 > Penso, risponde, alla città, del regno
> Di Giudea antichissima regina,
> Che vinta or cade ; e indarno esser sostegno
> Io procurai della fatal ruina.

> E ch'è poca vendetta al mio disdegno ;
> Il capo tuo, ch'il cielo or mi destina.
> Tacque [148].

Jérusal. déliv. chant. 19.

Mais revenons à Longin et au journaliste de Trévoux.
On vient de voir que la paraphrase de Longin ne s'accorde
point avec ce qui suit le discours d'Ajax dans Homère. Je
vais montrer qu'elle s'accorde encore moins avec ce qui le
470 précède.

Patrocle est tué : on combat pour son corps. Minerve
descendue des Cieux, anime les Grecs. « Quoi, dit-elle à

Ménélas, le corps de l'ami d'Achille sera dévoré des chiens sous les murs de Troie ! » Ménélas se sent un courage nouveau et des forces nouvelles. Il s'élance sur les Troyens ; il perce Podès d'un coup de dard, et se saisit du corps de Patrocle. Il l'enlevait ; mais Apollon sous la ressemblance de Phénope crie à Hector : « Hector, ton ami Podès est sans vie ; Ménélas emporte le corps de Patrocle, et tu fuis. » Hector pénétré de douleur et de honte revient 480
sur ses pas. Mais à l'instant Jupiter *armé de son égide, dardant ses éclairs, ébranlant de son tonnerre le mont Ida, épouvante les Grecs et les couvre de ténèbres.*

Cependant l'action continue : une foule de Grecs sont étendus sur la poussière. Ajax ne s'apercevant que trop que le sort des armes a changé, s'écrie à ceux qui l'environnent, ὦ ποποί, « Hélas ! Jupiter est pour les Troyens ; il dirige leurs coups. Tous leurs traits portent, même ceux des plus lâches : les nôtres tombent à terre et restent sans effet. Nos amis consternés nous regardent comme des 490
hommes perdus. Mais allons ; consultons entre nous sur les moyens de finir leurs alarmes et de sauver le corps de Patrocle. Ah ! qu'Achille n'est-il instruit du sort de son ami. Mais je ne vois personne à lui dépêcher. Les ténèbres nous environnent de toutes parts. Père des dieux et des hommes, Ζεῦ πάτερ, chasse la nuit qui nous couvre les yeux ; et perds-nous du moins à la lumière, si c'est ta volonté de nous perdre. » Il dit ; le père des dieux et des hommes fut touché des larmes qui coulaient de ses yeux, et le jour se fit. 500

Je demande maintenant, s'il y a un seul mot du discours de l'Ajax de Longin qui convienne en pareil cas. S'il y a là une seule circonstance, dont le journaliste puisse tirer parti en faveur du rhéteur ; et s'il n'est pas évident que Longin, Despréaux et La Motte uniquement occupés du caractère général d'Ajax, n'ont fait aucune attention aux conjonctures qui le modifiaient.

Quand un sentiment est vrai ; plus on le médite, plus il se fortifie. Qu'on se rappelle le discours de Longin : « Grand Dieu, je ne te demande pas la vie ; cette prière est 510
au-dessous d'Ajax etc. » Et qu'on me dise, ce qu'il doit faire aussitôt que la lumière lui est rendue ; cette lumière qu'il ne désirait, si l'on en croit le journaliste, *que dans*

*l'espoir qu'il se couvrirait de l'éclat de quelque belle
action, un moment avant de périr sous les coups de Jupiter
irrité et déterminé à perdre les Grecs.* Il se bat apparemment ; il est sans doute aux prises avec Hector ; il
venge, à la clarté des Cieux, tant de sang grec versé dans
les ténèbres. Car peut-on attendre autre chose des senti-
520 ments que lui prête Longin, et d'après lui, le journaliste ?

Cependant l'Ajax d'Homère ne fait rien de pareil. Il
tourne les yeux autour de lui ; il aperçoit Ménélas ; « Fils
de Jupiter, lui dit-il, cherchez promptement Antiloque ; et
qu'il porte à Achille la fatale nouvelle. »

Ménélas obéit à regret ; il crie en s'éloignant, aux Ajax et
à Mérion : « N'oubliez pas que Patrocle était votre ami. » Il
parcourt l'armée ; il aperçoit Antiloque, et s'acquitte de sa
commission. Antiloque part ; Ménélas donne un chef à la
troupe d'Antiloque, revient et rend compte aux Ajax. « Cela
530 suffit, lui répond le fils de Télamon. Allons, Mérion, et vous,
Ménélas, saisissez le corps de Patrocle ; et tandis que vous
l'emporterez, nous assurerons votre retraite en faisant face à
l'ennemi. »

Qui ne reconnaît à cette analyse, un héros bien plus
occupé du corps de Patrocle que de tout autre objet ? Qui ne
voit que le déshonneur dont l'ami d'Achille est menacé, et
qui pouvait rejaillir sur lui-même, est presque l'unique
raison de ses larmes ? Qui ne voit à présent qu'il n'y a nul
rapport entre l'Ajax de Longin et celui d'Homère ; entre les
540 vers du poète et la paraphrase du rhéteur ; entre les sentiments du héros de l'un, et la conduite du héros de l'autre ;
entre les exclamations douloureuses ὦ ποποί, le ton de
prière et d'invocation Ζεῦ πάτερ, et cette fierté voisine de
l'arrogance et de l'impiété que Longin donne à son Ajax si
clairement, que Boileau même s'y est trompé, et après lui
M. de La Motte.

Je le répète, la méprise de Longin est pour moi d'une
telle évidence, et j'espère qu'elle en aura tant pour ceux
qui lisent les Anciens sans partialité, que j'abandonne au
550 journaliste la décision de notre différend ; mais qu'il
décide. Encore une fois, je ne demande pas qu'il me
démontre que je me suis trompé ; je demande seulement
qu'il me le dise.

Je me suis étendu sur cet endroit, parce que le journaliste, en m'avertissant qu'il l'avait examiné avec *une attention particulière*, m'a fait penser qu'il en valait la peine. D'ailleurs le bon goût n'avait pas moins de part que la critique dans cette discussion, et c'était une occasion de montrer combien dans un petit nombre de vers Homère a renfermé de traits sublimes, et de présenter au public 560 quelques lignes d'un *essai* sur la manière de composer des Anciens, et de lire leurs ouvrages.

On lit page 860 de son *Journal* : *Nous ne pouvons pas nous instruire également de la critique qu'on trouve ici sur un discours lu par M. l'abbé de Bernis à l'Académie française.*

Observation. On peut voir à la fin de la *Lettre* même *sur les sourds et muets*, le sentiment de l'auteur sur cette critique prématurée. Tous ceux qui jugent des ouvrages d'autrui sont invités à le parcourir ; ils y trouveront le 570 modèle de la conduite qu'ils auront à tenir, lorsqu'ils se seront trompés.

Le journaliste ajoute *que la pièce de M. l'abbé de Bernis, qui fut extrêmement applaudie dans le moment de la lecture, n'a point encore été rendue publique, et que de sa part ce serait combattre comme Ajax, dans les ténèbres, que d'attaquer ou de défendre sur un terrain dont il n'a pas assez de connaissance.*

Observation. Cela est très sage, mais la comparaison n'est pas juste. Il ne paraît pas dans Homère qu'Ajax ait 580 combattu dans les ténèbres, mais tout au plus qu'il a demandé du jour pour combattre. Il ne fallait pas dire, *ce serait combattre comme Ajax dans les ténèbres*, etc. mais *nous demanderons comme Ajax de la lumière, ou pour défendre ou pour combattre.* Je relève ici une bagatelle, le journaliste m'en a donné l'exemple.

On lit enfin page 863 et dernière de cet extrait : *notre auteur nous fait espérer que si nous savons nous servir de notre langue, nos ouvrages seront aussi précieux pour la postérité que les ouvrages des Anciens le sont pour nous.* 590 *Ceci est une bonne nouvelle, mais nous craignons qu'elle ne nous promette trop, et aurons-nous des orateurs tels que Cicéron, des poètes tels que Virgile et Horace, etc. et si nous mettions le pied dans la Grèce, comment pour-*

*rions-nous n'être pas tentés de dire, malgré la défense
d'Épictète : Hélas ! nous n'aurons jamais d'honneur, nous
ne serons jamais rien* [149].

Observation. Nous avons déjà dans presque tous les
genres, des ouvrages à comparer à ce qu'Athènes et Rome
600 ont produit de plus beau. Euripide ne désavouerait pas les tragédies de Racine. *Cinna, Pompée*, les *Horaces*, etc. feraient
honneur à Sophocle. *La Henriade* a des morceaux qu'*on peut
opposer de front* à ce que l'*Iliade* et l'*Énéide* ont de plus
magnifique [150]. Molière réunissant les talents de Térence et de
Plaute, a laissé bien loin derrière lui les comiques de la Grèce
et de l'Italie. Quelle distance entre les fabulistes grecs et
latins, et le nôtre [151] ! Bourdaloue et Bossuet le disputent à
Démosthène. Varron n'était pas plus savant que Hardouin,
Kircher et Petau [152]. Horace n'a pas mieux écrit de l'art poé-
610 tique que Despréaux. Théophraste ne dépare pas La Bruyère.
Il faudrait être bien prévenu pour ne pas se plaire autant à la
lecture de *L'Esprit des lois* qu'à la lecture de la *République* de
Platon. Il était donc assez inutile de mettre Épictète à la tor-
ture pour en arracher une injure contre notre siècle et notre
nation.

*Comme il est très difficile de faire un bon ouvrage, et
très aisé de le critiquer ; parce que l'auteur a eu tous les
défilés à garder, et que le critique n'en a qu'un à forcer ;
il ne faut point que celui-ci ait tort : et s'il arrivait qu'il
620 eût continuellement tort, il serait inexcusable.* Déf. de
L'Esprit des lois, page 177.

INDEX

NOTES

LETTRE SUR LES AVEUGLES

1. Virgile, *Énéide*, V, 231. Chez Virgile le vers se lit : *possunt, quia posse videntur* (le *nec* n'est pas attesté). Diderot a donc modifié le latin, et dans certaines éditions de la *Lettre* la modification était signalée par des italiques. Le vers de Diderot se traduit : « ils peuvent [voir] et pourtant il semble qu'ils ne puissent pas ». Le latin « videntur » a une double signification : « sembler aux autres » et « être vu par d'autres ». Par ailleurs, des commentateurs (dont Servius) ont suggéré une autre ambiguïté entre « videntur [sibi] » et « videntur [spectantibus] », ce qui renforcerait une ancienne interprétation de la *Lettre* : les aveugles de Diderot voient mieux que les voyants (nous devons ces remarques à John Easterling).

2. L'identité de cette dame n'est pas attestée. Est-ce la maîtresse de Diderot, Mme de Puisieux ? la mathématicienne Mme de Prémontval ? Ce pourrait être aussi une interlocutrice imaginaire, une convention littéraire.

3. Voir *infra* les notices « Réaumur » et « Buffon », respectivement p. 233 et 201. La politique de la science a sans doute joué un rôle important dans la rédaction de la *Lettre*. À sa lecture, on repère des allusions à la querelle entre le chrétien Réaumur et l'incroyant Buffon. L'aspect personnel qu'a pris la querelle explique peut-être la version cancanière que donne la fille de Diderot des raisons de son emprisonnement après la publication de la *Lettre* : Mme Dupré de Saint-Maur, propriétaire des « yeux sans conséquence » et amie de Réaumur, aurait pris ombrage de cette allusion désobligeante.

4. L'opinion publique, qui prend une importance capitale au milieu du siècle, est représentée ici par un dialogue entre des amateurs enthousiastes de la science, tous exclus de la levée des pansements par des scientifiques rétrogrades. Les expériences faites lors de conférences publiques – chez Buffon, au jardin du Roi, par Nollet, au collège de Navarre – sont à la mode.

5. Comme dans le cas d'autres références dans le texte, ce n'est que par l'Index qu'on apprend qu'il s'agit de Hilmer, « oculiste prussien ».

6. Un certain Simoneau était l'un des graveurs des œuvres de Réaumur.

7. C'est ici la première indication du rôle de Buffon (nommé intendant au jardin du Roi en 1739) dans cette *Lettre* (voir notice, p. 201).

8. Remarque typique des romans de l'époque. G. Farrell (*The Story of Blindness*, Cambridge US, Harvard University Press, 1956, p. 15) donne le nom de Lenotre, sans autre indication.

9. Les caractères en relief appartiennent à une longue tradition en Europe. Le grand instituteur des aveugles, Valentin Haüy, les emploiera plus

tard et rapporte que Mélanie de Salignac, la nièce de Sophie Volland, amie de Diderot, les utilisait.

10. C'est une réflexion moralisante au ton délibérement social plutôt que religieux, dans la tradition de Marivaux et du *Spectator* anglais. La comparaison entre un échange de services et la circulation de la monnaie évoque aussi une analogie entre ordre métaphysique et ordre social et se rapproche de ce que seront les vues d'Adam Smith. Diderot aurait d'ailleurs participé à la production de certaines œuvres de veine enthousiaste, sentimentale et moralisatrice, typique de la fin des années 1740 : il aurait ainsi mis la main aux *Mœurs* de Toussaint (1748) [selon le rapport de police à son arrestation, voir Venturi F., *La Jeunesse de Diderot (1713-1753)*, Paris, 1939, p. 187], aux *Conseils à une amie* et aux *Caractères* (1751) de Mme de Puisieux, sa maîtresse.

11. De la question de l'ordre, nous passons à celles de la symétrie et de la beauté. La « perception des rapports » est le fil conducteur de l'esthétique de Diderot (voir Chouillet J., *La Formation des idées esthétiques de Diderot*, Paris, Armand Colin, 1973). « La perception des rappports est un des premiers pas de notre raison. [...] Le goût en général consiste dans la perception des rapports » Diderot (*Correspondance*, éd. cit., I, 124-125). Voir aussi l'article « Beau » de l'*Encyclopédie* (1751). La symétrie est la proportion des parties d'un tout, leur mesure relative. On se gardera de prendre la symétrie pour une qualité conventionnelle, surtout pas la symétrie gauche-droite si importante pour les corps vivants et dont Diderot parlera dans *Le Rêve de d'Alembert*. Qu'il le fasse ici est révélateur. Les questions d'ordre et de symétrie dans l'univers font partie de la discussion sur son origine divine. Traiter ces qualités de convention humaine revient donc à mettre en doute une des preuves de l'existence d'un créateur. Dans la *Lettre* aussi bien que dans l'article « Beau », c'est le langage qui sous-tend la discussion sur la beauté. L'aveugle a appris à parler ; il peut donc classifier comme « beau » ou « laid » ce qu'il touche selon son expérience de locuteur. Dans « Beau », Diderot retourne la question : il termine son article en niant que la beauté soit toujours produite par une cause intelligente, et que la symétrie manifestée par un objet renvoie à un artisan : « Le mouvement établit souvent [...] une multitude prodigieuse de rapports surprenants. Les cabinets d'histoire naturelle en offrent un grand nombre d'exemples. Les rapports sont alors des résultats de combinaisons fortuites, du moins par rapport à nous » (Diderot, *Œuvres*, éd. L. Versini, Paris, Robert Laffont, Bouquins, 5 vol, 1994, t. IV, p. 112). Sans l'appui du langage, l'aveugle de la *Lettre* juge de la beauté par l'utilité ; mais il ne peut pas juger de l'utilité de toute chose. Ainsi, comprendre pourquoi un bonnet académique, par exemple, a une forme particulière, le dépasse.

12. Le langage joue un rôle capital dans cette *Lettre*. C'est par lui que nous jugeons que ce qui se passe en notre for intérieur correspond à ce qui se passe chez les autres. Pourtant, l'aveugle démontre la fragilité de cette extrapolation : il peut parler sans attacher à un mot comme « miroir » les mêmes idées que les clairvoyants. Les miroirs

jouent aussi leur rôle dans la *Lettre* et il faut noter que Buffon travaillait sur les miroirs dans les années 1740 (voir notice, p. 201).

13. La *Lettre* revient constamment sur cette question : les différents sens nous donnent-ils la même information ? Diderot développe ici la position que prennent Locke et Berkeley sur notre perception de la distance. D'après eux, c'est l'expérience qui nous apprend à mettre en corrélation l'information qualitativement différente que nous donnent le toucher et la vue. Diderot suggère d'une manière intrigante que nous éprouvons peut-être des contradictions dans notre perception.

14. « La *Lettre sur les aveugles à l'usage de ceux qui voient* vous rendra sensible au fait que cette construction laisse totalement échapper ce qu'il en est de la vision. Car l'espace géométral de la vision – même en y incluant ces parties imaginaires dans l'espace virtuel du miroir dont vous savez que j'ai fait grand état – est parfaitement reconstructible, imaginable, par un aveugle » (Lacan J., *Le Séminaire*, livre XI : *Les Quatre Concepts fondamentaux de la psychanalyse*, Paris, Le Seuil, 1973, p. 81). Pour Lacan, il existe un espace réflexif et intersubjectif que la conception de l'espace géométral néglige. Le philosophe anglais Berkeley (1684-1753) nie autrement que la construction géométrale soit adéquate pour expliquer la vue et, à plusieurs endroits de la *Lettre sur les aveugles*, on trouve des références implicites ou explicites à Berkeley. Pour celui-ci, la distance n'est pas visible ; notre connaissance dérive de l'expérience des mouvements des muscles oculaires, que nous apprenons à corréler avec le toucher et les mouvements de notre corps. « Si nous examinons la chose de près, nous sommes obligés d'avouer que nous ne voyons et ne sentons jamais le même objet » (Berkeley, *Nouvelle Théorie de la vision*, dans *Alciphron, ou le petit philosophe*, 2 vol., La Haye, Benjamin Gibut, 1734, p. 40). Dans ce texte, Berkeley a développé la comparaison entre vision et langage qui sera présente dans la *Lettre sur les aveugles*.

15. Les peintres utilisaient parfois une « glace » dans leur construction de la perspective dans un tableau – Alberti, par exemple. Voir Kemp M., *The Science of Art*, New Haven-Londres, Yale University Press, 1990.

16. C'est un argument standard du relativisme : voir par exemple Montaigne, *Apologie de Raymond Sebond*.

17. Hérault a été lieutenant général de police de 1725 au mois de décembre 1739.

18. Comme par prémonition de sa propre arrestation, Diderot reprend le thème du cachot tout au long de la *Lettre*. Ainsi, l'existence de l'aveugle, privé de lumière, est comparée à une vie dans une basse fosse, et la caverne de Platon (*République* VII), dans laquelle les hommes demeurent privés de vérité, est comparée plus bas (n. 27) à une prison.

19. Le peuple d'aveugles imaginé par Diderot est, semble-t-il, uniquement masculin.

20. De même que le son est perçu en relation avec les nuances de la voix (sept paragraphes plus haut), voir un visage est mis en rapport avec les yeux, dont les expressions sont distinguées de façon minutieuse et

potentiellement infinie – « etc ». On retrouve dans l'article « Beau » de l'*Encyclopédie* ce rapport entre la discrimination linguistique et la distinction des traits corporels.

21. Diderot tend, dès avant la *Lettre*, à attribuer une espèce d'autonomie, non seulement à chaque sens, mais à chaque partie du corps (voir son roman de 1747, *Les Bijoux indiscrets*).

22. Un développement de ce qui, chez Locke, reste au niveau d'une analogie : « L'âme a différents goûts aussi bien que le palais [the mind has a different relish as well as the palate] », *Essay concerning Human Understanding,* II, XXI, § 56.

23. On me voit voyant : cette relation réflexive et réversible sert ou dessert la personne visée. On la retrouve si constamment chez Diderot qu'on pourrait la tenir pour une note fondamentale de sa sensibilité. Ainsi, dans *Le Neveu de Rameau* : « Moi je suis le fou de Bertin et de beaucoup d'autres, le vôtre peut-être dans ce moment ; ou peut-être vous le mien » (Diderot, *Œuvres*, éd. cit., t. II, p. 662).

24. Les différences physiques détermineraient la façon dont les hommes se distinguent moralement ; elles entraîneraient aussi la différence de leurs croyances.

25. C'est la position qu'attribue Diderot, plus loin dans la *Lettre*, au géomètre anglais aveugle, Saunderson. Le biologiste chrétien français Réaumur admirait les merveilles du monde naturel, qui démontraient le soin infini de Dieu pour sa création. Cette attitude, qu'il partage avec l'abbé Pluche, avait été propagée par un livre à grand succès de l'abbé, *Le Spectacle de la nature* (1732), voir Roger J., *Les Sciences de la vie dans la pensée française du XVIIIe siècle*, Paris, Armand Colin, 1963.

26. Locke (*Essay*, IV, III, § 6) a suggéré que Dieu aurait pu donner à la matière la propriété de la pensée ; cette proposition très attaquée en Angleterre fut reprise par Voltaire dans ses *Lettres philosophiques* (ou *Lettres anglaises*).

27. Le paragraphe fait à nouveau allusion au sort de Socrate et au mythe de la caverne (*République*, VII ; voir n. 18).

28. Comme le montre cette remarque, l'opération de Hilmer aurait suscité un large intérêt public ; les revues semblent pourtant n'y avoir accordé aucune attention.

29. La simultanéité serait donc une propriété de la vision et de l'espace.

30. Cf. *Encyclopédie*, « Invisible » : « Il semble que l'idée représentative d'un objet entraîne l'idée de limite ; et celle de limite, l'idée de couleur. L'aveugle voit-il les objets dans sa tête ou au bout de ses doigts ? » C'est la couleur qui crée la forme pour les yeux.

31. Ce sens interne est un développement du « sens commun » aristotélicien. Locke le définit en relation à la réflexion qui, « quoique cette faculté ne soit pas un sens, parce qu'elle n'a rien à faire avec les objets extérieurs, elle en approche beaucoup et le nom de *sens intérieur* ne lui conviendrait pas mal [though it be not sense, as having nothing to do with external objects, yet it is very like it and might properly enough be called *internal sense*] », (*Essay*, II, I, § 4). L'article de l'*Encyclopédie*, rédigé par Jaucourt, n'en parle qu'au pluriel : « sens internes (*Physiol.*), actions de l'âme ou de l'intellect,

auxquelles il est excité par la perception des idées ». Ce concept épis-
témologique avait acquis une extension cosmologique dans le cercle
de Newton. Parmi les différentes interprétations du concept d'espace
absolu que le maître avait élaborées, il en existe des matérialistes.
Ainsi, selon la critique faite par Leibniz, l'espace absolu serait chez
Newton le « sensorium » de Dieu. Laissée pour compte dans la
Lettre, cette notion sera élaborée dans *Le Rêve de d'Alembert*. Voir la
notice « Les newtoniens de Cambridge », p. 215.

32. Cette position matérialiste ne fait la différence entre la perception de
la vie mentale et de la réalité que par l'intensité des impressions ;
c'est aussi la position du philosophe anglais Hume, dans son *Treatise
of Human Nature* (1739) composé en France. Plus tard, une autre
œuvre de Hume aurait été traduite par Mlle de La Chaux, qui figure-
rait dans la *Lettre sur les sourds et muets*. À partir de 1763, Hume lui-
même sera trois ans à Paris comme secrétaire d'ambassade et fera la
connaissance de Diderot.

33. Est-ce là une allusion à sa deuxième lettre, peut-être encore à l'état de
projet, et qui sera réalisée différemment ?

34. Voir plus haut, n. 21. Diderot revient constamment à la possibilité
d'une fonction nerveuse décentralisée, ici localisée ailleurs que dans
la tête.

35. L'index identifie ce géomètre anglais. Il s'agit de Joseph Raphson, un
disciple de Newton dont le livre cité par Diderot présente une version
de la pensée de Newton susceptible d'une interprétation matérialiste.
Voir la notice « Les newtoniens de Cambridge », p. 220.

36. Elle ne peut donc nous présenter une idée de Dieu. À nouveau, il est
possible d'établir des liens avec Buffon et Berkeley. Berkeley : « Le
nombre n'est rien de fixe et de déterminé ; ayant son existence dans
les choses mêmes. C'est purement une créature de l'âme, qui envisage, ou une idée en elle-même, ou une combinaison d'idées à
laquelle elle donne un nom » (*Nouvelle Théorie de la vision*, § CIX).
Buffon : « Le nombre n'est qu'un assemblage d'unités de même
espèce ; l'unité n'est point un nombre, l'unité désigne une seule
chose en général […]. Ces nombres ne sont que des représentations,
et n'existent jamais indépendamment des choses qu'ils représentent » (*La Méthode des fluxions et des suites infinies*, Paris, chez
de Bure l'aîné, 1740, p. IX).

37. Voir le livre de Jonathan Rée, *I see a voice* : *Language, Deafness and
the Senses – a philosophical history*, Londres, Harper Collins, 1999.

38. Voir la notice « Les newtoniens de Cambridge », p. 215.

39. En fait, dans le cas de [1]. A.-M. Chouillet (DPV, IV, p. 82-83 ; cf.
p. 35 n. 41) a relevé cette erreur (passage du même au même) restée
sans correction dans la plupart des éditions, même récentes. Pourtant,
la première et la troisième phrases de ce paragraphe de Diderot se
contredisent, si l'erreur reste non corrigée. La planche II avec sa
numérotation arbitraire des places des épingles ne se trouve pas dans
le commentaire des *Elements of Algebra* de Saunderson (p. XX-XXVI)
par John Colson, *Dr Saunderson's Palpable Arithmetic Decypher'd*.
Diderot ajoute aussi à son texte un exemple d'addition et des figures

pour les démonstrations géométriques qu'il a dû faire fabriquer [planches IV et V].

40. A.-M. Chouillet rappelle qu'il faudrait lire « droite » pour « gauche » (DPV, IV, p. 38 ; en faisant l'addition, Diderot a sans doute oublié que le dessin à graver serait renversé gauche-droite à l'impression).

41. Quasi-traduction de la page XXIII des *Elements of Algebra in ten Books to which is Prefixed an Account of The Author's Life and Character*, Cambridge, The University Press, 1740.

42. C'est la figure II de la planche des *Elements*…, éd. cit.

43. Diderot passe à la question de savoir si la langue serait réellement commune aux hommes dotés d'appareils sensoriels différents et qui ne partagent donc pas les mêmes expériences. La langue peut-elle opérer comme base commune aux expériences hétérogènes d'individus différents ? Ceux qui ont parlé de peinture avec des amis aveugles comprendront la perplexité exprimée ici par Diderot.

44. Marivaux, selon la table des matières de l'édition originale. Ce romancier et dramaturge était la cible fréquente de critiques contemporaines pour son style maniéré, le « marivaudage ». Diderot passe ici à une sorte de relativité linguistique qui deviendra un des grands thèmes de sa lettre suivante, *sur les sourds et muets* (1751). Les étrangers seraient ainsi plus sensibles à l'originalité des idées de Marivaux, parce qu'ils seraient moins choqués par la préciosité de son langage.

45. Cf. *The Life and Character of Professor Saunderson*, dans Saunderson, *Elements*…, éd. cit., p. VI. Il s'agit d'une liste exacte d'une partie des cours que donna Saunderson (voir n. 66).

46. Diderot résume ici les deux théories de la lumière de son époque que Newton semble avoir voulu concilier : que la lumière est une espèce de pression ondulatoire, comme dans le diagramme que Diderot emprunte à Descartes pour sa *Lettre*, où la résistance des corps se transmet à la main de l'aveugle par le bâton, ou qu'elle est composée de corpuscules (voir R. Smith, *A Compleat System of Optics*, 1738). Il suggère ici que la géométrisation de la physique passe par une sorte de littéralisation d'une métaphore. Comme dans les remarques (deux paragraphes plus haut) sur Marivaux, Diderot crée un parallèle entre signification mathématique et signification linguistique.

À propos de ce passage, voir la p. VI de *The Life and Character of Professor Saunderson* : « [if optics] is altogether to be explained by lines, and subject to the rules of geometry, it will be easy to conceive that he [a blind man] might be a master of these subjets ». Berkeley estime au contraire que cette théorie démontre clairement que les lignes et les angles sont insuffisants pour expliquer comment l'esprit juge de la grandeur.

Voltaire hésite sur le même problème. Dans ses *Éléments de la philosophie de Newton*, il suppose d'abord qu'une de ses sources, Robert Smith, est inattaquable, parce qu'il se fonde sur la géométrie (*A Compleat System of Optics*, p. 123), même s'il contredit Berkeley, Cheselden, et la position que Voltaire a lui-même prise sur la perception de la distance (chap. VII, partie II). Voltaire manifeste plusieurs fois des doutes sur cette question, puisqu'il change son texte à travers les éditions.

47. Ce paragraphe semble porter des traces de la critique satirique qu'a faite Berkeley du calcul infinitésimal : dans la doctrine des fluxions, dit-il, des réponses correctes sont construites par une suite d'erreurs qui se compensent – remarque que fera plus tard Lazare Carnot. Berkeley se réfère aux processus d'approximation, où la valeur du zéro d'une équation est approchée successivement par une série d'intervalles. Cf. *The Analyst*, 1734 (dans *The Works of George Berkeley*, éd. A.A. Luce et T.E. Jessop, 1951, t. IV, p. 60). Dans ce texte (p. 79, § 35), Berkeley décrit les fluxions comme « autant de spectres des quantités disparues ». Buffon, dans sa traduction de Newton, *La Méthode des fluxions et des suites infinies* (1740, texte publié seulement en 1736 dans une traduction du latin en anglais due à John Colson), se réfère à Berkeley. Diderot semble invoquer la critique du calcul infinitésimal, émise par Berkeley, à l'appui du calcul probabiliste des hypothèses, introduit par Buffon (J. Roger, *Les Sciences de la vie dans la pensée française du XVIIIe siècle.*, *op. cit.*, p. 597 ; voir A. Leroy, dans la préface à sa traduction de Berkeley, *L'Analyste*, Paris, PUF, 1936, et aussi Augustus De Morgan, « On the early history of infinitisimals in England », *The London, Edinburgh and Dublin Philosophical Magazine*, t. VI, Londres, 1852, p. 321-330 sur le caractère volontairement paradoxal du texte de Berkeley).

Il est donc possible que ce soit par Buffon que Diderot ait connu certaines des positions de Berkeley.

Diderot a lu les trois premiers volumes de l'*Histoire naturelle* de Buffon à la prison de Vincennes et, après sa sortie, il réclama sans succès les notes qu'il avait prises. Les volumes de l'*Histoire* furent mis en vente en septembre 1749 (J. Roger, *Buffon*, Fayard, Paris, 1989, p. 115). Tout porte donc à croire que la *Lettre sur les aveugles* manifeste un lien intellectuel serré avec Buffon, quoique la seule preuve objective en soit la citation de celui-ci comme garant dans les lettres que Diderot écrit de prison au marquis d'Argenson et à Berryer (le lieutenant général de police ; Wilson A.-M., *Diderot, sa vie et son œuvre, op. cit.*, p. 94).

48. Buffon, dans sa « Théorie de la terre » (article VII, *Histoire naturelle*, t. I, p. 257-258), développe des arguments sur la probabilité des hypothèses ; ainsi le fera Rousseau dans le *Discours sur l'origine et les fondements de l'inégalité*.

49. Diderot se réfère à *Three Dialogues between Hylas and Philonous in opposition to Sceptics and Atheists* (1713) [le sous-titre laisse rêveur, car le Diderot des années 1740 semble hésiter entre le scepticisme et l'incroyance). Ils ne seront publiés en français qu'en 1750, dans une traduction de l'abbé Gua de Malves. Celui-ci a été nommé en 1746 principal éditeur de ce qui allait être l'*Encyclopédie*, et Diderot l'a certainement connu (voir Wilson A.-M., *Diderot, sa vie et son œuvre, op. cit.*, p. 66 ; on peut observer que celui qui deviendrait en 1751 son collaborateur, le chevalier de Jaucourt, a étudié les mathématiques en Angleterre et à Genève].

50. Condillac (1746).

51. Citation quasi exacte des premières lignes de l'*Essai sur l'origine des connaissances humaines* de Condillac.

52. Condillac, *Traité des systèmes où l'on en démêle les inconvéniens et les avantages* (1749).

53. Diderot souligne ici comme ailleurs la discontinuité apparente de sa *Lettre*. Autoréférence et obliquité sont deux caractéristiques de son style à cette époque.

54. Ce paragraphe suggère qu'une redéfinition de l'infini est nécessaire ; la *Lettre sur les aveugles* opère en effet un virage de l'infini mathématique vers la question de l'infini dans l'histoire de la nature. L'influence de Buffon est ici très probable (cf. n. 47). Dans la préface à sa traduction de Newton, Buffon nie l'existence de l'infini actuel – l'infini pour l'homme n'est qu'une série indéfinie d'extensions finies d'un fini. Les « infinitaires » étaient les partisans du calcul infinitésimal inventé par Newton (et Leibniz) [voir le dictionnaire Littré sous « Infinitaire »]. Diderot prépare le discours de Saunderson mourant.

55. Cf. *The Life and Character...*, dans Saunderson, *Elements...*, éd. cit., p. XII.

56. *Dr Saunderson's Palpable Arithmetic decypher'd*, dans Saunderson, *ibid.*, p. XXV.

57. Diderot passe de la peau comme organe de la vue (en effet, la rétine est une modification de la peau) à la peinture sur la peau (remarque de l'édition DPV).

58. Références prises dans *The Life and Character...*, dans Saunderson, *Elements...*, éd. cit., p. IX.

59. C'est la preuve de l'existence de Dieu la plus répandue à l'époque.

60. Passage cité longuement dans le compte rendu du *Journal des savants* (mai 1752, p. 498-500). Il y a une certaine ironie dans cette partie de la *Lettre*. Unitarien, Newton était connu comme tel en Angleterre, mais il était prudent dans l'expression de ses vues. Il est à remarquer que ses deux successeurs immédiats dans sa chaire de professeur, Whiston et Saunderson, semblent avoir été également peu orthodoxes, surtout Whiston, qui fut expulsé de la « Lucasian Chair » en 1710 pour ses opinions (voir la notice « Les newtoniens de Cambridge », p. 222).

61. *Le Journal des savants* objecte : « De plus, à quoi bon supposer ces tentatives imparfaites, ces monstres, ces animaux tronqués, ces hommes sans tête, sans pieds, sans estomac et sans poumons ? Que de longueurs et de circuits inutiles ! Le hasard peut tout aussi bien avoir produit l'ordre et la perfection du premier coup et dans un moment, qu'à la suite de plusieurs milliers d'années : l'une des deux hypothèses ne coûte pas davantage à imaginer que l'autre, et la première n'est pas plus absurde que la seconde » (p. 501). Plus loin, le journaliste compare les études de monstres faites par Winslow et Haller, et cite Buffon sur la rareté statistique des monstres ; p. 505, il médite sur l'histoire du monde.

62. Diderot a donc l'intention de dépasser le déisme, signalé par ces noms. L'étude du monstre est importante aussi bien dans la science de l'époque que dans l'œuvre personnelle de Diderot. L'aveugle se présente ici comme un monstre, exclu de la marche ordinaire du monde ; les « compensations » – tact et ouïe plus développés – ne

gomment pas l'injustice qui le frappe dans le cosmos. La souffrance existe.

63. « Dépuration » est un mot employé par Buffon (note de l'édition DPV). Diderot imagine ici non un processus évolutionniste, mais une suite de faux départs et d'êtres contradictoires, qui auraient pu ne mener à rien. Voir J. Roger, *Les Sciences de la vie dans la pensée française du XVIII⁰ siècle, op. cit.*, p. 598 : « Nous sommes fondés à croire que Buffon, en 1749, partageait les idées de Diderot-Saunderson sur l'origine de la vie. » Contrairement à ce qu'ont affirmé certains critiques, il nous semble qu'il y a ici bien plus qu'un rappel du poème de Lucrèce (*De rerum natura*, V, 837-853 ; voir Diderot, *Œuvres philosophiques*, éd. Vernière, p. 121-122). Dans ces paragraphes, la conception de l'histoire paraît très différente de ce qu'elle sera pour Rousseau dans le *Discours sur l'origine et les fondements de l'inégalité*. Pour Diderot, l'état présent de l'univers ne nous renseigne qu'approximativement sur son passé.

64. P. Vernière et J. Roger voient ici des références à la génération spontanée – la matière donnerait naissance à des êtres déjà tout formés ; le transformisme, développé par Lamarck, prédécesseur de l'évolutionnisme, serait absent de ces paragraphes. (Des expériences qui semblaient prouver la possibilité de la génération spontanée étaient annoncées dans les *New Microscopical Discoveries* de l'abbé Needham, 1747 ; voir Diderot, *Œuvres philosophiques*, éd. cit., p. 123.) La symétrie et l'ordre, si importants au début de la *Lettre*, paraissent maintenant momentanés ; ils sont considérés dans la perspective de l'infini temporel comme des moments de stabilité éphémères, alors que c'est le hasard qui règne. Diderot parle dans la phrase suivante de « mondes », d'habitats chaque fois uniques, plutôt qu'enchâssés dans une évolution historique. La question négligée ici de la relation entre l'individu, le genre et l'espèce sera examinée plus tard, dans une œuvre comme *Le Neveu de Rameau*.

65. Ce thème est repris maintes fois par Diderot à travers son œuvre. Voir *Le Rêve de d'Alembert*. L'infiniment petit rejoint l'infiniment grand dans le néant.

66. « The Reverend Mr. Gervas Holmes informed him, that the Mortification gained so much ground, that his best Friends could entertain no hopes of his Recovery. He received this notion of his approaching Death with great Calmness and Serenity […]. He appointed the Evening of the following Day to receive the Sacrament with Mr. Holmes ; but before that came, he was seized with a Delirium, which continued to his Death », *The Life and Character…*, dans *Elements…*, éd. cit., p. XIX. Le « Dieu de Clarke et de Newton » désigne ici le Dieu des déistes. À propos de Saunderson, qui n'était pas tout à fait orthodoxe (voir la notice « Les newtoniens de Cambridge », p. 215), John Morley dit : « in religion, he was sceptic, or something more » (*Diderot and the Encyclopaedists*, 2⁰ éd., Londres, MacMillan, 1886, t. I, p. 91). Nous n'avons pas découvert de preuves de cette affirmation de scepticisme, mais en revanche des remarques qui trahissent une pensée non orthodoxe. Les cours de Saunderson, conservés dans la Cambridge University Library, en témoignent (il s'agit de copies, toutes simi-

laires, faites pour des étudiants d'après quelque original et qui paraissent identiques à celles conservées dans la bibliothèque du collège de Saunderson, Christ's College). « We have little reason to doubt that the other Planets are inhabited, as well as our earth. And tis reasonable to suppose that the planets Jupiter and Saturn are inhabited by more excellent creatures than our Earth, as may be concluded from the Largeness of their bodies [...] » (§ 6 f. 69 *of Astronomy*, in ms add. 6 312 f, Cambridge University Library). Selon l'index du *Journal des savants* de 1711, Raphson, dans *Demonstratio de Deo*, donnerait une lettre qui « renferme quelques réflexions sur les habitants des planètes » et qui définit l'âme comme « une substance étendue, spirituelle, finie, vivante, et dont la vie est la pensée » (p. 417 sq.). Le prédécesseur de Saunderson comme « Lucasian professor », Whiston, avait été expulsé pour arianisme en 1710 (cf. n. 60 et la notice « Les newtoniens de Cambridge », p. 222).

67. Saunderson est comparé ici à Socrate : pour tous deux, le Dieu du christianisme est « voilé ». Socrate, par l'accident de la date de sa naissance, n'avait pu connaître le Christ, et donc être sauvé ; de même, la cécité de Saunderson, autre accident, l'a empêché de connaître les merveilles de la nature qui prouvent l'existence du créateur.

68. Diderot suit ici la tradition mystificatrice des livres fictifs, chère aux non-orthodoxes depuis Rabelais jusqu'à Stanislas Lem dans la Pologne d'après-guerre. Inchliff (ou Hinchliff, ou même Hinchcliffe) est en effet inconnu comme auteur de pareil livre. En revanche, William Hinchcliffe est l'imprimeur à Londres des traductions anglaises de *L'Espion turc* (1741) et des *Aventures de Télémaque* (1740) ; nous devons ces remarques à Geraldine Sheridan. L'article « Aveugle » de d'Alembert dans l'*Encyclopédie* est un résumé assez fidèle de la *Lettre* et parle à ce propos de « crime de lèse-érudition ».

69. *The Life and Character of Professor Saunderson*, dans *Elements...*, éd. cit., p. XIII. On trouve ici un des germes possibles de la *Lettre sur les sourds et muets*, que Diderot écrira en 1750-1751. Homère et après lui Milton étaient aveugles ; le manque d'un sens les a dotés comme Saunderson d'une force plus haute que la nature ; le génie serait-il un monstre comme Saunderson ?

70. À nouveau paraît le thème du philosophe et du poète aveugles, enchaînant sur le problème « de Molyneux » (voir n. 72). Diderot annonce ici sa propre position sur la question.

71. La question du traumatisme post-opératoire avait été soulevée par Condillac et La Mettrie (voir Diderot, *Œuvres philosophiques*, éd. cit., p. 127).

72. Diderot expose ici ce qu'on appelle le « problème de Molyneux », d'après le nom de celui qui, le premier, l'a posé, dans une lettre à Locke incorporée dans la deuxième édition de l'*Essay concerning Human Understanding* (1694). Voir les notices « Le problème de Molyneux » et « Condillac », respectivement p. 226 et 204.

73. Ici, comme à plusieurs autres endroits, l'édition « z » de 1772 parle de « M. Le Molineux ».

74. La multiplicité des perspectives intellectuelles possibles serait-elle un des infinis de cette lettre ?

75. C'est surtout par Voltaire, *Éléments de la philosophie de Newton* (1738), que le problème de Molyneux a été connu en Europe. Voltaire a puisé dans le livre de Berkeley, *Essay towards a New Theory of Vision* (1709), réimprimé dans *Alciphron, or the Minute Philosopher in seven Dialogues* (1732) et traduit en français par Joncourt en 1734. Buffon, dans le deuxième volume de l'*Histoire naturelle* (1749), se réfère pour l'opération de Cheselden aux revues anglaises : celle de la Royal Society, les *Philosophical Transactions* (n° 402) et le *Tatler* (n° 55). Il se réfère également à la *Lettre sur les aveugles* : « l'auteur y a répandu partout une métaphysique très fine et très vraie ». Voir la notice « Cheselden », p. 204.

76. Cette expérience trouve un écho intéressant dans un moyen utilisé de nos jours pour aider les enfants dyslexiques, que l'on fait lire à travers une feuille de plastique coloré.

77. Autre lien avec Buffon : intendant du jardin du Roi, il faisait des expériences sur les miroirs dans les années 1740 : « les expériences que je viens de rapporter ont été faites publiquement au jardin du Roi » (cf. *Histoire de l'Académie royale des sciences*, le 12 avril 1747, p. 82-102).

78. Citation tirée de Condillac, *Traité des systèmes…* (1749), chap. v.

79. Le langage donne donc la preuve que les informations fournies par les différents sens sont stables, et surtout qu'elles sont comparables entre elles.

80. Le *Journal des savants* commente à ce propos : « C'est là que son pyrrhonisme a beau jeu » (mai 1752, p. 512).

81. Comparer le paralytique et l'aveugle est une idée de Leibniz, lorsque, dans un texte qui répond à Locke (*Nouveaux Essais sur l'entendement humain*, II, IX), il discute du problème de Molyneux. Ce même chapitre parle des sourds-muets. Cette coïncidence, comme celles qu'on trouve plus tard dans l'œuvre de Diderot (*Le Rêve de d'Alembert*), conduit à se demander si des copies de l'œuvre de Leibniz ont pu circuler avant sa publication en 1765.

82. Diderot adopte ici la position de Buffon : les mathématiques doivent servir la physique, ou rester une gigantesque tautologie, une chaîne d'identités. Pourtant, tout comme Buffon, il est lui-même un mathématicien publié – ses *Mémoires sur différents sujets de mathématiques* (1748) trouvent encore au XXᵉ siècle des admirateurs (J.L. Coolidge, *The Mathematics of Great Amateurs*, 1949). Ainsi, le *Journal des savants* affirme : « Voilà donc enfin notre auteur qui se démasque, et qui las de se contraindre, paraît à visage découvert. Cette identité des propositions mathématiques, qu'on nous prêche depuis quelque temps ; Mr. de Buffon, dans son *Introduction à l'histoire du cabinet du Roi* ; les auteurs de l'*Encyclopédie* dans leur *Discours préliminaire* etc ; n'a d'autre fondement que celui-ci, c'est qu'il y a une enchaînure entre les Vérités, en sorte que les unes conduisent aux autres. Ce qui a fait dire en un bon sens, que la Vérité est une. Il n'en est pas moins ridicule d'avancer que tant de volumes sur le cercle se réduisent à nous répéter en cent mille façons différentes, que c'est une figure où toutes les lignes tirées du centre à la circonférence sont égales. Est-il donc vrai que toutes les propositions contenues dans

ces volumes, ne nous apprennent rien de plus ? […] Non, les vérités en géométrie ne sont pas plus identiques qu'elles le sont ailleurs, quoiqu'elles se lient entre elles, et se déduisent les unes des autres. Chaque conséquence d'un principe vrai est une vérité nouvelle, c'est une extension du vrai » (mai 1752, p. 518-519).

LETTRE SUR LES SOURDS ET MUETS

1. L'édition originale date de février 1751 ; les « additions » du mois de mai (WK).
2. Diderot dans cet épigraphe, comme dans la *Lettre sur les aveugles*, altère le texte de Virgile. La description de la ruse de Cacus – par laquelle le géant fait entrer un troupeau volé dans sa caverne à reculons, afin de cacher son larcin – est modifiée par Diderot qui change l'ordre des mots latins. Il indique ainsi, en sourdine, un des sujets de sa lettre : l'inversion. « Il faisait marcher le troupeau volé à reculons, pour qu'il ne laisse pas de traces avec des pattes en sens direct. » L'épigraphe indique aussi peut-être le jeu d'allusions dont Diderot jouera au long de la *Lettre* (PM).
3. Bauche fils, voir Pommier J., « Autour de la *Lettre sur les sourds et muets* », *Revue d'histoire littéraire de la France*, 1951, p. 261-272.
4. La *Lettre sur les sourds et muets* est adressée à l'abbé Batteux, auteur des *Beaux-Arts réduits à un même principe*, 1746. Ce livre avait eu un certain succès (voir par exemple Lessing, *Das Neueste aus dem Reich des Witzes*, juin 1751). Le titre de l'abbé Batteux (dont l'approbation date du 12 mars 1746) répète – ou devance – celui de la première œuvre de Condillac, *Essai sur l'origine des connaissances humaines, ouvrage où l'on réduit à un seul principe tout ce qui concerne l'entendement*, également de 1746. L'éditeur des deux éditions du livre de Condillac est Pierre Mortier, à Amsterdam, qui a publié la seconde édition avec une liste d'*errata*, sans toutefois en préciser la date de publication.
5. Si le « V » d'où la lettre est censée partir évoque le château-prison de Vincennes, où Diderot fut incarcéré après la parution de la *Lettre sur les aveugles*, son style espiègle et taquin – ce que Calzolari nomme sa « théorisation du désordre » (B) – prendrait alors des allures de prise de liberté. Mais Diderot se trouve à Paris au début de 1751.
6. Voir planche 3 de la présente édition : tirée par Diderot d'une édition de Havercamp du *De rerum natura*, Louvain, Jansson, 1725, 2 vol, t.. II, p. 422.
7. Paragraphes quelque peu suffisants, car ils semblent à la fois vanter la hardiesse de la *Lettre sur les aveugles* et se prévaloir des relations mondaines que Diderot a développées. Il fait allusion à la publication anonyme de la *Lettre* grâce à une permission tacite et avec la complicité du directeur de la librairie, Malesherbes. L'ami, « M. de S. », du dernier paragraphe de cette « avant »-lettre est presque certainement Gabriel de Sartine, lieutenant général de police à Paris jusqu'en 1774 (« un des fonctionnaires les plus importants du royaume », selon le *Dictionnaire des institutions* de Marion). Néanmoins, tout le monde

n'était pas dans le secret : la *Bibliothèque impartiale* de Formey ne décode pas ces initiales et reproche à la *Lettre* d'être modelée sur les *Aveugles* (t. III, mai et juin 1751, p. 410).

8. Batteux venait d'être nommé professeur de philosophie ancienne au Collège de France et cette nouvelle position explique une série de coups de griffes que lui adresse Diderot. Batteux avait d'abord été professeur de rhétorique au collège de Lisieux puis au collège de Navarre. Certaines phrases de la *Lettre* donnent à penser que Diderot le connaissait. La thèse de Batteux avait été « supprimée » en 1737, sur ordre de la cour du Parlement (voir la notice « Les rhéteurs-prêtres », p. 236).

9. Condillac avait traité « la matière des inversions » dans son *Essai sur l'origine des connaissances humaines,* 1re partie, sect. I, chap. XII. Dumarsais s'était occupé de la question en 1722 dans son *Exposition d'une méthode raisonnée pour apprendre la langue latine* et dans un *Traité sur l'inversion* (de date incertaine). Voir les notices « Les grammairiens-philosophes » et « Condillac », respectivement aux p. 212 et 204.

10. Aucun manuscrit n'existe des deux *Lettres*. Mais l'étude des états de la première édition *des sourds et muets* a permis à W. Kirsop de prouver qu'ici, comme à d'autres moments, Diderot a cherché à adoucir sa critique des jésuites et de Batteux, en faisant insérer dans l'œuvre déjà imprimée des « cartons », c'est-à-dire des pages corrigées.

11. Diderot suit ici la méthode de Condillac qui consacre la seconde partie de l'*Essai* à l'étude de « l'origine et les progrès du langage » (titre de la première section).

12. Diderot place dès le début de sa *Lettre* une version de la critique que fait Locke de l'idée de substance. Dans ce passage, il insiste déjà sur le déroulement dans le temps de la découverte sensorielle du monde. Comme chez Condillac, l'ordre « naturel » des idées équivaut à l'ordre de l'« expérience ». Donc dans cette perspective, ainsi que l'annonce la fin du paragraphe, l'ordre syntaxique du français n'est pas naturel. Voir Condillac, *Essai*, I, II, I, § 82.

13. Diderot distingue l'ordre « naturel », qui ici est l'ordre génétique, l'ordre selon lequel se forment les idées, de l'ordre des idées qui est développé par convention dans la vie sociale et dans l'expression linguistique. Il relie tout de suite ce dernier avec la pratique sociale de la théorie – la science.

14. C'est donc la philosophie issue de la mouvance d'Aristote qui est responsable du manque d'inversions dans les langues modernes. Et plus la philosophie est moderne, plus elle est analytique. Le critique allemand Hamann, au cours d'un plaidoyer éloquent pour la relativité linguistique, a relevé ce passage dans son *Essai sur une question académique*, t. II, p. 124-125 (B). Il était d'usage depuis Fénelon de critiquer le développement du français et d'y voir une dépoétisation de la langue.

15. Diderot prend d'abord l'exemple d'un entendant qui ne s'exprime pourtant que par gestes. La relation entre surdité et mutité était pourtant parfaitement comprise à l'époque.

16. Aristophane : auteur comique athénien (ve s. av. J.-C.) qui dans *Les Nuées* tourne Socrate en ridicule. Le commentaire du journal jésuite,

Les Mémoires de Trévoux, relève ici une erreur de Diderot, qui confond deux philosophes stoïciens du nom de « Zénon » (JC).

17. Batteux, dans la dixième des *Lettres à d'Olivet*, adressées à son mentor, l'abbé d'Olivet, fait une description remarquable de l'individualité du style dans les gestes (l'*actio* des rhéteurs) (B).

18. Cette idée constituera le point de départ du *Traité des sensations* (1754) de Condillac et deviendra une des sources de la différence se creusant entre lui et Diderot (Wilson A.-M., *Diderot, sa vie et son œuvre, op. cit.*, p. 211).

19. Selon la réponse de Leibniz au problème de Molyneux, la représentation de l'espace est donc commune aux différents sens (voir aussi la *Lettre de Diderot à Mademoiselle...* [de La Chaux] qui suit la *Lettre*). Devons-nous donc admettre, par analogie, un ordre absolu dans le langage ?

20. Ici apparaît le thème de la traduction. Si l'ordre géométrique, accessible par les sens individuels, était indépendant de leurs codes, il serait parfaitement universel. La *Lettre sur les aveugles* montre pourtant qu'une transposition de la connaissance par la vision à la connaissance par le toucher n'est pas complète, en tout cas en ce qui concerne la réaction morale. Une traduction parfaite entre des langues différentes serait par analogie également impossible.

21. Voir les remarques à la note 44 de la *Lettre sur les aveugles* sur la réaction des non-francophones à l'œuvre de Marivaux. Un des grands thèmes de la *Lettre* devient apparent ici : la question de la relation entre la pensée et le langage en général. Peut-on penser sans langage ? Et pense-t-on dans un langage particulier ?

22. Selon toute vraisemblance une allusion à Batteux, ex-professeur de rhétorique promu professeur de philosophie.

23. Est-ce une référence à l'*Histoire naturelle de l'âme* du médecin matérialiste La Mettrie (JC et B) et à ses exemples de sourds-muets ? Il s'agirait plutôt d'une allusion à l'histoire fictive, à laquelle Condillac, Diderot lui-même et Rousseau avaient eu – ou auront – recours dans leurs reconstructions de l'histoire de l'homme. Pour ces auteurs, le développement du langage signale un tournant dans l'évolution de la vie de l'espèce humaine. Rousseau, dans son *Discours sur l'origine et les fondements de l'inégalité* (1755), en relèvera le paradoxe : il faut une société pour élaborer un langage, mais un langage est nécessaire pour engendrer la vie en commun. Aujourd'hui, le linguiste américain Noam Chomsky a fait du langage une capacité propre à l'espèce humaine (Chomsky N., *La Linguistique cartésienne, un chapitre de l'histoire de la pensée rationaliste*, Le Seuil, 1969).

24. Batteux est un traducteur des poésies d'Horace. On peut noter que la traduction anglaise d'une partie de son *Cours de belles-lettres* a pour titre *Principles of Translation*, Édimbourg, Donaldson, 1760. À nouveau, la dernière phrase du paragraphe semble narguer le professeur nouvellement promu.

25. *Macbeth*, acte V, scène I. Selon toute une tradition, de l'auteur du *Traité du sublime* (attribué au rhéteur Longin, 213-273) à Walter Benjamin (1892-1940), le sublime touche à l'inexprimable et donc

au silence. D'après Diderot, les gestes expriment mieux le sublime que les mots ; ils déploient une énergie autre que le langage oral.

26. L'origine de cette anecdote est inconnue.

27. Corneille, *Héraclius*, acte IV, scène III. Diderot cite de mémoire.

28. Récit trouvé dans Diodore de Sicile, historien du Iᵉʳ siècle av. J.-C. (JC).

29. *Rodogune*, acte IV, scène 4. Diderot fait pressentir ici un des grands thèmes de la *Lettre* : la simultanéité de certains faisceaux d'impressions qui suscitent des réactions à la fois intellectuelles et émotives.

30. Par cette remarque, Diderot semble suggérer que la traduction n'est pas simplement une affaire de langues (gestuelle et orale), mais que le processus même de signifier est déjà « métaphorique » et implique donc une relation entre différentes couches de sens.

31. La première rédaction de cette phrase, qu'on connaît par les cartons, était plus agressive envers le père Castel : « Où l'on montre l'homme et la machine aux couleurs » (WK, p. 55). On trouve le même effet d'atténuation à la mention suivante de celui qui n'a cessé de fasciner Diderot par son « clavecin oculaire ».

32. Sur le père Castel et son clavecin oculaire, voir la notice du Dossier, p. 223.

33. La langue écrite semble ici former un code universel, une structure de base pour la signification.

34. « Voyez la Delbar (femme de Piron) dans une loge d'Opéra : pâle et rouge tour à tour, elle bat la mesure avec Rebel ; s'attendrit avec Iphigénie, entre en fureur avec Roland, etc. Toutes les impressions de l'orchestre passent sur son visage comme sur une toile. Ses yeux s'adoucissent, se pâment, rient, ou s'arment d'un courage guerrier », La Mettrie, Dédicace à *L'Homme machine*, *Œuvres philosophiques*, Amsterdam, 1753, p. 6.

35. *Lettre sur les aveugles*, p. 31. Diderot signale ici au lecteur la conception parallèle des deux *Lettres*.

36. Dans la *Lettre sur les aveugles*, bien que les aveugles soient des êtres historiques, la description qu'en fait Diderot est tissée de symboles et de fictions ; ici, des souvenirs personnels – du romancier Lesage et de son fils aîné Lesage de Montménil – se glissent dans le portrait du sourd.

37. Batteux, *Cours de belles-lettres*, vol. 1, p. 17 (JC).

38. Batteux venait de prononcer à la distribution des prix à la Sorbonne, le 12 août 1750, un discours en latin, qui était un plaidoyer pour la fidélité au goût des Anciens dans les études littéraires (cat. BNF).

39. Tandis que l'aveugle avait un accès privilégié aux abstractions.

40. L'information de Diderot est juste ; la *lingua franca* est morte au XIXᵉ siècle.

41. Épictète, *Enchiridion* [*Manuel*], trad. W.A. Oldfather, éd. Loeb-Heineman, 1925, vol. 2, p. 509.

42. Il est plus que vraisemblable que Diderot chicane ici Batteux, en faisant de lui non seulement un philosophe, mais aussi un savant qui veut exceller dans plusieurs domaines, comme un coureur du pentathlon (de nos jours, deux longueurs de course, saut en longueur, lancement du disque et du javelot).

43. Comme c'est le cas pour toutes les citations dans la *Lettre*, une longue tradition de commentaire pédagogique et critique reste sous-jacente. Le père Buffier et Batteux ont d'ailleurs aussi discuté cet exorde célèbre de Cicéron (Voir la notice « Les rhéteurs-prêtres », p. 236).

44. Le rapport entre le langage et notre conscience de ce langage n'est pas fiable. Ici s'ouvre le thème du décalage entre la pensée et le langage, qui prend toutefois une forme non classique (voir Derrida J., *L'Écriture et la différence*, Le Seuil, 1967, p. 55, n. 1) : nous n'avons pas une idée préexistante, qu'il s'agit ensuite de revêtir de paroles, mais notre langage se situe au-delà de notre pensée, qui vient le rejoindre et s'y couler.

45. Pour Batteux, il n'y a pas d'inversion dans la phrase latine parce qu'elle suit l'ordre « oratoire », comme il l'appelle, un ordre basé sur la nécessité d'agir. Pour Diderot, l'ordre de la phrase cicéronienne correspond à la projection par l'orateur de l'idée qui prime dans l'esprit du public.

46. Dans la *Lettre sur les aveugles*, la relation « voir » était réflexive et réversible (n. 23) ; ici ce qui est inversion pour l'un est ordre « naturel », sans inversion, pour l'autre.

47. L'exemple semble provenir de Batteux. Voir l'histoire qu'en donne B. dans ses notes. Diderot, à l'encontre de Batteux, insiste sur les différents intérêts humains qui s'expriment dans les différents ordres possibles.

48. L'ordre de la phrase varie donc selon plusieurs facteurs : selon qu'on est locuteur ou auditeur et selon le « génie des langues ».

49. Diderot précise qu'il parle ici du locuteur et de l'ordre psychogénétique. Pour Batteux, ce passage revient à nier l'existence d'un fondement quelconque de l'ordre du discours, et il répliquera : « Que répondrait-on à celui qui prétendrait que l'esprit embrasse d'une seule vue plusieurs objets à la fois ? Il n'y aurait plus alors d'ordre successif à imiter dans l'expression : et tout retomberait dans l'arbitraire » (Batteux, *Cours de belles-lettres*, 1753, IV, p. 306).

50. Diderot suggère que le langage se développe par l'articulation explicite des relations logiques. Contrairement aux grammairiens-philosophes, il conçoit ici non une opposition entre deux ordres, naturel et inversé, mais une opposition pensée/langage, dont la relation est pour lui problématique et mobile.

51. Au début de ce passage très dense, Diderot représente le corps comme un automate, tel que ceux que construisait Vaucanson. Le corps serait donc une machine. Ensuite, par le terme « timbre », il opère une transition vers l'acoustique, qui lui offre un modèle physique qui n'est pas matériel dans le sens banal. De plus, ce modèle permet la réception d'un faisceau de sensations simultanées. Diderot voudrait combiner une conception des facultés mentales comme décentrées et localisées, parfois inconscientes, avec une conscience linéaire, qui « ne s'en aperçoit que par un retour sur elle-même ». Pourtant, figurer l'âme par le petit automate qui écoute les sons émis par les marteaux présente un problème qui n'est pas soulevé ici mais dans *L'Entretien entre Diderot et d'Alembert* : en quoi diffère cette âme de l'âme religieuse ? C'est

toujours un dédoublement qui peut en principe se continuer infiniment.

Ce passage développe un passage de la *Lettre sur les aveugles* (*supra*, p. 74).

52. Leibniz, dans ses *Nouveaux Essais sur l'entendement humain*, I. I. § 15, publiés en 1765, mais peut-être disponibles en copies manuscrites plus tôt, donne des exemples de ce que pourrait être cette sensation de l'existence : « quelque chose dans l'âme qui répond à la circulation du sang et à tous les mouvements internes des viscères, dont on ne s'aperçoit pourtant point, tout comme ceux qui habitent auprès d'un moulin à eau ne s'aperçoivent point du bruit qu'il fait ». Cette « sensation » devient chez Rousseau un « sentiment » de l'existence.

53. Si cette référence aux Scythes et à leurs coutumes en amitié comporte une allusion personnelle, ce qui semble possible, elle n'est pas connue avec certitude. On serait tenté de penser à Rousseau, Diderot et Grimm.

54. Il y a donc une double relation : l'entendement est influencé par les signes, mais il n'est pas leur miroir. D'autre part, les signes ne reflètent pas exactement ce qui se passe au niveau de l'entendement.

55. Racine, *Phèdre*, acte V, scène VI ; le discours entier du « récit de Théramène » a fait l'objet de nombreux commentaires au XVIIIe siècle. Voir la notice « Les querelles littéraires », p. 232-233.

56. Savoir si l'on peut avoir deux idées présentes à l'esprit en même temps est une question sur laquelle Diderot reviendra souvent (voir l'*Entretien entre d'Alembert et Diderot* par exemple). Mais pourquoi est-ce un problème ? Peut-être Diderot cherche-t-il à adhérer à un déterminisme strict, dont la causalité impliquerait une série d'événements discrets dans le temps, l'un suivant l'autre comme les chiffres d'une montre digitale. Cependant, sa propre expérience lui suggère plutôt une attention qui balaie en arc des faisceaux simultanés d'événements.

57. Carton placé par Diderot dans son texte après impression et où il radoucit son premier jet, qui attaquait la revue des Jésuites, le *Journal de Trévoux* : « Un certain gros Dictionnaire qui grossit encore, qui grossira toujours et qui n'en sera que plus mauvais », accompagné d'une note très directe : « L'auteur de cette *Lettre* et quelques-uns de ses amis s'offrent d'en donner cent exemples aux journalistes de Trévoux. Ils n'ont qu'à témoigner que cette attention leur fera plaisir » (WK, p. 56-57). Voir la notice « Les rhéteurs-prêtres », p. 241. L'allusion aux amis qu'avait faite Diderot dans son premier jet se retrouve dans la *Lettre préliminaire à M. B.*

58. « Tu désires remporter une victoire olympique ? Et moi aussi par les dieux ; car c'est une belle chose », Épictète, *Encheiridion [Manuel]*, éd. cit., chap. XXIX. Diderot a sans doute rédigé lui-même le texte latin, car il le traduit d'une façon libre et impertinente à peine plus loin (PM). À cette époque, Batteux n'est pas membre de l'Académie ; il y sera reçu en 1761.

59. L'entendement est « gêné » par la syntaxe non française ; l'esprit doit reconstituer la syntaxe naturelle, française, dans l'ordre latin. Peut-

être pourrait-on comparer les questions débattues ici à la discussion moderne sur la langue des internautes.

60. Diderot insère maintenant l'ordre « naturel » dans l'évolution historique de la langue et rejoint ainsi ceux qui, au XVIIIe siècle, critiquent le caractère « géométrique » du français moderne.

61. Diderot amplifie sa position, en tenant compte maintenant des diverses possibilités inhérentes aux différentes langues. La relativité linguistique mène ici à une différenciation entre langues oratoires et langues logiques.

62. Batteux considère l'harmonie du style comme un élément fondamental de la poésie. Voir aussi Condillac, II, I, VIII, § 66-67 sur les étapes de la langue (B) et (JC).

63. Cicéron, *Seconde Action contre Verrès*, V, § 118 ; « la mort et la terreur des citoyens et des alliés romains » (PM).

64. Diderot a sans doute en tête les articles que J.-J. Rousseau a rédigés pour l'*Encyclopédie*. La « basse continue », ou *continuo*, servait dans la musique des XVIIe et XVIIIe siècles à conserver le ton. La « basse fondamentale » est formée des sons fondamentaux de chaque accord. Développée par Rameau, c'est une structure qui règle l'harmonie mais qui n'est pas nécessairement perçue dans la musique. La querelle au sujet des mérites respectifs de l'harmonie et de la mélodie se déclare à Paris peu après la publication de la *Lettre*, lors de la « Querelle des Bouffons » (1752-1753), où les tenants de la musique comique italienne et de l'opéra sérieux français s'opposent. La basse fondamentale de Rameau, qui n'est pas identique à la basse qu'on entend, correspond, dans la conception de la musique au XVIIIe siècle, à l'ordre naturel qui sous-tend le langage.

65. Virgile, *Bucoliques*, IV, v. 1-49. « [Ô cher rejeton des dieux,] grand prolongement de Jupiter. » Le vers entier est cité chez Rollin, *De la manière d'enseigner et d'étudier les belles-lettres*, 1727, vol. 1, p. 363, dans un paragraphe intitulé « De la cadence des vers ». Une comparaison des commentaires de Diderot et de Rollin apporte une nouvelle preuve que la tradition du commentaire littéraire, ancêtre immédiat des techniques modernes, s'élabore au cours du siècle.

66. « Amphitrite n'avait pas encore tendu ses bras le long des rivages », Ovide, *Métamorphoses* I, v. 13-14. Dans ces deux exemples, le dernier mot du vers est fait de deux spondées, donc de deux pieds à deux syllabes longues (JC).

67. « Vite, apportez les armes, faites passer les traits, montez sur les murs » : effet de rythme et de son qui mime une bataille (JC), Virgile, *Énéide*, IX, v. 37.

68. « Toute la vie aussi s'[échappe] de tous nos nerfs, de tous nos os », Lucrèce, *De rerum natura*, I, v 810-811.

69. « Le plus proche de lui, mais à un long intervalle », Virgile, *Énéide*, V, v. 320 ; l'effet paradoxal engendré par l'ordre des mots renforce l'effet sonore.

70. Diderot commence en sourdine la comparaison entre les différents arts qui l'occupera à la fin de sa *Lettre*, en proposant une relation entre harmonie musicale et ordre linguistique.

71. Il est tentant de mettre en rapport avec ces remarques la distinction faite par Wittgenstein entre « dire » et « montrer » : « ce qui peut se dire par des propositions, c'est-à-dire par le langage (et, ce qui revient au même, ce qui peut se *penser*), et ce qui ne peut s'exprimer par des propositions, mais qui ne peut être que montré » (Wittgenstein L., *Letters to Russell, Keynes and Moore*, éd. G.H. von Wright, Ithaca, Cornell University Press, 1974, p. 71). Mais Diderot contraste « dire » et « représenter ».

72. Diderot n'exploite apparemment pas dans ses écrits ultérieurs ces aperçus géniaux (mais voir notre préface pour les soucis constants, à peine thématisés, qui semblent prolonger sa réflexion). Condillac, dans son *Essai* (II, I, XIII, § 129), avait cité des sections du livre de l'évêque anglais, William Warburton, *The Divine Legation of Moses*, 1738, traduites en français dans l'*Essai sur les hiéroglyphes* en 1744. M.-L. Roy, *Die Poetik Denis Diderot*, Munich, Wilhelm Fink, 1966, a signalé l'utilisation de l'« hiéroglyphe » et de l'« emblème » dans le milieu des encyclopédistes et surtout a repéré un passage de Bacon (livre V, chap. V) du *De Dignitate et augmentis scientiarum*. Ce paragraphe associe emblème, geste et hiéroglyphe ; la question des similitudes entre Diderot et Giambattista Vico, qui ont depuis longtemps étonné, trouve ainsi une explication par des emprunts parallèles à Bacon. Mais la question des idées sur le langage de Diderot dans la *Lettre* comme dans l'article « Encyclopédie » et leur relation avec Bacon exige un examen détaillé qu'elle n'a, à notre connaissance, pas encore reçu. Voir aussi Doolittle J., « Hieroglyph and Emblem in Diderot's *Lettre sur les sourds et muets* », *Diderot Studies*, II, 1952, p. 148-167.

73. De nouveau, les citations que choisit Diderot lui permettent d'insérer dans sa *Lettre* des allusions à une partie de l'histoire récente de la critique littéraire sans avoir à l'énoncer. Ces vers de *La Henriade* de Voltaire, une épopée sur la vie du roi Henri IV, avaient servi d'armes dans une escarmouche entre l'abbé d'Olivet (*Remarques de grammaire sur Racine*, 1738) et l'abbé Desfontaines (*Racine vengé*, 1739). En fait, cette querelle sur Racine et sa poésie est une continuation de la Querelle des Anciens et des Modernes (voir la notice « Les querelles littéraires », p. 229) qui s'est déroulée vingt ans plus tôt. Il s'agit ici de savoir si une personnification de la mer, telle que l'emploie Voltaire, est acceptable dans une période moderne, celle d'Henri IV. Desfontaines, en rapportant le vers de Voltaire à la querelle sur le vers de *Phèdre*,

> Le flot qui l'apporta recule épouvanté,

renouvelle en fait la querelle sur le récit de la mort d'Hippolyte par Théramène : une mort provoquée par un monstre marin est-elle vraisemblable ? Le récit ne ralentit-il pas le rythme de la pièce ?

74. Boileau, *Le Lutrin*, chant II, v, p. 164. C'est un vers déjà commenté dans Rollin et d'Olivet. Batteux avait écrit un *Parallèle du « Lutrin » et de « La Henriade » ou Lettres sur ces deux poèmes*, c'est-à-dire une comparaison d'une épopée comique et d'un poème épique qui se voulait sérieux.

75. Œuvre burlesque de Hyacinthe Cordonnier, dit Thémiseul de Saint-Hyacinthe, 1714.

76. Diderot, après l'inversion et la question d'un ordre syntaxique dans la pensée humaine, passe au problème sémantique apparenté : toute expression est-elle traduisible ? Existe-t-il un noyau primordial de signification dans chaque mot, chaque phrase ?

77. « Et les flèches sonnent [sur l'épaule du dieu courroucé] », *Iliade*, I, v. 46.

78. « Les traits sonnent sur ses épaules », *Énéide*, IV, v. 149.

79. Condillac, *Essai*, II, I, xv, § 161 (JC).

80. « Sur son corps si beau le sang coule, sa nuque défaillante retombe sur ses épaules ; comme une fleur de pourpre tranchée par la charrue languit mourante ; comme les pavots, leur cou lassé, ont incliné leur tête quand la pluie les appesantit », *Énéide*, IX, v. 433-437.

81. L'argument du jet fortuit de dés, que Diderot avait employé dans les *Pensées philosophiques* (1746, pensée 21) afin de prouver que le monde pourrait s'engendrer sans Dieu, prouve ici la difficulté de la traduction et la quasi-impossibilité de l'écriture automatique des vers. La création humaine existerait-elle plus certainement que la création divine ?

82. Allusion au *Satiricon* de Pétrone et à une défaillance virile, voir le chap. cxxxii et la note dans l'édition citée dans notre bibliographie : « Il s'agit sans doute d'un fragment d'une partie perdue qui a été rapproché par un lecteur de l'épisode de Circé. L'aventure semble être de même nature. » On peut penser que la raillerie insinue que Diderot connaissait Batteux personnellement.

83. « Il dit, et, de ses sourcils sombres, le fils de Cronos fait oui. Les cheveux divins du Seigneur voltigent un instant sur son front éternel, et le vaste Olympe en frémit », *Iliade*, I, v. 528-530. Batteux propose ce passage comme exemple du *sublime lyrique, Cours...*, 1753, t. III, p. 12.

84. « Le bœuf tombe en avant sur le sol », *Énéide*, V, v. 481.

85. Dans une traduction moderne : « Zeus Père ! sauve de cette brume les fils des Achéens, fais-nous un ciel clair ; permets à nos yeux d'y voir ; et, la lumière une fois faite, eh bien ! tu nous détruiras, puisque tel est ton bon plaisir », *Iliade*, XVII, v. 645-647. La traduction latine, identifiée par PM, est d'origine hollandaise.

86. Trad. Boileau, Longin, *Traité du sublime* dans *Œuvres complètes*, éd. F. Escal, Gallimard, 1966, p. 354.

87. La Motte, *L'Iliade en vers français et en douze chants* (1714) ; dans *Œuvres de Monsieur Houdar de La Motte*, Paris, 1754, II, 262 (PM). Mais ces deux vers, de Boileau et de La Motte, étaient cités par Mme Dacier dans son livre *Des causes de la corruption du goût*, 1714 (voir la notice « Les querelles littéraires », p. 230 *sq.*).

88. Philosophe cynique du iiie siècle av. J.-C. qui parodia Homère (JC) ; dans la tradition cynique, la citation et la parodie jouaient un rôle important.

89. Selon une théorie répandue au xviie siècle, la langue humaine originelle était l'hébreu : voir par exemple Franciscus Mercurius Van Helmont, qui relie la forme des caractères hébreux à des suggestions pour un enseignement des sourds-muets : *Kurzer Entwurf des eigentlichen Natur-Alphabets der heiligen Sprache, nach dessen Anleitung man auch Taubgeborene verstehend und redend machen kann*, Sulzbach, 1667.

90. Voir la notice « Les rhéteurs-prêtres », p. 242.

91. Claude Henri de Thiard, comte de Brissy, reçu en 1750 à l'Académie en qualité d'homme de cour. Joueur d'échecs qui « sait tout ce qu'on en peut apprendre » (Diderot, *Le Neveu de Rameau*, éd. Versini, t. II, p. 635) ; il était l'ami de Grimm et, comme lui, futur ami de Diderot.

92. *Phèdre*, acte V, scène VI, v. 1501-1506.

93. Collège où enseignait le père Porée, célèbre pédagogue (voir la notice « Les rhéteurs-prêtres », p. 242).

94. *Iliade*, XVIII, v. 17.

95. Plutarque, *Vies des hommes illustres*, met en parallèle la vie de Philopoemen et celle de Titus Flaminius. Philopoemen (253-183 av. J.-C.) fut le chef du dernier effort grec contre les Romains.

96. « Cependant Nepture sentit que la mer se mêlait d'immenses rumeurs, que le mauvais temps y était déchaîné, que des grands fonds les nappes dormantes refluaient en surface ; vivement ému et, du large, jetant son regard, il éleva son front serein au-dessus des ondes », *Énéide*, I, v. 124-127.

97. « Elle [Didon] essaie de soulever des yeux appesantis, et retombe inanimée : le sang s'échappe en sifflant de la blessure qu'elle s'est faite sous le cœur. Trois fois, en s'appuyant sur le coude, elle eut encore la force de se soulever ; trois fois, elle retomba sur les coussins, et de ses yeux égarés, elle chercha au ciel la lumière et gémit de l'avoir trouvée », *Énéide*, IV, v. 688-692. Certaines éditions modernes donnent « annixa » pour « annexa » (voir aussi PM, dans DPV IV, note 145).

98. « Toute la vie s'[échappe] de tous nos nerfs, de tous nos os », *De rerum natura*, I, v. 810-811.

99. « Intervalle dissonant dont les deux termes sont distants de quatre degrés diatoniques, ainsi que ceux de la quinte juste, mais dont l'intervalle est moindre d'un semi-ton. » Triton : « Intervalle dissonant composé de trois tons […]. Cet intervalle est égal, sur le clavier, à celui de la fausse quinte : cependant les rapports numériques n'en sont pas égaux » (Rousseau, *Dictionnaire de musique*, dans *Œuvres complètes*, Gallimard, Bibliothèque de la Pléiade, 1995).

100. Voir note 6.

101. Le grand critique Dubos avait déjà comparé la poésie et la peinture : « Je crois que le pouvoir de la peinture est plus grand sur les hommes, que celui de la poésie : […] les signes que la peinture employe, pour nous parler, ne sont pas des signes arbitraires et institués, tels que sont les mots dont la poésie se sert. La peinture employe des signes naturels dont l'énergie ne dépend pas de l'éducation » (*Réflexions critiques sur la poésie et sur la peinture*, 1719, t. I, section XL).

102. « Intervalle dissonant […]. Il ne lui manque qu'un comma pour faire une octave » (Rousseau, *Dictionnaire de musique*, éd. cit.).

103. L'évolution de la langue française comporterait une perte de force, un étiolement : cette critique de la langue sera un des moteurs de la renaissance de la poésie à la fin du siècle.

104. Diderot semble ici faire écho à un passage dans Batteux, *Lettres VII*, dans le volume III du *Cours de belles-lettres*, p. 32-33 (B, p. 170-171).

105. La remarque de Diderot confère une forme – le parcours du lecteur – à ce texte que certains critiques contemporains ont condamné pour son désordre. Lessing, qui admirait la *Lettre*, dit de Diderot : « le dernier mot d'une phrase lui fournit une transition suffisante » (Lessing, *Sämmtliche Schriften*, Leipzig, t. III, 1853, p. 229, juin 1751) ; il est vrai que c'est une quasi-citation de Diderot lui-même, dans sa *Lettre préliminaire* à son libraire.

106. Cette rétraction fut publiée dans *Le Mercure de France*, avril 1751, p. 132-134 (B).

107. Diderot, dans *Ceci n'est pas un conte* (1773), identifie la destinataire : ce serait une Mlle de La Chaux, qui aurait traduit en français les premières œuvres de Hume. Aucune autre trace n'en a été trouvée jusqu'à aujourd'hui dans les archives.

108. L'*Encyclopédie*.

109. Mathématicien d'Alexandrie (IIIe siècle av. J.-C. ?) ; les « équations diophantines » (problèmes algébriques indéterminés) portent son nom.

110. « Rémission » et « intensité » sont des termes techniques scientifiques du siècle, le premier en médecine, le deuxième en physique.

111. Hôpital de Paris où étaient enfermés les fous.

112. Houdar de La Motte (voir la notice « Les querelles littéraires », p. 229).

113. Comme dans la *Lettre sur les aveugles*, la caverne de Platon fait une apparition dans cette *Lettre*.

114. La comparaison de la conscience avec l'œil se trouve dans *Le Philosophe* (JC), texte anonyme parfois attribué à Dumarsais ou Fréret. Diderot revient, à plusieurs reprises dans son œuvre, sur la simultanéité de la vie intérieure et au problème qu'elle pose (dans *Le Rêve de d'Alembert*, par exemple). En revanche, tout se passe comme si, pour Diderot, Mlle de La Chaux et le d'Alembert du *Rêve*, l'analyse de l'expérience devait être linéaire et se couler dans un temps linéaire formé d'une série de points. Cependant, Diderot l'affirme ici et ailleurs, l'expérience du temps n'a pas cette forme.

115. Sur Jacob Rodriguez Pereire et l'enseignement des sourds-muets aux XVIIe et XVIIIe siècles, voir la notice du Dossier, p. 207.

116. Voir la lettre au P. Castel du 2 juillet 1751 (*Correspondance*, éd. cit., t. I, p. 130-131) [JC].

117. Carle Van Loo, membre d'une grande famille de peintres, premier peintre du roi à partir de 1762. Diderot se réfère peut-être à deux tableaux exposés au *Salon* de 1741 (JC).

118. Homère, *Odyssée*, IX, v. 187-293, le Cyclope ; Virgile, *Énéide*, III, v. 622-627 (JC). Tout se passe, dans cette description de tableau imaginaire, comme si Diderot prévoyait la toile que peindra Goya, *Saturne dévorant un de ses fils*.

119. En 1762, Diderot reprend ces idées mais en les reliant à la position des femmes dans les différentes sociétés : « Mais admirez ici l'influence des mœurs. Il semble qu'elle devienne la base de tout. Vous allez à Constantinople et là vous trouvez des murs hauts et épais, des voûtes surbaissées, des petites portes […]. Il semble que plus un édifice, une maison ressemble à une prison, plus elle soit

belle. C'est qu'en effet ce sont des prisons que les maisons où une moitié de l'espèce humaine renferme l'autre » (lettre à Sophie Volland [2 septembre 1762, *Correspondance*, éd. cit., t. IV, p. 130).

120. Diderot, *Correspondance*, éd. cit., t. III, p. 145, 15 octobre. L'irrégularité de l'art chinois a été l'une des causes de sa popularité au XVIIIe siècle.

121. Jacques Chouillet (1973) a montré l'importance de la perception des rapports dans l'esthétique de Diderot. Le principe apparaît dans le premier mémoire de ses *Mémoires sur différents sujets de mathématiques*, 1748, les « Principes généraux d'acoustique ». Diderot part du problème des différences de goût musical, pour proposer que « le plaisir musical consiste dans la perception des rapports des sons » (DPV II, 236). Le *Journal des savants*, dans une discussion des *Mémoires sur différents sujets de mathématiques*, relève la remarque pour la comparer au « célèbre clavecin des couleurs », juin 1749, p. 212. La relation que pourrait avoir cette théorie avec Rameau n'est pas claire à présent.

La vieille relation entre proportion en architecture et en musique est retravaillée à la même date par un architecte maintenant oublié : Briseux. Il écrit en 1752 un *Traité du beau* où il associe la vue et l'ouïe. Le plaisir dépendant de ces deux sens émane de « la perception des rapports harmoniques comme étant analogues à notre constitution et [...] ce principe a lieu, non seulement dans la musique mais encore dans toutes les productions des arts » (p. 45). Diderot lui-même, dans l'article « Beau » du deuxième volume de l'*Encyclopédie*, développe cette thèse, en la distinguant avec soin des arguments habituels qui justifient l'existence de Dieu par l'harmonie de l'univers : « le *beau* n'est pas toujours l'ouvrage d'une cause intelligente [...] le mouvement établit souvent, soit dans un être considéré solitairement, soit entre plusieurs êtres comparés entre eux, une multitude prodigieuse de rapports surprenants » (*Œuvres esthétiques*, éd. cit., p. 435).

122. Termes techniques d'architecture et de décoration intérieure ; J. Chouillet remarque que Diderot fait dériver ces éléments de la nature et que Rousseau a « vivement critiqué cet aspect des théories de Diderot », DPV, t. IV, n. 189.

123. L'idée du mouvement et de la progression presque insensible qu'exprime Diderot ne semble pas avoir beaucoup en commun avec la notion classique de la proportion.

124. La première édition donne la variante « vie ».

125. *Mémoires sur différents sujets de mathématiques*, 1748, les « Principes généraux d'acoustique ». Il est intéressant que le *Journal des savants*, dans son compte rendu des *Mémoires* de Diderot, relève le principe de la perception des rapports et insiste sur l'extension que Diderot lui donne (juin 1749, p. 202).

126. Diderot suggère ici une source pour le chapiteau de l'ordre ionique en architecture : le temple du dieu Khnum (PM), représenté par un homme à tête de bélier.

127. Diderot semble ici laisser à ses idées toute liberté, afin qu'elles se disséminent. Ailleurs, dans une phrase justement célèbre du *Neveu de*

Rameau, « Moi » proclame : « Mes pensées, ce sont mes catins » : ce rapport avec les idées, dont le moteur est le désir, se définit comme une relation qu'on peut prendre puis laisser. Somme toute, le commerce que Diderot entretient avec sa vie intérieure et intellectuelle est très variable.

128. Boileau, *Art poétique*, chant I, v. 107-108 (JC).

129. « Monstre horrible, sans forme, démesuré, à qui la lumière fut ravie », *Énéide*, III, v. 658.

130. « Hurlant avec l'aînée des Saganas [sorcières] […] on aurait pu voir errer les serpents et les chiennes infernaux […] de quelle manière les ombres, dont les paroles alternaient avec celles de Sagana, faisaient entendre un murmure sinistre et aigu », Horace, *Satires*, I, VIII, v. 25, 34-35, 40-41.

131. Au XVIIIᵉ siècle, la notion d'imitation a valeur de contenu pour les arts en général et même pour la musique : « Toute Musique et toute Danse doit avoir un sens » (Batteux [1746], p. 268) ; « Partout où il n'y a point d'imitation, il n'y a point de Musique. Croire que cet Art puisse consister dans une suite de sons qui ne représentent rien, c'est croire que la Peinture peut consister dans un assemblage de couleurs sans dessein et le langage dans une suite de mots sans idées » (Garcin, *Traité du mélodrame*, 1772, p. 60-61). D'où l'importance de la musique vocale : la question de Fontenelle « Sonate, que me veux-tu ? » est répétée tout au long du siècle (Hobson M., *The Object of Art, the Theory of Illusion in eighteenth Century France*, Cambridge, Cambridge University Press, 1982, chap. XI).

132. Vernet a peint plusieurs toiles intitulées *Marine, la nuit* (Louvre, Avignon). Dans sa correspondance avec le père Castel autour de sa *Lettre*, Diderot reprend la même phrase pour distinguer l'impression produite par l'objet réel de l'impression produite par l'art, à la faveur de cette dernière. Un des arguments pour la croyance religieuse voulait que la beauté du monde dépassât toute beauté artistique. Diderot réfute cette supériorité de la nature en affirmant dans la lettre : « Quant à la *Nuit* de Vernet, je conviens que, toute admirable qu'elle était dans son tableau, elle n'avait ni la majesté ni le pathétique de la nature ; ce qui signifie tout au plus que mon exemple est mal choisi, mais ce qui n'empêche pas mon principe d'être vrai. Il est certain, je crois, que toutes les fois que le plaisir réfléchi se joindra au plaisir de la sensation, je dois être plus vivement affecté que si je n'éprouvais que l'un ou l'autre » (*Correspondance*, éd. cit., I, 130). Il reprend le même exemple dans l'article « Beau » de l'*Encyclopédie*.

133. Expression d'une incompatibilité entre sensibilité et contrôle de soi qui sera développée pleinement par Diderot dans son *Paradoxe sur le comédien* et son *Rêve de d'Alembert*.

134. Diderot prévoit ici un développement important dans l'esthétique de la deuxième moitié du siècle : le pôle se déplace du théâtre vers la musique, et la stimulation des sentiments des auditeurs revêt une importance toute nouvelle.

135. Opéra de Rameau, paroles de Cahusac, représenté en 1749. L'acte IV, où sont rendues les passions de la haine et de la jalousie, est le plus

dramatique. D'Alembert, partisan de Rameau à cette date, l'admirait beaucoup (Girdlestone C., *Jean-Philippe Rameau, his Life and Work*, New York, Dover Publications, 1969, p. 278).

136. Ces *Observations* font partie de la polémique entre le P. Berthier et Diderot autour de la *Lettre* et l'*Encyclopédie*. Voir *Correspondance*, éd. cit., I, p. 263-267.

137. Le « sublime de situation » est devenu le « sublime de geste » (JC).

138. J. Chouillet remarque que le choix de ces trois philosophes, un empiriste, un sceptique et un rationaliste, « englobe toute la métaphysique ».

139. Locke, *Essay concerning Human Understanding* (1690), III, chap. x.

140. Allusion aux *Lettres sur la phrase française* de Batteux ; voir son *Cours de belles-lettres*, 1747-1750.

141. Voir la notice « Les grammairiens-philosophes », p. 212.

142. Prédicateurs de la fin du XVIIᵉ siècle.

143. *Iliade*, XVII, v. 645-647.

144. Diderot revient à cette querelle avec Berthier dans sa *Réfutation d'Helvétius* (éd. Lewinter, vol. 9, p. 634).

145. Enseignait la rhétorique à Constantinople au XIIᵉ siècle ; auteur de commentaires sur l'*Iliade* et l'*Odyssée*.

146. *Iliade*, XVII, v. 648.

147. Personnage de la *Jérusalem délivrée*.

148. Le Tasse, *Jérusalem délivrée*, XIX, v. 9-10.

149. « [Que ces réflexions ne vous oppriment pas,] Je vivrai sans honneur et ne serai personne nulle part », Épictète, *Enchiridion [Manuel]*, chap. XXIV (JC).

150. Poème épique de Voltaire ; Diderot rattache ici sa *Lettre* et les « additions » à la querelle des Anciens et des Modernes (voir la notice sur « Les querelles littéraires », p. 229).

151. Allusion à La Fontaine.

152. Comme le remarque J. Chouillet, ce sont trois jésuites : le P. Jean Hardouin, le P. Athanase Kircher, le P. Denis Petau.

DOSSIER

1. BUFFON (1707-1788)

Les relations avec Diderot sont certaines, mais mal attestées. Lors de son arrestation en 1749, Diderot donne entre autres le nom de Buffon comme pouvant répondre de lui. Il est difficile de dire à quand remonte leur connaissance. Dans le *Salon de 1767*, Diderot raconte une histoire polissonne qui semble provenir de la jeunesse de Buffon, et que celui-ci lui a peut-être narrée. Dans la prison de Vincennes, Diderot lisait les trois premiers volumes de l'*Histoire naturelle* qui venaient de sortir. Dans le troisième tome de cette œuvre, Buffon insère une note invitant le lecteur à lire la *Lettre sur les aveugles*.

L'activité de Buffon au Jardin royal a sans doute attiré l'attention de Diderot lorsqu'il préparait l'*Encyclopédie* ; il y a peut-être suivi des cours publics de botanique. Le professeur de botanique en 1745 était Antoine de Jussieu, le sous-démonstrateur de l'extérieur des plantes était Bernard de Jussieu [1], qui est un des signataires pour la candidature de Diderot à la Société royale de Londres. Dans la *Lettre sur les aveugles*, les points de contact avec les intérêts de Buffon sont nombreux. La mention fréquente des miroirs, par exemple, s'explique peut-être parce qu'ils faisaient l'objet d'une série d'expériences [2]. Le miroir donne accès à un espace qui n'est pas intégré pour autant dans l'expérience intentionnelle [3].

---

1. Roger J., *Buffon,* Paris, Fayard, 1989, p. 93.
2. Voir *Histoire de l'Académie royale des sciences, 12 avril l747* (1751, p. 82-102) et aussi l'article « Art » dans l'*Encyclopédie* (t. I, 1751).
3. Voir Dokic J. et Pacherie E., « Percevoir l'espace et en parler… », dans *Voir*, n° 19, 1999, p. 32.

Diderot semble partager l'inimitié de Buffon pour Réaumur, ce qui aboutit finalement, en 1759, à une querelle sur l'authenticité des planches en préparation pour l'*Encyclopédie* [1]. Mais l'animosité ne repose pas seulement sur l'amour-propre et le succès mondain, elle porte aussi sur des enjeux plus proprement scientifiques. Réaumur et Buffon poursuivent des types de recherche biologique entièrement différents. Observateur méticuleux, chrétien confirmé, Réaumur a à son compte des découvertes importantes : la parthénogenèse des puces ; la régénération des pattes des écrevisses. Buffon, lui, s'impose surtout par son travail d'accumulation de connaissances et par son rôle institutionnel.

À leur point le plus haut – le discours de Saunderson mourant –, la *Lettre sur les aveugles* et la pensée de Diderot se tournent vers la spéculation biologique. Un trait surtout leur manque pour faire le pas vers le lamarkisme et le darwinisme : que les espèces et pas seulement les individus puissent avoir une histoire. Dans la vision de Saunderson, les individus naissent et meurent plutôt que les espèces. Pourtant le concept de la disparition des espèces était envisagé : on reconnaissait les cornes d'Ammon (les ammonites) comme une espèce éteinte et les os des mammouths semblaient suggérer que ces animaux gigantesques avaient eu le même sort [2]. Diderot lui-même parlera de ce problème dans ses *Pensées sur l'interprétation de la nature* [3].

C'est sans doute au sujet de l'infini que le contact de Diderot avec Buffon est le plus net. Buffon traduit *La Méthode des fluxions et des suites infinies* (1740). C'est un texte de Newton publié pour la première fois en 1736, donc bien après sa rédaction, dans une version anglaise par John Colson [4].

Buffon dès sa jeunesse refuse d'attribuer un sens à l'infini – comme en témoigne son travail mathématique sur le « problème de l'aiguille », *Mémoire sur le jeu de franc-carreau*, de 1733 [5]. Son traitement géométrique des probabilités se dispense de l'infini en substituant à un ensemble infini de points

---

1. Voir Wilson A.-M., *Diderot, sa vie, son œuvre, op. cit.*, chap. XXVII.
2. Voir Buffon, *Histoire naturelle* (1749), t. I, *Théorie de la terre*, article 8.
3. 1754, pensée 58, éd. L. Versini, I, 1994, p. 596-599.
4. Ce même John Colson rédige le préambule aux *Éléments d'algèbre* de Saunderson (1740).
5. Roger J., *Buffon, op. cit.*, p. 37.

la mesure d'une surface finie ; en d'autres termes, il substitue la géométrie au calcul [1].

> Quelques géomètres nous ont donné sur l'infini des vues diffé-rentes de celles des Anciens, si éloignées de la nature des choses, qu'on les a méconnues jusque dans les ouvrages de ces grands hommes [2].

C'est une attaque contre certains des successeurs de Newton, les « infinitaires », comme Diderot les appelle, après Fonte-nelle, dans la *Lettre sur les aveugles*. Buffon refuse absolument le « réalisme mathématique » – les nombres « ne sont que des repré-sentations, et n'existent jamais indépendamment des choses qu'ils représentent » (p. IX). La notation mathématique ne leur donne pas de réalité [3]. Newton affirmait la supériorité de sa méthode des fluxions, contre le calcul infinitésimal leibni-zien, parce qu'il n'utilisait pas de quantités infiniment petites mais des proportions en changement constant [4].

> Leibniz par contre niait que ses quantités fussent des infiniment petits, mais affirmait qu'elles étaient incomparablement ou indéfi-niment petites, et plus grandes qu'une grandeur donnée [5].

Il nous semble que l'intervention de Buffon dans la ques-tion de la nature de l'infini est plus importante qu'on l'a reconnu jusqu'ici. L'infini pour Buffon n'est donc jamais actuel, jamais positif ; ce n'est qu'une « possibilité d'augmen-tation ou de diminution sans bornes en quoi consiste la véri-table idée qu'on doit avoir de l'infini [6] ».

Dossier

---

1. Hanks L., *Buffon avant l'« Histoire naturelle »*, Paris, PUF, 1966, p. 116.
2. Newton I., trad. Buffon G.L., *La Méthode des fluxions et des suites infimes*, Paris, chez de Bure l'aîné, 1740, p. VII.
3. Cette position de Buffon nous paraît influencée par les critiques de Berkeley, qui est un nominaliste et qu'il cite ; Buffon connaît la querelle des mathématiciens anglais Robbins et Jurin autour de 1735 et aussi le texte de Berkeley contre les mathématiciens, *The Analyst : A Discourse addressed to an infidel Mathematician* (1734).
4. Cajori F., *A History of the Conceptions of Limits and Fluxions in Great Britain from Newton to Woodhouse*, Chicago-Londres, The Open Court Publishing Company, 1919.
5. Hall A.R., *Philosophers at War, the Quarrel between Newton and Leibniz*, Cambridge, Cambridge University Press, 1980, p. 213.
6. Buffon G.L., *La Méthode des fluxions, op. cit.*, p. VIII.

2. CHESELDEN (1688-1752)

C'est le Français Brisseau qui avait montré après Léonard de Vinci (et Gentile da Foligno) que la cataracte était attachée au cristallin, sans lequel on pouvait encore voir. L'opération conduite par Cheselden est rapportée dans les *Philosophical Transactions* de la Royal Society of London, nº 402 ; c'est Voltaire qui la fit connaître en Europe. Le jeune homme dont les cataractes avaient été « couchées » par Cheselden était, nous dit Robert Smith, « très étonné que les choses qui lui avaient le plus plu n'étaient pas les plus agréables à la vue [1] ». Il aurait eu des difficultés à distinguer visuellement son chien de son chat, ce qui faisait rire sa famille ; à un moment où il se croyait seul, il aurait pris son chat, l'aurait caressé et examiné avec soin et, le remettant par terre, aurait dit : « Maintenant, minou, je te reconnaîtrai la prochaine fois. »

Le grand oculiste français Jacques Daviel trouva une nouvelle méthode : au lieu d'« abaisser » une cataracte, en couchant le cristallin à l'intérieur de l'œil, il faisait passer celui-là devant l'iris puis ouvrait la cornée pour l'en extraire [2].

3. CONDILLAC (1715-1780)

Condillac a été l'ami de Diderot et de Rousseau [3] pendant les années 1740. Ses deux premiers livres datent de l'époque de leur amitié. Le premier est l'*Essai sur l'origine des connaissances humaines : ouvrage où l'on réduit à un seul principe tout ce qui concerne l'entendement* [4]. Son deuxième

---

1. Smith R., *A Compleat System of Optics* (1738), t. I, p. 80.
2. Pour une très belle illustration, voir Pouliquen Y., « L'opération de la cataracte au XVIIIᵉ siècle », *Voir*, nº 19, 1999, p. 78-87 ; p. 81.
3. Voir *Les Confessions* de Rousseau, GF-Flammarion, 1968, t. II, livre VII, p. 91-93.
4. 1746. Le sous-titre de la première édition ressemble au titre du livre attaqué par Diderot dans la *Lettre sur les sourds et muets*, de l'abbé Batteux, de 1746, *Les Beaux-Arts réduits à un même principe*, et permet de mieux comprendre la relation entre les deux *Lettres* de Diderot.

livre, *Le traité des systèmes, où l'on en démêle les inconvénients et les avantages* [1], développe l'introduction à l'*Essai*, dans laquelle il cherchait à contraster sa propre démarche avec celle des « métaphysiciens », à démêler non la nature de l'esprit humain, mais ses opérations. C'est la « liaison des idées » qui fait du besoin non simplement une forme de nécessité, mais une des forces d'adaptation chez l'homme. Son premier livre a pu paraître comme un démarquage plat de Locke ; c'est une injustice, car il insère le langage parmi les opérations fondamentales d'une façon plus simple mais plus véhémente que le philosophe anglais, ce qui a eu des conséquences importantes en France. Il montre « comment nous avons contracté l'habitude des signes de toute espèce », ce qui le mène à faire non seulement une histoire du langage, mais aussi des arts. À partir de cette nécessité des signes arbitraires pour l'esprit, il montre comment ont été produits tous « les arts qui sont propres à exprimer nos pensées ; l'art des gestes, la danse, la parole, la déclamation, l'art de la noter, celui des pantomimes, la musique, la poésie, l'éloquence l'écriture et les différents caractères de langues [2] ».

Condillac voulait expliquer le développement des fonctions de l'esprit sans lui supposer une activité originaire autre que la sensation. La mémoire, l'attention et les autres capacités se développent à partir de là. Mais très tôt dans sa narration, les signes interviennent, qui donnent à l'homme la capacité de se libérer de son environnement. La grande force de ce texte réside dans cet aperçu génial.

Dans la *Lettre sur les aveugles*, Diderot s'amuse à suggérer que, comme chez Berkeley (que Condillac n'aurait pas lu en 1746), la philosophie de Condillac ne dispose que de la force de l'impression que crée le monde extérieur pour distinguer le réel des sentiments intérieurs. Il nous semble également qu'il laisse entendre à son lecteur que les opinions des deux philosophes sur le langage mériteraient une comparaison.

Dossier

---

1. 1749.
2. Condillac É. de, introduction à l'*Essai sur l'origine des connaissances humaines*, in *Œuvres*, éd. G. Le Roy, Paris, PUF, p. 4.

4. DIDEROT ET LA SOCIÉTÉ ROYALE DE LONDRES

La Société royale est une association d'érudits et de scientifiques fondée en 1660. Elle était (et reste) d'une très grande distinction intellectuelle. D'Alembert en était membre depuis 1748 ; L. de Jaucourt, qui a étudié à Cambridge, devait y être élu le 8 janvier 1756. D'Hémery, inspecteur de la librairie, a noté dans son journal que la Société en voulait à Diderot de ce qu'il avait fait mourir athée un des leurs, Nicholas Saunderson, à un tel point qu'elle lui ferma définitivement ses portes [1].

Il est vrai que Diderot a été proposé comme membre le 11 juin 1752. La proposition était appuyée par une élite scientifique remarquable [2] :

> [...] recommandant M. Diderot, membre de l'association royale des Sciences et Belles Lettres de Berlin, signée M. Folkes, Sallier, Buffon, La Condamine, Clairaut, D'Alembert, Grandjean, Defouchy, Lemonier, Bernard de Jussieu, Cassini de Thury, Godin, J. Parsons, Walmseley, Needham, Thos. Birch [3].

Il manquait de chance. Martin Folkes, le président et co-signataire de la proposition, était sur son lit de mort ; Samuel Clarke, fils du même Samuel Clarke mentionné comme déiste dans la *Lettre*, et l'évêque de Bangor venaient d'être nommés au conseil ; on peut facilement croire qu'ils se sont opposés à l'élection de Diderot.

Le 14 décembre 1752, « monsieur Taylor White fit une motion qui recommandait au conseil de la Société de considérer s'il n'était pas opportun d'ordonner qu'aucun étranger ne soit proposé pour l'élection dans leur Société avant d'avoir été approuvé par le conseil » (f. 204), proposition qui à notre avis donne raison à la note de d'Hémery. Et le 8 février 1753, « la candidature de M. Diderot de Paris a été également mise aux voix, mais comme il n'apparaissait pas qu'il y ait un nombre suffisant de suffrages en sa faveur, on a prié ses amis

---

1. Voir Wilson A.-M., *Diderot, sa vie et son œuvre, op. cit.*, p. 108.
2. Voir Strugnell A., « La candidature de Diderot à la Société royale de Londres », *Recherches sur Diderot et l'« Encyclopédie »*, t. IV, 1989, p. 37-41.
3. *Journal Books*, XXI, 1748-1751, f. 175, le 11 juin 1752.

de lui faire savoir que la Société n'avait pas encore pris suffisamment la mesure de son mérite » (f. 247). Cependant, on peut se demander si Diderot avait été refusé comme membre de la Société royale non pour avoir mis en doute l'orthodoxie d'un des leurs, mais pour avoir deviné juste. Le philosophe Berkeley avait déclenché un mini-scandale par son texte aussi spirituel que savant, *The Analyst : a Discourse addressed to an infidel Mathematician* (1734), qui associait incroyance et mathématiques.

5. L'ENSEIGNEMENT DES SOURDS-MUETS
AUX XVIIᵉ ET XVIIIᵉ SIÈCLES

Cette histoire méconnue encore récemment donne des rôles importants à des personnages fascinants : au XVIIᵉ siècle, Franciscus Mercurius von Helmont, John Wallis, et George Dalgarno et, au XVIIIᵉ siècle, l'abbé de l'Épée et Jacob Rodriguez Pereire [1].

Von Helmont rapproche l'hébreu du langage des sourds-muets. L'écriture hébraïque représente la position de la langue dans la prononciation ; le sourd-muet peut donc la lire et la prononcer. Mais cette théorie suppose que l'hébreu, langue originelle, est intuitivement connu. Dalgarno envisage des systèmes de signes qui diffèrent selon les sens de celui qui les perçoit : le toucher, l'ouïe, la vue et, pour le sourd-muet, le toucher et la vue.

Pour John Wallis, le langage est un corpus de concepts que peuvent représenter au même titre l'écriture et la parole ; il cite en exemple l'écriture chinoise et les chiffres. Il sépare très clairement le problème physiologique, à savoir, apprendre à un sourd à prononcer des mots qu'il n'entend pas, du problème intellectuel : comprendre la signification des « mots parlés ou écrits, par lesquels il pourra exprimer son propre

---

1. Voir les travaux récents de Rée, 1999, et Schløsler, 1997 (cf. Bibliographie, p. 256).

sens et comprendre la pensée des autres ». Sans cette compré
hension, le sourd-muet est comme un compositeur qu
imprime des caractères sans en connaître le sens.

Pereire avait, vers 1750, remporté des succès éclatants dan
l'éducation des sourds-muets. Diderot (comme Rousseau e
tous les lecteurs du *Mercure de France* ou du *Journal de.
savants*) connaissait son activité. Il paraît même possible
d'après l'allusion de la *Lettre à Mademoiselle... [de L.
Chaux]*, qu'il ait connu le plus intéressant des élèves d
Pereire, Saboureux de Fontenay.

Pereire classifiait les degrés de surdité et, si celle-ci le per
mettait, enseignait à parler. Ses résultats remarquables éton
naient ses contemporains. À l'encontre de l'abbé de l'Épée, i
n'avait jamais qu'un ou deux élèves à la fois, et ne faisait pa
comme lui œuvre de charité. Il ne comptait pas sur l'apprentis
sage de la parole, mais sur deux notations, l'écriture et u
alphabet manuel. C'est ainsi que ses élèves apprenaient surtou
par les livres. En rendant ses notations tributaires d'une langu
existante, il intégrait l'enfant à une culture et permettait ains
le développement d'une créativité linguistique. Roussea
commente dans son *Essai sur l'origine des langues* :

> Le sieur Pereyre, et ceux qui comme lui, apprennent aux muet
> non seulement à parler mais à savoir ce qu'ils disent, sont bie
> forcés de leur apprendre auparavant une autre langue non moin
> compliquée, à l'aide de laquelle ils puissent leur faire entendr
> celle-là [1].

L'« autre langue » n'est rien d'autre qu'une autre notatio
de la même langue.

L'abbé de l'Épée n'a commencé son travail qu'en 1759. S.
théorie supposait à la fois l'existence d'une langue gestuell
universelle et la possibilité d'une traduction parfaite. Sa pra
tique consistait à enseigner les gestes, universels et donc natu
rellement compréhensibles selon lui, puisque la désignatio
par le geste fonde le sens dans toute langue. Ses sourds-muet
apprenaient à transcrire en latin ou en français le discours ges
tuel. « Ils ne pouvaient d'eux-mêmes former une propositio

---

1. Rousseau J.-J., *Essai sur l'origine des langues...*, éd. J. Starobinski, Paris
Gallimard, Folio, 1990, p. 64.

liée, fût-ce même la description d'un objet sensible », commentait le baron de Gerando [1].

6. LE GÉNIE DES LANGUES

La question de l'ordre « inversé » des mots dans la phrase latine [2] avait conduit Diderot et ceux qui l'avaient précédé dans la réflexion sur l'inversion à discuter la considération de ce que de nos jours on appelle la relativité linguistique.

D'Alembert exemplifie ce développement par le titre qu'il donne à son paragraphe sur l'inversion dans ses *Éléments de philosophie* : « Éclaircisissement sur l'inversion, et à cette occasion sur ce qu'on appelle le génie des langues [3] ». Il définit le génie des langues comme l'effet du vocabulaire, de la syntaxe et de la morphologie. Comme Diderot, comme beaucoup d'autres critiques, il parle du travail de simplification qui s'est opéré sur le français à travers son évolution, avec des résultats néfastes pour la poésie [4]. Mais d'Alembert pousse la comparaison entre les langues jusqu'à une conséquence plus profonde : « l'usage fait connaître tous les jours qu'il est certaines idées ou plutôt certaines nuances d'idées, qu'une langue exprime, et qui manquent à une autre, même beaucoup plus riche d'ailleurs [5] ».

Pour Batteux, l'ordre dans la phrase dépend à la fois de la langue naturelle et d'un arrangement objectif des choses dans la nature. L'inversion a donc une signification réelle :

L'arrangement des objets dans la nature doit servir de modèle à l'arrangement des idées, et conséquemment à celui de mots [6].

---

1. La Rochelle E., *Jacob Rodrigues Pereire, premier instituteur des sourds-muets en France, sa vie, ses travaux* (1882), p. 311.
2. Voir *infra* la notice « Les grammairiens-philosophes », p. 212.
3. Alembert J. Le Rond d', *Éléments de philosophie*, in *Œuvres complètes*, 5 vol., Paris, A. Belin, 1821, t. I, § X, p. 246.
4. *Ibid.*, p. 259. Voir aussi *infra* la notice « Les querelles littéraires », p. 229.
5. *Ibid.*, p. 259.
6. *Les Poésies d'Horace, traduites en français* (1763), 2 vol., Paris, Desaint et Saillant, t. I, p. XII.

Il devrait en découler la conclusion d'une relativité dans la pensée aussi bien que dans la langue. Mais Batteux ne la tire pas, même s'il s'intéresse de très près aux conditions de la traduction.

Diderot, comme d'Alembert, tire les conséquences suivantes d'une comparaison de l'ordre dans différentes langues : le français, par sa rigueur et sa sobriété, communique mieux que d'autres langues la pensée ; il représente un stade avancé du développement de la capacité analytique de l'homme :

> La communication de la pensée étant l'objet principal du langage, notre langue est de toutes les langues la plus châtiée, la plus exacte et la plus estimable ; celle en un mot qui a retenu le moins de ces négligences que j'appellerais volontiers des restes de la *balbutie* des premiers âges. [...] J'ajouterais volontiers que la marche didactique et réglée à laquelle notre langue est assujettie la rend plus propre aux sciences ; et que par les tours et les inversions que le grec, le latin, l'italien, l'anglais se permettent, ces langues sont plus avantageuses pour les lettres [1].

Mais il y a plus : la *Lettre sur les sourds et muets* développe une dissociation entre la pensée et le langage qui est loin d'être simple. Dans les théories classiques de la relation, la pensée précède l'expression linguistique, qui opère comme un simple vêtement. Chez Diderot, pensée et langue sont décalées et peuvent s'influencer réciproquement, mais d'une manière qui n'est pas stable. La pensée peut suivre la langue empruntant des voies d'expression qu'offre l'idiome particulier qu'on utilise ; ou bien, la pensée est multiple et simultanée, et c'est la langue qui l'analyse et qui, par l'acte d'expression, la linéarise. Si l'on met ensemble ces différentes remarques, il semble que non seulement les possibilités d'expression diffèrent selon les langues, mais que la pensée exprimée doit aussi différer.

C'est en Allemagne surtout que la question du « génie des langues » a été explorée [2]. Michaëlis écrit déjà en 1762 une dissertation « De l'influence des opinions sur le langage, et du langage sur les opinions », pour le concours de l'Académie de

---

1. P. 113.
2. Voir Ricken U., *Linguistics, Anthropology and Philosophy in the French Enlightenment : Language, Theory and Ideology*, Londres-New York, Routledge, 1994, chap. XIII.

Prusse en 1759 ; les critiques Herder [1] et Hamann [2] examinent les caractéristiques des langues européennes et classiques ; et Wilhelm von Humboldt rédige *Sur le langage : la diversité de la structure du langage humain et son influence sur le développement mental de l'humanité* (1836-1839), où il est affirmé que la différence entre les mentalités s'ancre dans la différence linguistique. Il est habituel d'invoquer, comme intermédiaire entre ce très important courant de la pensée allemande, le Diderot de la *Lettre sur les sourds et muets* et le personnage de Dominique Garat comme charnière [3] ; il nous semble que pour le moment, le détail manque pour parler avec certitude de cette influence.

Batteux, dans son *Cours de belles-lettres* (1747-1748), explique par le « génie des langues » leurs différentes évolutions : ce sont le manque de vocabulaire, la faiblesse ou l'inflexibilité de la langue qui la forcent dans un effort de compensation et de développement [4].

Diderot affirme que

> nous pouvons mieux qu'aucun autre peuple faire parler l'esprit, et que le bon sens choisirait la langue française ; mais que l'imagination et les passions donneraient la préférence aux langues anciennes et à celles de nos voisins. Qu'il faut parler français dans la société et dans les écoles de philosophie ; et grec, latin, anglais dans les chaires et sur les théâtres : que notre langue sera celle de la vérité, si jamais elle revient sur la terre ; et que la grecque, la latine, et les autres seront les langues de la fable et du mensonge. Le français est fait pour instruire, éclairer et convaincre ; le grec, le latin, l'italien, l'anglais pour persuader, émouvoir et tromper ; parlez grec, latin, italien au peuple, mais parlez français au sage [5].

---

1. Par exemple dans « Sur la diligence en plusieurs langues érudites ».
2. Par exemple dans ses critiques de Michaëlis, « Essai sur une question académique », et de Kant, « Métacritique sur le purisme de la raison » (1784).
3. Voir Aarsleff H., dans Humboldt W. von, *On Language : the Diversity of Human Language-structure and its Influence on the Mental Development of Mankind* (1836), Cambridge, Cambridge University Press, 1988, et Ricken U., *Linguistics, Anthropology and Philosophy in the French Enlightenment : Language, Theory and Ideology, op. cit.*
4. Batteux Ch., *Cours de belles-lettres* (1753), Paris, Desaint et Saillant, t. IV, p. 324.
5. P. 114.

Dossier

7. LES GRAMMAIRIENS-PHILOSOPHES

C'est ainsi qu'on désigne d'habitude les savants qui, dans l'*Encyclopédie*, ont rédigé les articles sur le langage et la grammaire : surtout Dumarsais et Beauzée, auxquels il faut sans doute ajouter Jaucourt. Nous n'avons pu trouver avec certitude l'origine du sobriquet. Comme l'a remarqué P.-H. Meyer [1], Diderot corrigeait les épreuves du premier volume de l'*Encyclopédie*, où paraissent des articles importants sur le langage, au moment où il rédigeait la *Lettre sur les sourds et muets*.

DUMARSAIS (1676-1756)

De loin le plus important et le plus original du groupe, selon une notice du XIXᵉ siècle, il est mort « sans biens, sans honneurs, sans qu'aucune société savante ait daigné l'accueillir » : son *Des tropes* est encore disponible aujourd'hui en librairie. Tous ses intérêts se rattachent. Enseigner le latin, classifier les tropes de la rhétorique, expliquer la logique, toutes ces activités selon lui se lient et se répondent. Dumarsais considère les figures et tropes comme essentiels à la grammaire, c'est-à-dire dans son optique, à la création de la signification.

C'est surtout lui qui, dans la querelle sur l'inversion et sur la question de savoir si « l'ordre naturel » de la phrase appartient au latin ou au français, a défendu l'idée que c'est dans l'ordre français qu'on trouve l'ordre logique. Pourtant, avant Batteux, que Diderot attaque dans la *Lettre sur les sourds et muets*, Dumarsais nie que l'ordre latin soit « arbitraire », libre. Mais contre Batteux il affirme que les mots ne suffisent pas pour créer la signification :

En quelque langue que ce soit, ancienne ou moderne, la seule signification des mots ne suffit pas pour faire entendre une phrase ; il faut de plus bien connaître les signes de chaque sorte de rapport différent que les mots ont entre eux dans cette phrase.

---

1. PM, p. 126.

parce que ce n'est que par ces rapports que les mots font un sens ;
nous n'entendons ce qu'on nous dit que par la perception de ces
rapports [1].

Que Dumarsais utilise l'expression « perception des rapports », si importante pour Diderot à l'époque de la *Lettre sur
les sourds et muets*, suggère que les grammairiens-philosophes et Diderot développent une théorie implicite de l'activité mentale qui fait peut-être délibérément contrepoids à un
concept de Condillac, la « liaison des idées ».

Contre Batteux, Dumarsais affirme donc que l'orateur ne
« présente » pas simplement des « objets » à ses auditeurs.

> Il les a présentés avec le signe destiné, par l'usage de sa langue,
> à marquer les vues de l'esprit, sous lesquelles il voulait que ses
> mots fussent considérés, sous lesquelles ils le sont en effet ; quand
> l'orateur a prononcé toute la phrase, l'esprit de celui qui a entendu
> les place par un simple regard, dans l'ordre significatif [2].

La communication n'est donc pas donnée, mais produite par
une série de relations qu'il s'agit de rétablir pour comprendre.
Dans chaque langue il y a deux formes de construction gram-
maticale, l'une, la « construction usuelle », ou « construction
élégante », l'autre la « construction analogue » ou « ordre significatif », ou encore « ordre analogue et successif » ; la phrase ne
fait sens que par cet ordre analogue [3].

> Les rapports ou vues de l'esprit que les Latins marquaient par
> les différentes inflexions ou terminaisons d'un même mot, nous
> les marquons, ou par la place du mot, ou par le secours des
> prépositions [4].

1. Dumarsais C.C., *Œuvres complètes* (1798), Paris, Duchosal et Millon,
t. III, p. 344.
2. *Ibid.*, p. 345-346.
3. Chomsky N., *La Linguistique cartésienne : un chapitre de l'histoire de la
pensée rationaliste, op. cit.*, rattache ces deux ordres à ses propres concepts
de structure de surface et structure profonde ; voir pourtant Ricken U.,
*Linguistics, Anthropology and Philosophy in the French Enlightenment :
Language, Theory and Ideology, op. cit.*, et Miel J., « Pascal, Port-Royal and
Cartesian Linguistics », *Journal of the History of Ideas*, XXX, 1969, p. 261-
272.
4. Dumarsais C.C., *Œuvres complètes, op. cit.*, t. IV, p. 17.

C'est par l'amplification et par le déchiffrement d'une expérience immédiate qu'opère le langage :

> Nous savons, par sentiment intérieur, que chaque acte particulier de la faculté de penser, ou chaque pensée singulière est excitée en nous en un instant, sans division, et par une simple affection intérieure de nous-mêmes [1].

Et le langage découpe cet instantané :

> Les mots sont en même temps, et l'instrument et le signe de la division de la pensée [2].

Diderot emprunte beaucoup à la pensée de Dumarsais, mais en y projetant une hypothèse historique. Pour Dumarsais, l'accès à l'ordre analogue se fait par sa proximité à l'ordre de la langue française. Diderot, au contraire, semble vouloir montrer que l'ordre abstrait, analogue, est inaccessible, que ce soit par introspection ou par expérimentation avec le sourd-muet de convention et, plus tard, avec le véritable sourd-muet. Selon Diderot, le développement des langues à travers l'histoire « enchaîne » l'esprit par la syntaxe :

> Combien notre entendement est modifié par les signes et que la diction la plus vive est encore une froide copie de ce qui se passe [3].

Là où, pour Dumarsais, il existe un ensemble ordonné de relations logiques préexistantes que l'on peut découvrir mais non construire, Diderot donne à l'activité de la langue à travers l'histoire un pouvoir muable et fragile.

BEAUZÉE (1717-1789)

À la mort de Dumarsais, Beauzée a continué la rédaction des articles sur la grammaire dans l'*Encyclopédie*. Il en a tiré sa *Grammaire générale ou Exposition raisonnée des éléments*

1. Dumarsais C. C., *Œuvres complètes, op. cit.*, t. V, p. 4.
2. *Ibid.*, t. V, p. 6.
3. P. 111.

nécessaires du langage, pour servir de fondement à l'étude de toutes les langues (1767). Diderot en fait un compte rendu élogieux pour la *Correspondance littéraire* en 1767 et en écrit un autre sur les *Synonymes français* de l'abbé Girard, que Beauzée avait augmenté en 1769. La théorie de Beauzée, ni aussi subtile ni aussi forte, reste loin derrière celle de Dumarsais.

Dossier

8. Les newtoniens de Cambridge

Deux des personnages de la *Lettre sur les aveugles* sont des proches ou des successeurs de Newton : Raphson et Saunderson. Raphson ne semble figurer que par son nom dans la table des matières mais l'apparence est trompeuse [1]. Saunderson, le géomètre aveugle, joue en revanche un rôle à l'évidence capital. Autour de ce personnage historique, Diderot concentre le faisceau de thèmes que sa *Lettre* a lancés : épistémologiques, mathématiques et métaphysiques.

Saunderson (1682-1739)

• Comment Diderot a-t-il entendu parler de Saunderson ?

Voltaire, au moment de la rédaction des *Éléments de la philosophie de Newton* (1738), s'intéresse de près aux mathématiciens de l'université de Cambridge [2]. Dans une lettre à Thiériot du 14 août 1738, il commande toute une cargaison de livres : non seulement le livre de Saunderson, posthume et non encore publié [3], mais aussi des livres de Roger Cotes [4] et

---

1. Voir *infra*, p. 220-222.
2. Le livre a une histoire textuelle compliquée : voir Voltaire, *Éléments de la philosophie de Newton* (1738), éd. Barber et Walters, Oxford, Voltaire Foundation, 1992.
3. Il le sera en 1740 seulement.
4. Mort en 1715.

de Robert Smith, *A Compleat System of Optics*, Cambridge, 1738 ; la même année R. Smith avait publié une édition de Cotes [1]. Il est à remarquer que Voltaire attribue à Saunderson une compréhension des couleurs :

> Le célèbre M. Saunderson est, je crois, cet aveugle qui comprend si bien la théorie des couleurs. Voilà un des prodiges que l'Angleterre porte chaque jour [2].

Diderot, lui, parle à peine de la théorie des couleurs ; il s'intéresse à l'aspect géométral de la vision, et pour lui la couleur affecte la perception visuelle de la forme.

Dans la lettre par laquelle Voltaire remercie Diderot de l'envoi de la *Lettre sur les aveugles*, et lui fait parvenir en retour un exemplaire de la réédition des *Éléments de la philosophie de Newton* de 1748, il s'inscrit en faux contre la tendance athée de la *Lettre* :

> Je vous avoue que je ne suis point du tout de l'avis de Saunderson, qui nie un dieu parce qu'il est né aveugle. Je me trompe peut-être mais j'aurais à sa place reconnu un être très intelligent qui m'aurait donné tant de suppléments de la vue, et en apercevant par la pensée des rapports infinis dans toutes les choses j'aurais soupçonné un ouvrier infiniment habile [3].

La réponse de Diderot paraît concorder avec Voltaire :

> C'est ordinairement pendant la nuit que s'élèvent les vapeurs qui obscurcissent en moi l'existence de Dieu ; le lever du soleil les dissipe toujours [4].

La nuit, dans cette lettre à Voltaire, représente d'abord l'absence de Dieu. Mais très vite Diderot met dans la bouche de son géomètre un autre discours, en se rappelant sa propre *Promenade du sceptique* de 1747 :

---

1. *Hydrostatical and Pneumatical Lectures*, Londres, 1738.
2. Voltaire, *Correspondance*, 2ᵉ éd., D1588, 14 août 1738, lettre écrite en anglais.
3. *Ibid.*, D3940, lettre du 10 juin 1749.
4. Diderot D., *Correspondance*, éd. cit., t. I, p. 76.

L'être corporel n'est pas moins indépendant de l'être spirituel, que l'être spirituel de l'être corporel ; qu'ils composent ensemble l'univers et que l'univers est Dieu [1].

Contrairement à sa *Promenade,* la lettre à Voltaire n'en reste pas à cette identification déjà classique de l'univers et de Dieu. D'une façon beaucoup plus forte, il passe à un monde sans ordre, qui n'est qu'un « vaste terrain de décombres jetées au hasard », où l'agencement perçu n'est qu'un effet de l'emploi qu'on fait de ces décombres. Instrumentalité et subjectivité seraient donc les engins par lesquels nous construisons l'ordre dans le monde. Ensuite, il rappelle à Voltaire que Saunderson sur son lit de mort se recommande au Dieu de Clarke, Leibniz et Newton, donc, par une espèce de pléonasme, au Dieu des déistes. Et l'ordre accessible aux hommes est celui du « beau et du bon » dans les œuvres humaines. L'action humaine est tout aussi déterminée que la chute d'une tuile qui tombe – toutes deux sont produites par un réseau de causes complexes mais inévitables.

Dès avant la réédition de ses *Éléments de la philosophie de Newton* de 1748, Voltaire avait commencé à se séparer nettement de la tendance incroyante dans la vie intellectuelle. Son attitude envers la science positive avait également changé. L'homologie entre le spectre des couleurs et les notes de l'échelle musicale, qui apportait une preuve supplémentaire de l'harmonie de l'univers, lui semble maintenant reposer sur une erreur [2]. Pour le Voltaire tardif, c'est le langage qui permet une analogie entre les couleurs et les sons [3]. Pendant une phase de sa vie, Voltaire adoptera également le déterminisme.

La police de l'époque rapporte une autre explication possible. Peu après l'arrestation de Diderot, elle note qu'un certain La Chapelle, auteur des *Institutions de géométrie* [4], prétendait que Diderot lui aurait « pris la conversation de Saunderson » qui est précisément « ce qu'il y a de plus fort sur la religion [5] ». La Chapelle raconte que « les ouvrages de Saunderson [lui] ont été communiqués par M. l'abbé Sallier,

---

1. Diderot, *Correspondance,* éd. cit., t. I, p. 77.

2. Voir Voltaire, *Éléments de la philosophie de Newton,* éd. cit., p. 131.

3. Voir *infra,* p. 225.

4. 2 vol., Paris, 1765, 1re éd., 1746.

5. Venturi F., *La Jeunesse de Diderot (1713-1753),* Paris, 1939, p. 373.

garde de la bibliothèque du Roi [1] ». Vraisemblablement, c'est de la même source que Diderot a eu communication de l'œuvre posthume de Saunderson. Dans son livre, La Chapelle fait suivre sa courte biographie de Saunderson par un paragraphe sur le toucher : « La porte de nos yeux est en quelque sorte trop grande pour ceux qui méditent. » Le toucher est plus abstrait et il ne nous donne qu'autant d'idées que nous voulons ; toucher c'est se mouvoir ; la vue est plus passive.

• L'œuvre de Saunderson

> Elements of Algebra in ten Books : by Nicholas Saunderson LLD Late Lucasian Professor of the Mathematics in the University of Cambridge and Fellow of the Royal Society, To which is prefixed an account of the Author's Life and Character, Collected from his most intimate Acquaintance, Cambridge, printed at the University Press and sold by Mrs. Saunderson at Cambridge, by John White, Bookseller at Boyles' Head in Fleet Street London, and Thomas Hammond, Bookseller in York, MDCCXL.

Parmi les souscripteurs figurent Voltaire et Jallabert, bibliothécaire de l'université de Genève.

Diderot exploite pleinement le récit de « la vie et caractère », comme de « l'arithmétique palpable déchiffrée » qu'il a trouvés dans ce texte. Ce faisant, il présente un personnage qui était, les lettres de Voltaire le montrent, extrêmement célèbre [2].

Saunderson est né en 1682 dans le Yorkshire et est devenu aveugle à un an à cause de la petite vérole. Adulte, il semble avoir vécu à Cambridge dans la suite d'un certain Joshua Dunn et avoir gagné sa vie en donnant des cours particuliers ; Whiston [3] lui a plus tard permis de donner des cours publics de mathématiques. Saunderson succède alors à Whiston comme Lucasian Professor [4], lorsque celui-ci est renvoyé pour socinianisme en 1710. Saunderson aurait reçu un jour la maîtrise nécessaire et le lendemain il obtenait la chaire, grâce à la

---

1. La Chapelle, *Institutions de géométrie*, éd. cit., t. II, p. 355.
2. Saunderson est mentionné dans deux livres d'esthétique que Diderot lira plus tard : Hogarth, *The Analysis of Beauty*, 1753, et Edmund Burke, *A Philosophical Enquiry into the Origin of our Ideas of the Sublime and Beautiful*, 1757, part 5, section v (« Words may affect without raising images »).
3. Voir *infra*, p. 222.
4. La chaire de Newton est celle qu'occupe de nos jours Stephen Hawking.

reine Anne. Ses *Éléments* sont, de toute évidence, un chef-d'œuvre pédagogique et il semble que c'est surtout dans ses cours que les étudiants ont découvert l'œuvre de Newton. Les « textes manuscrits » conservés dans la bibliothèque de l'université de Cambridge et celle du Christ's College sont des copies manuscrites de ses leçons, sans doute réalisées (et vendues ?) à l'intention des étudiants. Ils portent le nom des étudiants qui en étaient propriétaires.

Les thèmes de ses cours étaient ceux qu'énumère Diderot. Ce mathématicien, comme Whiston et Raphson [1], n'était pas un anglican orthodoxe – il parle par exemple dans ses cours d'habitants d'autres planètes. La *Biographia Britannica* [2] révèle sans commentaire que Saunderson est mort sans avoir communié :

> On supposait de lui qu'il n'avait pas une haute opinion de la religion révélée ; pourtant nous dit-on, il avait pris des dispositions pour recevoir le saint-sacrement la veille de sa mort, ce qu'un délire qui n'a pas cessé l'a empêché de faire. Quant à son caractère, on a bien observé que c'était un homme à admirer plutôt qu'à aimer. Il avait, c'est vrai, beaucoup d'esprit et de vivacité dans la conversation, de sorte que personne n'était un meilleur compagnon ; mais comme son prédécesseur, M. Whiston, il livrait ses sentiments sur les hommes non seulement librement mais avec licence, avec une sorte de mépris et de manque d'égards pour la décence et le sens commun ; et, ce qui est pire, il se livrait aux femmes, au vin et aux jurons profanes avec un excès choquant ; de sorte qu'il a plus blessé la réputation des mathématiques qu'il ne leur a fait du bien par l'adresse éminente dont il a fait preuve dans cette science [3].

Il est possible que la gloire de Saunderson ait pu traverser la Manche vers 1740 non seulement grâce à Voltaire, mais aussi par l'intermédiaire des réfugiés huguenots. Les mathématiciens parmi eux avaient des liens avec « The Old Mathematical Society », dont Saunderson était membre, et qui fut active de 1717 à 1845 à Londres, dans le quartier huguenot de Spitalfields [4].

Dossier

---

1. Voir *infra*, p. 220-222.
2. 1766, t. VI, part. II, p. 158-159.
3. Cité aussi in *Diderot's Early Philosophical Works*, trad. Jourdain M., Chicago-Londres, Open Court Publishing Company, p. 17.
4. Voir Morgan A. de, *A Budget of Paradoxes*, Chicago-Londres, Open Court Publishing Company, 2e éd. 1915, t. I, p. 377.

Faisons le point : nous suggérons que Diderot, en présentant Saunderson comme un penseur affranchi de toute orthodoxie, se serait approché de la vérité, d'où les réactions de la Société royale, irritée non par le mensonge mais par l'exactitude. Il faut pourtant reconnaître, contre notre thèse, que *Le Journal des savants* contemporain parle de « la supercherie de l'auteur français [1] ». Cette accusation n'est pas répétée en toutes lettres dans l'article du mois de mai 1752, qui attribue la *Lettre* à Diderot ; c'est plutôt la relation avec Buffon et sa critique des mathématiques qui est alors dénoncée.

.

RAPHSON (?-1712 ?)

Raphson, contrairement à Saunderson, ne figure dans la *Lettre sur les aveugles* que par une citation non attribuée et dans l'index. La signification de cette mention paratextuelle n'est pas sûre, puisque celle de Marivaux, bien moins contentieuse, prend la même forme. Diderot joue-t-il à cache-cache avec son lecteur ?

Dans les éditions du texte de Diderot, il est d'usage de faire allusion à l'obscurité de Raphson. Il faut distinguer. Des générations d'étudiants en mathématiques le connaissent par la « Méthode de Newton-Raphson » pour la résolution numérique d'équations. Sa vie, en revanche, est moins connue [2]. La méthode pour résoudre des équations [3] a une importance moderne :

> On peut débattre combien de crédit il faut accorder à Raphson ; il suffit de dire que c'est sa méthode (plus simple, donc supérieure) et non celle de Newton, qui se cache dans des millions de programmes modernes d'ordinateur [4].

---

1. Mars 1752, p. 518.
2. Thomas D.J. et Smith J.M., « Joseph Raphson, F.R.S. », *Notes and Records of the Royal Society*, t. 44, 1990, p. 151-167.
3. Publiée dans *Analysis æquationum universalis, seu æquationes algebraicas, resolvendas methodus generalis…*, 1690.
4. Thomas D.J. et Smith J.M., « Joseph Raphson, F.R.S. », art. cit., p. 155. Cf. aussi Hall A.R., *Philosophers at War : the Quarrel between Newton and Leibniz, op. cit.*, et http : //www-groups.dcs.st-and.ac.uk%7Ehistory/Mathematicians/Raphson.html.

La deuxième édition du texte de Raphson paraît dans les exemplaires qui nous sont accessibles accompagnée d'un texte nouveau : *De spatio reali, seu ente infinito conamen Mathematico-Metaphysicum* [1]. C'est ce texte que cite Diderot dans sa *Lettre* [2] :

[Des problèmes] qui nous offrent la possibilité d'une progression sans fin de la connaissance tant des choses elles-mêmes, que de Dieu qui, perpétuellement, géométrise dans l'Univers [3].

Comme ce sont les dernières lignes du livre de Raphson, on peut se demander si Diderot avait lu le livre en entier. Question de pédant ? *De spatio reali* est rien moins qu'orthodoxe. Protégé sans doute par son latin dense et difficile, le livre discute les points de vue matérialiste et athée, en les citant abondamment. Le déiste Samuel Clarke, que Diderot mentionne plusieurs fois dans sa *Lettre*, semble avoir tenu Raphson pour un athée, car il attaque sans le nommer l'identification que fait Raphson de l'espace infini avec l'essence de Dieu [4]. À notre avis, il nous faudrait plutôt une redéfinition et une réévaluation de l'athéisme dans les milieux scientifiques de l'époque ; la position que prend Diderot en serait certainement éclairée.

Raphson cite, parfois en hébreu, des auteurs de la Cabale [5], tout comme il cite Spinoza et Vanini. A. Koyré lui consacre un chapitre entier : pour Raphson, la masse totale des corps en mouvement dans l'univers est finie, tandis que de l'espace il fait un attribut de Dieu [6]. Chez Raphson, la différence entre le

1. Londres, Tho. Braddyll, 1697.
2. Et non celui que donnent en général les éditeurs, *Demonstratio de Deo* (1710).
3. *De spatio reali*, p. 95, cité par Koyré A., *Du monde clos à l'univers infini*, *op. cit.*, p. 245.
4. Clarke S., *Demonstration of the Being and Attributes of God...* (1705), p. 78 ; cf. Giuntini C., « Scienza newtoniana e teologia razionale : Bentley, Clarke e l'ideologia delle Boyle Lectures », dans *Il Newtonianeismo nel Settecento*, Rome, Luciana Buccellato, 1985, p. 19-35.
5. Voir Coperhaver B.P., « Jewish theologies of space in the scientific revolution : Henry More, Joseph Raphson, Isaac Newton and their predecessors », *Annals of science*, 37, 1980, p. 489-548.
6. Voir aussi Locke J., *Essai sur l'entendement*, II, chap. XV, § 2 : « Et je crois pour moi que celui-là se fait une trop haute idée de la capacité de son propre entendement qui se figure de pouvoir étendre ses pensées plus loin que le lieu où Dieu existe ou imaginer une expansion où Dieu n'est pas. »

Dossier

monde et l'infini actuel qui est Dieu est donc la différence entre la matière et l'étendue divine. On voit ici la pertinence de la critique de Leibniz : l'espace absolu serait chez Newton le « sensorium de Dieu ». Newton avait en effet un cercle de disciples dont certains étaient embarrassants. Diderot laisse pour compte dans la *Lettre* cette question d'infinitude et d'espace, mais elle revient dans son *Rêve de d'Alembert*.

Il n'est pas impossible que Diderot ait entendu parler de Raphson par Buffon [1]. Celui-ci a pu découvrir Raphson lorsqu'il travaillait à sa traduction de Newton, *La Méthode des fluxions et des suites infinies* [2]. Ce pourrait être le traitement de l'infini dans l'espace par Raphson qui a attiré son attention, puisque son propre travail sur la probabilité semble avoir eu comme but principal d'éliminer l'infini du calcul des probabilités en le traitant géométriquement et dans un exemple spatial [3]. Diderot, quant à lui, semble méditer la formalisation mathématique et son rapport avec la géométrie – les objets visuels peuvent se représenter par des équations et le calcul peut se faire par des sensations tactiles.

Whiston (1667-1752)

Whiston a succédé en 1703 à Newton dans la Lucasian Chair de Cambridge. Moins secret que Newton, il ne cachait pas son unitarianisme et a dû quitter l'université. Sa *Theory of the Earth* [4] aurait été soumise à Newton, ce qui laisserait croire que le livre puisse passer pour l'histoire newtonienne de la terre. Buffon le connaissait et en donne un résumé quelque peu parodique dans le premier volume de l'*Histoire naturelle*. La forme de la terre, son inclinaison dans l'espace, le Déluge sont tous le résultat d'un passage d'une comète près du soleil, qui a privé l'homme de l'éternel printemps. Diderot en revanche n'en fait aucune mention.

1. Voir *supra* la notice « Buffon », p. 201-203.
2. Paris, de Bure l'aîné, 1740.
3. Voir Hanks L., *Buffon avant l'« Histoire naturelle »*, *op. cit.*, p. 118.
4. 1696.

9. LE PÈRE CASTEL (1688-1757)
ET SON CLAVECIN OCULAIRE

Le rôle que joue le clavecin oculaire dans le paysage mental de Diderot est notoire – il est mentionné dans son roman licencieux, *Les Bijoux indiscrets* (1748), dans l'*Encyclopédie* et ailleurs, aussi bien que dans la *Lettre sur les sourds et muets*. Le projet de Castel semble pressentir, on l'a souvent dit, le thème romantique des « correspondances » entre les sens. Le personnage a sans doute également compté pour quelque chose, d'une façon qui reste à éclaircir, dans les querelles de politique intellectuelle qui se jouent autour du premier volume de l'*Encyclopédie*, publié le 28 juin 1751. Le type de science qu'il manifeste dans ses travaux, affairé, cocasse et curieux, est sans grande valeur pour la technique. Il a néanmoins influencé l'esthétique en élaboration au milieu du siècle.

C'est une invention que Castel a décrite ou plutôt proposée, d'une manière aussi géniale qu'extravagante, dans une série d'articles publiés dans le journal jésuite, le *Journal de Trévoux,* en 1735. La machine du clavecin oculaire devait « peindre le son […] de sorte qu'un sourd puisse jouir et juger de la beauté d'une musique ». D'abord pur jeu d'esprit, ébauché pour la première fois en 1725 dans une lettre écrite au *Mercure de France*, sa fabrication était suffisamment avancée en 1737 pour que Telemann, l'illustre compositeur allemand, la vît et la décrivît. À mesure qu'on jouait sur le clavecin, la touche du clavier révélait une couleur – l'application semble avoir varié selon le prototype [1]. Les articles de Castel participent de l'esthétique rococo des années 1730 : il décrit avec enthousiasme les gradations minutieuses insérées dans le continu de la couleur et du son. Il insiste sur l'importance de leur variation et sur leurs effets psychologiques :

> C'est surtout cette succession d'objets mobiles et passagers que l'optique vulgaire ne connaît pas. […] L'harmonie consiste essentiellement dans une diversité mobile. C'est cette mobilité qui pro-

---

1. Voir Chouillet-Roche A.-M., « Le clavecin oculaire du père Castel », *Dix-Huitième Siècle*, 8, 1976, p. 141-166, qui a établi des gammes de couleurs pour le clavecin oculaire.

duit la vraie diversité capable de plaire, de piquer, de passionner. Tout ce qui est immobile est monotonique [1].

Le clavecin a eu une notoriété certaine : Hogarth en parle pour suggérer la fabrication d'un clavecin pour la langue et le goût, qui a été effectivement réalisé [2].

Castel définit donc l'harmonie comme une relation qui change. Pour lui, si les sensations forment la base de la peinture et de la musique, leur relativité culturelle est évidente :

> Non, non, la musique n'est pas autant du ressort des sens qu'on le pense. On ne goûte que de proche en proche celle qu'on connaît, et à proportion qu'on la connaît [3].

Il faut interpréter les sensations, en leur imprimant une cohérence que Castel compare à une langue :

> Enfin un nouveau goût est une nouvelle langue qu'on parle et qu'on entend, sans avoir acquis de nouveaux organes, mais une nouvelle intelligence, pour concevoir et articuler de nouveaux sons [4].

C'est la relativité linguistique qui offre ici une similitude pour les variétés du goût et cette remarque de Castel permet de mieux comprendre la relation tacite qui existe entre certains des thèmes de la *Lettre sur les sourds et muets* de Diderot. Nous ne pouvons reconstituer ici en détail la discussion contemporaine sur la perception des sons et des couleurs et sur leur relation, qui a eu une importance à la fois scientifique et philosophique [5].

Il nous semble pourtant que c'est moins le clavecin oculaire du père Castel qui préfigure l'esthétique romantique des correspondances que les réflexions de l'époque sur Saun-

---

1. *Journal de Trévoux*, août 1735, p. 1480-1481.

2. Hogarth W., *The Analysis of Beauty* (1753), éd. R. Paulson, New Haven-Londres, Yale University Press, 1997, p. 131-132 ; Chouillet-Roche A.-M., « Le clavecin oculaire du père Castel », art. cit.

3. *Journal de Trévoux*, août 1735, p. 1622.

4. *Ibid.*, décembre 1735, p. 2658.

5. Voltaire, *Éléments de la philosophie de Newton*, éd. cit. ; Kant, *Critique du jugement* (1790), § 14, qui nomme Euler. Le *Journal des savants* du mois de novembre 1747 avait dans un compte rendu comparé la théorie du mouvement vibratoire du son d'Euler avec la « suite des impressions successives » produite par le corps lumineux.

derson. Dans les premières éditions des *Éléments de la philosophie de Newton* de Voltaire, on lisait :

> Cette analogie secrète entre la lumière et le son, donne lieu de soupçonner que toutes les choses de la nature ont des rapports cachés, que peut-être on découvrira quelque jour [1].

Beaucoup plus tard, dans une correspondance avec d'Alembert, Voltaire met en rapport les couleurs et les sons par le langage, mais en distinguant l'effet de l'anglais et du français :

> C'est, je crois, de Saunderson qu'on a dit qu'il jugeait que l'écarlate ressemblait au son d'une trompette, parce que l'écarlate est *éclatant* et le son de la trompette aussi ; mais malheureusement il n'y a point en anglais de mot qui réponde à notre *éclatant*, et qui puisse signifier à la fois *brillant* et *bruyant* ; on dit *shining* pour les couleurs, *sou[n]ding* pour les sons [2].

À quoi d'Alembert répond :

> C'est Locke qui rapporte l'histoire de l'aveugle en question ; il ne cite pas Saunderson, ni même un aveugle-né d'Angleterre ; ainsi ma remarque pourrait encore être très juste ; mais de quelque pays que soit cet aveugle, je suis convaincu que son erreur tenait à une cause semblable à celle que j'indique, à quelque mot de la langue commun aux deux sensations, ne fût-ce que le mot *fort* ; vraisemblablement cet aveugle aurait dit aussi que la couleur rouge avait quelque chose de l'odeur de l'*ambre* et du goût de l'*ail* ou de l'*eau de vie* [3].

Nous sommes donc passés au langage comme cheville entre les sensations, ce qui est, selon nous, le thème unificateur de la *Lettre sur les sourds et muets*.

Le travail de Castel est un spécimen de ce qu'on pourrait appeler « la science jésuite », que caractérise parfois une inventivité loufoque. Diderot et Rousseau le connaissaient personnellement et semblent l'avoir apprécié beaucoup pour sa fantaisie, moins pour son « patelinage ». Lorsqu'en 1751 l'éditeur du *Journal de Trévoux*, le père Berthier, commence à proférer des critiques et même des menaces envers les ency-

---

1. Voltaire, *Éléments de la philosophie de Newton*, éd. cit., p. 391.
2. Voltaire, *Correspondance*, D13710, 2 décembre 1766 à d'Alembert.
3. *Ibid.*, D13724, 10 décembre 1766.

Dossier

clopédistes, Diderot répond d'abord avec fermeté ; ensuite, sous la pression peut-être de ses « libraires », il met du lest dans ses répliques [1], en rappelant à son tour aux jésuites l'inimitié que leur porte l'autre parti religieux, les jansénistes. Il est vraisemblable que la mention du père Castel dans la *Lettre sur les sourds et muets*, encore adoucie par des changements opérés par Diderot après l'impression [2], vise à engager le bon père à agir comme médiateur dans la querelle qui se déclenchait [3]. On peut se demander si l'enjeu de ce débat n'était pas seulement l'orthodoxie un peu chancelante de l'*Encyclopédie*, mais également son intervention sur un terrain pédagogique qui jusqu'ici avait été largement occupé par les jésuites : la critique littéraire et la théorie des arts – Diderot avait publié l'article « Art », qui traitait des « arts mécaniques », en tiré à part. Si la forme sinueuse et digressive de la *Lettre* et ses additions semblent chercher des accommodements avec différentes traditions de critique littéraire, et si les changements que Diderot y a opérés visent certainement à apaiser les jésuites, la *Lettre*, elle, a voulu être, en contraste avec leurs théories, une démonstration pratique sur le thème du pouvoir du langage et des arts en général.

10. LE « PROBLÈME DE MOLYNEUX »

Locke affirme dans son *Essai sur l'entendement humain* [4] que toute connaissance provient soit de l'expérience des objets externes, par la sensation, soit de nos opérations intellectuelles internes, par la réflexion. Dans une première lettre datée du 7 juillet 1688, qui est restée sans réponse, et dans une deuxième, du 2 mars 1693, le philosophe et juriste irlandais

---

1. Wilson A.-M., *Diderot, sa vie et son œuvre, op. cit.*, p. 106.
2. WK, *passim*.
3. Cohen H., « The intent of the digressions on father Castel and father Porée in Diderot's *Lettre sur les sourds et muets* », *Studies on Voltaire and the Eighteenth Century*, 201, 1982, p. 163-183.
4. II, i, § 2.

William Molyneux (1656-1698) lui posait la question : est-ce qu'un homme aveugle dès la naissance, qui aurait appris à distinguer un cube d'une sphère par le toucher, saurait les distinguer sans les toucher si sa vue était restaurée ? Locke incorpore le problème que lui avait posé Molyneux dans sa deuxième édition [1], et répond par un « non ». L'aveugle doit apprendre par l'expérience à coordonner les sensations de la vue et du toucher.

Que veut dire cette question, qui a fasciné le XVIIIᵉ siècle ? Le problème est de savoir quelle est la relation entre les différents sens : donnent-ils tous la même information ? Ou notre expérience sensorielle est-elle qualitativement différenciée selon le sens qui en est le relais ?

Leibniz, comme Condillac, répond par un « oui », mais pour des raisons opposées. Leibniz, dans ses *Nouveaux Essais sur l'entendement humain* [2], affirme que l'aveugle peut discerner le globe d'avec la sphère et c'est parce qu'il aurait pu, encore aveugle, apprendre la géométrie par l'attouchement que la réponse est affirmative. Sinon, il y aurait une géométrie pour les paralytiques et une autre pour les aveugles. Pour le paralytique comme pour l'aveugle, il existe une géométrie fondée sur des idées exactes. Qu'il n'y ait pas d'« images » – d'impressions sensorielles – en commun ne fait rien à l'affaire. Les idées exactes – les définitions – permettront toujours le raisonnement à l'aveugle : le globe visuel n'a point les huit points du cube, donc il peut être jugé identique au globe tactile. Il ne peut y avoir de contradiction entre les conséquences des données sensorielles.

Condillac, en revanche, dans son *Essai sur l'origine des connaissances humaines* [3], cherche à montrer l'absence de tout jugement au niveau de la perception. Il croit que la vue immédiate peut donner des idées de figure et de grandeur, sans les sensations motrices et tactiles que le mouvement d'« aller voir », d'aller toucher, nous procurerait. Et sans l'expérience de la coordination des sensations du mouvement comme de la

1. II, IX, § 8.
2. 1703, publiés en 1765. Voir Leibniz G.W., *Nouveaux Essais sur l'entendement humain*, éd. J. Brunschwig, GF-Flammarion, livre II, chap. IX, p. 106-108.
3. 1746.

Dossier

vue. Mais plus tard, dans son *Traité des sensations*, il admettra même « l'existence d'une éducation mutuelle des sens [1] ».

Berkeley, dans son *Essay towards a New Theory of Vision* [2], surtout connu en Europe par la synthèse qu'en fournit Voltaire dans les *Éléments de la philosophie de Newton,* donne un tour de vis à la position lockienne. Il fait des objets de la vue et de l'attouchement deux classes d'idées, entièrement différentes l'une de l'autre [3]. L'aveugle qui commencerait à voir ne saurait distinguer immédiatement les objets et donc encore moins les rassembler sous le même nom. Pour Berkeley, c'est le langage qui donne la possibilité de discriminer comme de rassembler les idées qui proviennent des différents sens.

> Or, cette action de nommer et de combiner ensemble des Idées est parfaitement arbitraire [4].

La position que prend Diderot est nuancée. Comme le remarque G. Evans [5], il substitue le cercle à la sphère, et le carré au cube, ce qui lui permet d'éliminer la question de l'interprétation des indices de la profondeur. La question serait alors de savoir si l'aveugle peut étendre des concepts ancrés dans deux dimensions à une expérience tridimensionnelle. Diderot, comme Evans, répond « oui ». Pour tous les deux, il semble que l'expérience de la position apparente d'un objet dans le champ perceptif ne passe ni par la perception préalable de relations spatiales avec d'autres objets, ni par le langage : le cadre de référence est intentionnel [6]. Néanmoins, pour Diderot, comme nous l'avons suggéré dans notre préface, la perception n'est pas pour autant tout à fait séparable des traditions pédagogiques et pratiques que la culture a fabriquées.

1. Condillac, *Œuvres*, éd. Le Roy G., p. 59, n. 44.
2. Écrit en 1709, publié de nouveau en 1732.
3. La traduction par de Joncourt se trouve au tome 2 de sa traduction de l'*Alciphron* de Berkeley, La Haye, chez Benjamin Gibert, 1734.
4. *Ibid.*, p. 91.
5. Evans G., « The Molyneux Question », art. cit.
6. Voir Dokic J. et Pacherie E., « Percevoir l'espace et en parler… », art. cit.

II. Les querelles littéraires

Trois, au moins, des querelles littéraires de l'époque permettent d'éclaircir la *Lettre sur les sourds et muets*. Diderot semble vouloir frapper un coup dans les débats contemporains, et ses références et citations, qui ont presque toutes une histoire dans la critique de l'époque, précisent l'argument de la *Lettre*.

La Querelle des Anciens et des Modernes

La Querelle a éclaté au XVIIᵉ siècle, autour de Boileau et Perrault [1]. Le premier opposait le bon goût des Anciens à la décadence des contemporains. Charles Perrault maintenait au contraire que les productions des Modernes du *Siècle de Louis le Grand* dépassaient facilement les œuvres de la Grèce et de Rome [2]. Mais la Querelle connut une série de rebondissements à travers le XVIIIᵉ siècle, dont le plus intéressant tourne autour du poète et dramaturge aveugle Houdar de La Motte. Celui-ci publie en 1714 une traduction des douze premiers livres de l'*Iliade*, qui ne repose pas sur le texte original, puisqu'il ne sait pas le grec comme il l'admet volontiers, mais sur la traduction en prose de Mme Dacier, *L'« Iliade » d'Homère, traduite en français avec des remarques* (1711). Plus clairement que lors de la première phase de la Querelle, cet épisode traite des questions qui seront reconduites à travers tout le XVIIIᵉ siècle. D'abord le problème de la perspective historique : dans quelle mesure la culture d'autres siècles nous est-elle accessible ? Homère était critiqué pour les mœurs de ses personnages, pour leur manque de noblesse et de politesse ; les partisans des Anciens rétorquaient par ce qu'on pourrait appeler une compréhension anthropologique, en invoquant la différence de la vie dans la Grèce homérique.

Dossier

1. Hepp N., *Homère en France au XVIIᵉ siècle*, Paris, Klincksieck, 1968.
2. Perrault Ch., *Parallèle des Anciens et des Modernes en ce qui regarde les arts et les sciences* (1688), Amsterdam, Georges Gallet, 2ᵉ éd., 1693.

Pour eux, une traduction qui ne nous donne pas un sens de la distance et de l'altérité nous dessert [1]. La thèse de la différence des cultures est évidemment liée à la question du « génie des langues », ce qu'on appellerait de nos jours le relativisme linguistique. Mme Dacier avait affirmé qu'il y a des nuances dans le grec d'Homère qui ne peuvent s'exprimer en français. Cette position permet aux partisans des Anciens une compréhension de la langue, et en particulier de la langue poétique, qui est beaucoup plus subtile que celle des Modernes, à l'exception de Marivaux :

> La question serait donc de savoir si le fond des choses dont il [La Motte] prétend juger, n'est point tellement lié aux expressions, qu'il en dépende totalement ou pour la plus grande partie [2].

Mme Dacier perçoit, quoique confusément, que l'attitude des Modernes envers Homère revient à appauvrir radicalement la poésie. Sa discussion tourne autour des exemples que Diderot utilisera dans sa *Lettre sur les sourds et muets*. Elle récuse le vers du poème de La Motte :

> Grand Dieu, rends-nous le jour et combats contre nous

et loue la version, plus fidèle, de Boileau. Pourtant, comme plus tard Diderot à propos du caractère d'Ajax, elle s'en prend aux deux traducteurs, qui auraient trahi l'original :

> Ajax, quoique très impétueux et très fougueux, n'était pas assez emporté pour dire à Jupiter, *Rends-nous seulement le jour et combats contre nous*. Cela aurait été une sorte de défi trop arrogant et trop impie ; il demande seulement qu'il leur rende la clarté du jour, et qu'après cela il les fasse périr, si telle est sa volonté. Voici ses propres termes : *Grand Jupiter, dissipez cette obscurité qui couvre les Grecs, rendez-nous la lumière, permettez que nous puissions voir, et pourvu que ce soit à la clarté des Cieux, faites nous périr, puisque c'est votre volonté suprême.* Il n'a garde de dire à Jupiter, *combats contre nous*, cela est trop fort, mais il lui dit *fais nous périr* [3].

---

1. Voir Marivaux, pourtant du parti des Modernes, et sa critique de la traduction de Thucydide, *Journaux et œuvres diverses*, éd. Deloffre-Gilot, 1969.
2. Remarque du professeur d'arabe Fourmont, *Examen pacifique...* (1716), vol. 1, p. 43.
3. Mme Dacier, *Des causes de la corruption du goût* (1714), p. 551-552.

Le livre de Mme Dacier et la réponse de La Motte soulèvent des commentaires et alimentent un nouvel épisode de la Querelle des Anciens et des Modernes. Ces mêmes vers servent à l'abbé Terrasson de point de départ pour une critique rationaliste de la poésie ; et à Rollin pour sa défense [1].

LA QUERELLE SUR LA POÉSIE

La fin du XVIIᵉ siècle avait débattu sur la vérité en littérature et sur le statut du langage poétique. La critique de l'autorité des textes bibliques et classiques avait conduit certains théoriciens à traiter la poésie comme une « fiction », dont les personnages sont inventés et le langage invraisemblable. Le poète se trouvait dès lors exclu de la vérité et condamné à la trivialité [2].

Les partisans des Modernes considèrent la matière de la poésie comme autant de « fictions » ; seule la poésie religieuse exprime des vérités. Et la langue française, langue moderne, proclame l'abbé Terrasson, est hostile au langage poétique : « [elle] résiste aux absurdités [3] ». Il cite le même passage de l'*Iliade* que Mme Dacier et plus tard Diderot ; et, comme ce dernier, il ajoute le commentaire de Longin sur ces vers. Il suggère que celui-ci oubliait d'où il les avait tirés, car son interprétation est meilleure que l'original. Dans Homère, il n'y a nulle noblesse. Les Modernes sont donc supérieurs en manières comme en expressions élégantes et raisonnables. Le fond comme la forme de la poésie moderne est d'une qualité plus grande.

> Les esprits du pays où nous sommes […] ne veulent ou ne peuvent comprendre qu'une seule chose à la fois, encore faut-il qu'elle soit exprimée bien nettement et avec une grande précision [4].

1. Voir *infra* la notice sur « Les rhéteurs-prêtres », p. 243.
2. Hobson M., *The Object of Art : the Theory of Illusion in eighteenth Century France*, Cambridge, Cambridge University Press, 1982, chap. VIII.
3. Abbé Terrasson, *Dissertation critique sur l'Iliade d'Homère, où à l'occasion de ce poème on cherche les règles d'une poétique fondée sur la raison et sur les exemples des Anciens et des Modernes* (1715), t. I, p. 233.
4. Perrault Ch., éd. cit., vol. 2, p. 44.

Dossier

Mais les Anciens et les partisans de la poésie pensent que les possibilités d'expression des langues modernes, et tout particulièrement du français, ont été radicalement réduites.

Le problème que pose au siècle le langage poétique est donc apparenté à la question du « génie des langues ». La poésie comme les différentes langues offrent diverses formes d'expression selon les différentes cultures qui les produisent. Une traduction est une transformation ; c'est ainsi que quand Rollin discute les mêmes vers d'Homère, il les utilise pour illustrer la déformation imposée par la traduction au texte original.

LA QUERELLE DE RACINE

Une querelle se déploie autour du « récit de Théramène » dans la *Phèdre* de Racine, depuis en tout cas La Motte jusqu'à Diderot. Elle aborde en bref les problèmes, considérables, que les métaphores posent aux critiques dans la première moitié du siècle. Seul Dumarsais semble capable de les résoudre, mais il est mort sans avoir pu édifier, à partir de ses différentes études, la somme de ses idées. Le vers

> Le flot qui l'apporta recule épouvanté

et tout le récit de la mort d'Hippolyte sont-ils vraisemblables ? Une métaphore qui attribue à la vague un sentiment d'effroi est-elle acceptable dans une culture pour qui la mer n'est pas un dieu ? Et sinon, comment la justifier ? Plutôt qu'une personnification, ne serait-elle pas un exemple d'hypotypose, c'est-à-dire, un tableau d'images fortes et vives ? Et donc simplement un effet de rhétorique, sans signification plus profonde ? L'abbé d'Olivet défend le vers contre ce genre de critique rationaliste, affirmant que ces expressions sont les produits d'une science ancienne [1]. Mais Racine n'est pas un Grec, et la métaphorique devient, selon certains critiques, un système de croyances que le poète choisit à volonté ; une fois de plus la poésie est réduite à une façon

---

1. Abbé d'Olivet, *Remarques de grammaire sur Racine* (1738), p. 100.

compliquée et conventionnelle de dire les choses simples. L'abbé Desfontaines adopte une tout autre ligne de défense :

> La figure, renfermée dans le vers de Théramène, est toute naturelle. C'est l'expression de la passion et l'écoulement, pour ainsi dire, d'une imagination émue [1].

On remarquera que Desfontaines concède à Racine ce qu'il refuse à Voltaire dans un vers semblable de *La Henriade* : un poète moderne n'a pas le droit de personnifier ainsi la mer.

12. RÉAUMUR (1683-1757)

Biologiste distingué, Réaumur est déjà en froid avec Buffon à l'époque de la *Lettre sur les aveugles*. Ce dernier recommande la lecture de la *Lettre sur les aveugles* dans le troisième volume de son *Histoire naturelle* [2].

Les conceptions de Buffon et de Réaumur sur la science diffèrent du tout au tout. Pour Réaumur, connaître les débuts des corps organisés dépasse les forces intellectuelles de l'homme. En réaction contre la science mécaniste des cartésiens, il tient que le scientifique doit par ses observations construire des îlots de connaissance, en remettant le reste à Dieu. C'est l'organisation du monde naturel qui prouve par ses merveilles l'existence d'un Dieu bénéfique et la bonté des voies de la Providence [3]. Les monstres ne peuvent donc nullement faire partie intégrante du cours ordinaire de la nature. Une vulgarisation importante de la pensée de Réaumur a été réalisée par l'abbé Pluche dans un livre à grand succès, *Le Spectacle de la nature* [4].

1. Desfontaines, *Racine vengé* (1739), p. 116.
2. 1749.
3. Voir Roger J., *Les Sciences de la vie dans la pensée française du XVIIIᵉ siècle*, Paris, Armand Colin, 1963, p. 392 *sq*.
4. Paris, 1732. Roger J., *Ibid.*, IIᵉ partie, p. 449.

Dossier

C'est Réaumur qui aurait fait venir l'oculiste prussien Hilmer à Paris ; le retrait des pansements opéré par celui-ci est le point de départ de la *Lettre sur les aveugles* :

> *M. de Réaumur*, qui voudrait bien avoir tout l'honneur de l'observation, n'ayant jugé à propos d'admettre que fort peu de gens à la levée du premier appareil, Mr. *Diderot* privé de ce spectacle philosophique, a cherché à le deviner, et nous donne aujourd'hui ses conjectures, sous le titre de la *Lettre sur les aveugles à l'usage de ceux qui voient* [1].

Diderot critique Réaumur pour le manque d'esprit civique qu'il manifestait en n'admettant pas plus de monde à la levée des pansements. Et dans un sens, toute la *Lettre* va à l'encontre de la vision du monde de Réaumur. La querelle entre les deux hommes prendra une allure plus sérieuse lorsqu'en 1759 Diderot sera accusé de plagiat. Il aurait utilisé des planches que Réaumur avait fait faire pour un Dictionnaire que préparait l'Académie des sciences [2]. L'affaire s'est calmée, mais l'inimitié entre eux était de toute évidence de longue haleine.

13. LES RHÉTEURS-PRÊTRES

Si la *Lettre sur les aveugles* s'adresse à une dame peut-être fictive, les Anglais que Diderot nomme ou à qui il fait allusion sont bien réels et ses renseignements sont bons – Samuel Clarke, Nicholas Saunderson, Joseph Raphson, Newton sont tous non conformistes ; tous pourtant s'arrangent à vivre tant bien que mal dans les parages de l'Église anglicane. L'orthodoxie de Newton et de Clarke est douteuse, leur piété nullement. Newton, cauteleux et taciturne, a su présenter aux autorités l'occasion de tourner les règlements – il a été dispensé

---

1. Clément P., *Les Cinq Années littéraires ou Nouvelles littéraires* (1754), vol. 1, p. 224.
2. Wilson A.-M., *Diderot, sa vie et son œuvre, op. cit.*, chap. XXVII.

d'entrer dans les ordres du clergé anglican, ce qu'en tant que professeur il aurait pourtant dû faire.

Il en va autrement avec les personnages de la *Lettre sur les sourds et muets* et avec ses additions. Elle est adressée à un prêtre catholique, l'abbé Charles Batteux. Sont mentionnés nommément d'autres religieux : Berthier, Bernis, Porée ; d'autres encore (Rollin, d'Olivet) sont présents par allusion, à cause de leur implication dans certaines querelles littéraires : sur Racine, sur les Anciens et les Modernes [1]. C'est là un arrière-plan de la *Lettre* dont l'existence est suggérée au lecteur de façon habile, sans supposer une connaissance précise. Grands enseignants (Berthier est nommé plus tard gouverneur des fils du Dauphin), formateurs de l'opinion publique par leurs publications destinées à l'éducation, ces ecclésiastiques illustrent et développent certaines techniques importantes – le commentaire textuel par exemple, mais aussi la traduction du latin et du grec [2].

La *Lettre* fait sans doute partie d'un dossier plus ample, joint aux premiers volumes de *l'Encyclopédie* : l'article « Art » distribué en tiré à part, les deux prospectus, le *Discours préliminaire*, et l'article « Beau » au volume II [3], l'article « Encyclopédie » au volume V [4]. La politique que mène Diderot est pleine de méandres : il semble vouloir poser dans la *Lettre* quelques jalons pour des discussions ultérieures, qui n'auront jamais lieu, avec des religieux de première importance dans l'enseignement des lettres, mais aussi avec des intellectuels européens de tout premier ordre, comme Lessing. Celui-ci en fait un long compte rendu spirituel et élogieux dans *Das Neueste aus dem Reich des Witzes* ; notre préface a déjà parlé du *Laokoon* que Lessing publiera en 1766 et qui a été fortement influencé par la *Lettre* de Diderot [5].

Dossier

---

1. Voir *supra*, p. 229.
2. Voir *supra* la notice sur « Les grammairiens-philosophes », p. 212.
3. 1751.
4. 1755.
5. Voir p. 23.

BATTEUX (1713-1781)

C'est l'auteur du livre *Les Beaux-Arts réduits à un même principe* (1746) que Diderot a durement critiqué dans sa *Lettre*, ainsi que les Modernes, Lessing en tête. Ces critiques ne visent pas seulement les défauts du livre, mais représentent aussi des coups tirés dans une guerre d'escarmouches. Batteux remplace l'abbé Terrasson en 1750 comme professeur de philosophie ancienne au Collège de France, quoiqu'il ait enseigné la rhétorique dans les collèges de Lisieux et de Navarre. L'aigreur avec laquelle Diderot le traite dans la *Lettre* provient en partie d'une comparaison inévitable et déprimante entre leurs deux carrières : « Le poste voulait un philosophe, ce fut un rhéteur qui l'obtint [1]. »

Mais il y a plus curieux. Batteux est l'auteur d'une thèse « supprimée » en 1737 : il existe un arrêt de la cour du parlement de Reims ordonnant que soit rayée une thèse « soutenue dans la faculté de théologie de Reims le 31 décembre 1736 par Charles Batteux » avec un autre écrit suspect, intitulé *Suite du Supplément*, dont il n'est pas rendu responsable (arrêt de la cour du parlement, 1737). Les possesseurs de ces écrits sont invités à les confier au greffe de la cour, qui veillera à leur « suppression ». La thèse de Batteux contenait une phrase ressemblant par trop à une autre déjà condamnée en 1663, selon laquelle les conciles généraux pour l'extirpation des hérésies sont utiles mais pas absolument nécessaires. Recommandation de tolérance un peu molle, mais quand même punissable. Ce contretemps ne semble pas avoir entravé sa carrière – son ode en latin à l'honneur de Reims aurait été traduite par le chancelier de l'Université en 1739 et sa carrière parisienne paraît s'être déroulée sans grands problèmes jusqu'à sa nomination au Collège de France. Par la bouche de Rameau, dans *Le Neveu de Rameau*, Diderot l'appelle « hypocrite ». Certes, leurs relations sont loin d'être claires, mais il est difficile, après une lecture de la *Lettre sur les sourds et muets*, de croire qu'ils ne se connaissaient pas.

Batteux a rédigé, outre ses ouvrages de rhétorique et d'esthétique, des écrits qui traitent de textes classiques qu'on

---

1. Pommier J., « Autour de la *Lettre sur les sourds et muets* », *Revue d'histoire littéraire de la France*, 1951, p. 263.

associe à la tradition matérialiste. *La Morale d'Épicure tirée de ses propres écrits* (1758), soutient que « jamais philosophie ne fut moins entendue ni plus calomniée que celle d'Épicure ». En même temps, il reconnaît avoir eu « pour guide principal dans [son] travail le sage Gassendi », qui est loin de représenter une garantie d'orthodoxie. Sa traduction « avec des remarques » de l'*Ocellus Lucanus* et de *L'Âme du monde* de Timée de Locres (1768), est une édition érudite – grec d'un côté, français de l'autre – de textes anciens : le premier un texte pythagoricien, le second une cosmologie du Ier siècle après J.-C, qui se présente comme une œuvre de Timée, mais qui est en fait une paraphrase du *Timée* de Platon. Ces deux textes avaient déjà été édités et traduits récemment par le marquis d'Argens, chambellan de la cour de Frédéric le Grand à Berlin et peu suspect d'orthodoxie. Tout se passe comme si Batteux agissait en aile « éclairée » des troupes religieuses dans une bataille contre l'athéisme de la cour de Berlin et des encyclopédistes [1]. L'ami de Diderot, Naigeon, ajoute en 1798 une raison personnelle : *La Morale d'Épicure* serait une « réfutation indirecte » de l'article de Diderot pour l'*Encyclopédie*, motivée par le dépit qu'aurait ressenti Batteux devant les critiques que lui portait la *Lettre sur les sourds et muets*. Ces échauffourées feutrées commencent cependant plus tôt : en 1746, Batteux a dénoncé Duclos, qui sera bientôt du parti encyclopédiste ; en outre, il utilise peut-être la critique littéraire à ces fins en comparant le poème épique de Voltaire, *La Henriade*, à l'épopée burlesque de Boileau, *Le Lutrin*, que Voltaire aurait dû prendre comme modèle – deux des textes que Diderot cite dans la *Lettre sur les sourds et muets*, en adressant ses remarques sur Boileau directement à Batteux [2].

Ses *Beaux-Arts réduits à un même principe* se font l'écho du titre du premier livre de Condillac, *Essai sur l'origine des connaissances humaines, ouvrage où l'on réduit à un seul principe tout ce qui concerne l'entendement*, également paru en 1746 [3]. Chez Batteux, pourtant, nul signe d'une conception

1. B, p. 92.
2. Voir n. 73, p. 191.
3. On peut se demander quelle a été la relation des deux hommes. Batteux fera le discours de réception de Condillac à l'Académie française en 1768.

génétique de l'art ; le « même principe » est fourni par « l'imitation de la belle nature », qui, comme le dit avec raison Diderot, n'est jamais définie avec précision et n'est qu'à peine différenciée entre les arts. Néanmoins, les fonctions que Batteux attribue au génie et au goût ne sont pas sans intérêt, et c'est peut-être en réaction contre cette proximité gênante que Diderot regimbe et s'efforce de mieux capter ses propres idées – par exemple : « Le bon goût est un amour habituel de l'ordre. Il s'étend […] sur les mœurs aussi bien que sur les ouvrages d'esprit [1]. » « L'imitation de la belle nature » de Batteux pourrait même passer pour un avatar manqué du « modèle idéal » que développera plus tard Diderot dans le *Paradoxe sur le comédien* et la préface au *Salon de 1767* [2]. En tout cas, Diderot, dans sa *Lettre sur les sourds et muets*, vise ouvertement les *Lettres sur la phrase française comparée à la phrase latine, à M. l'abbé d'Olivet de l'Académie française* que Batteux avait publiées en appendice à son *Cours de belles lettres* de 1747. L'abbé prend ce qui lui revient dans la *Lettre* de Diderot, car il introduit dans ses propres *Lettres* des additions et des changements qu'il intègre au texte du *Cours* dans une réédition de 1753. Il adopte même l'expression de l'encyclopédiste, « ordre d'institution », qu'il n'avait pas utilisée auparavant et répond à certaines de ses critiques [3].

La tradition pédagogique des rhéteurs-prêtres semble opérer dans deux domaines pleins d'avenir : ils enseignent les langues classiques par la traduction ; ils transmettent aussi la rhétorique des grands auteurs grecs et latins à leurs élèves. De là se dégagent deux problèmes linguistiques qui occupent une place croissante dans les débats esthétiques autour de 1750 et que Batteux développe en particulier. En premier lieu, la question de savoir quel est l'ordre syntaxique « naturel [4] » et sa relation avec la poésie ; deuxièmement, la question de savoir si la différence syntaxique ou lexicale entre les langues naturelles implique une différence dans le contenu séman-

---

1. Batteux Ch., *Les Beaux-Arts réduits à un même principe* (1747), éd. cit., p. 129-130.
2. Chouillet J., *La Formation des idées esthétiques de Diderot*, Paris, Armand Colin, 1973.
3. B, p. 103-105, et Hobson M., « La *Lettre sur les sourds et muets* de Diderot, labyrinthe et langage », *Semiotica*, 1976, p. 291-327.
4. Voir *supra* la notice sur « Les grammairiens-philosophes », p. 212.

tique. Une réponse positive à cette question équivaut à une affirmation de la « relativité linguistique », comme on dirait aujourd'hui [1].

La position de Batteux sur l'ordre naturel comme sur la traduction est celle d'un rhéteur qui intervient dans les querelles contemporaines sur la nature de la poésie [2]. Au R.P. du Cerceau, qui reprochait à la poésie un abus d'inversions, il rétorque que celles-ci ne sont nullement restreintes à la langue poétique. Les méfaits de l'esprit philosophique ou « géométrique » dans la poésie sont reconnus par certains depuis au moins Fénelon. Batteux, à l'encontre des grammairiens-philosophes, envisage plusieurs ordres primitifs. Il distingue l'ordre des pensées, l'ordre des expressions et l'ordre d'une langue particulière. Il n'accepte pas la position des grammairiens-philosophes selon lesquels l'ordre naturel est un ordre logique : l'ordre des pensées dépend de la situation dans laquelle se trouvent les interloceurs, d'où l'importance du besoin [3].

La deuxième édition du *Cours* est surtout intéressante par les répliques à Diderot. Comme ce dernier, Batteux accepte l'importance de qualités proprement poétiques, par exemple l'harmonie comme facteur dans l'ordre de la phrase [4]. Il ne s'agit pourtant pas de trouver l'ordre « dans lequel les idées arrivent chez nous, mais celui dans lequel elles en sortent, quand, attachées à des mots, elles se mettent en rang pour aller à la suite l'une de l'autre, opérer la persuasion dans ceux qui nous écoutent », c'est-à-dire l'ordre oratoire [5]. Comme Diderot, il accepte une linéarisation imposée par les conditions de l'expression verbale ; comme Diderot, il affirme la complexité de l'activité mentale :

> Notre âme pensante n'est point seulement une toile tendue ou une cire molle qui reçoit une empreinte ; c'est un courant continu d'idées et de sentiments qui se succèdent les uns aux autres, et qui s'entraînent mutuellement par leur liaison intime et réciproque. On voit, on sent, on délibère, on juge, on se meut pour atteindre

1. Voir *supra* la notice sur « Le génie des langues », p. 209.
2. Voir *supra* la notice sur « Les querelles littéraires », p. 229.
3. Voir *supra* la notice sur « Condillac », p. 204.
4. Batteux Ch., *Cours de belles-lettres* (1753), éd. cit., t. IV, p. 316-317.
5. *Ibid.*, p. 307 (« Principes de la traduction »).

ou pour fuir. C'est de tous ces actes successifs d'âme dont il s'agit ici et non d'une seule image imprimée [1].

La différence est que Diderot propose une synchronie dans la vie mentale, que réfute Batteux, sans le nommer :

Que répondrait-on à celui qui prétendrait que l'esprit embrasse d'une seule vue plusieurs objets à la fois ? Il n'y aurait plus alors d'ordre successif à imiter dans l'expression : et tout retomberait dans l'arbitraire [2].

Logiquement, Diderot éprouve une fascination devant le clavecin oculaire de Castel et sa mécanisation des sensations, tandis que Batteux s'en moque, comme d'une « espèce de clavecin chromatique, qui offrirait des couleurs et des passages, pour amuser peut-être les yeux, et ennuyer sûrement l'esprit [3] ».

Ses prises de position se durcissent dans une deuxième vague de discussions avec les grammairiens-philosophes, où il vise explicitement les articles du grammairien Beauzée, le successeur de Dumarsais, pour les articles linguistiques de l'*Encyclopédie* [4].

Diderot et Batteux sont tous deux sensibles à la difficulté de la traduction. Dans sa traduction d'Horace, Batteux explique combien il est difficile de rendre la poésie, à cause de deux spécificités, personnelles et linguistiques :

La verve poétique consiste, ce me semble, dans une certaine marche vigoureuse qui résulte de la multitude, de la force, de la vivacité, et de la liaison interne des idées [5].

Il donne une analyse serrée des difficultés que présente au traducteur un poète latin, pour conclure que la prose cadencée en français peut faire l'affaire, car elle « n'est presque rien autre

1. Batteux Ch., *De la construction oratoire...* (1763), p. 18.
2. Batteux Ch., *Cours de belles-lettres* (1753), éd. cit., t. IV, p. 306.
3. Batteux Ch., *Les Beaux-Arts réduits à un même principe* (1746), éd. cit., p. 286.
4. Batteux Ch., *Nouvel Examen* du *préjugé sur l'inversion, pour servir de réponse à M. Beauzée* (1767).
5. Batteux Ch., *Les Poésies d'Horace traduites en français* (1763), *op. cit.*, t. I, p. VII.

chose qu'une suite de vers libres sans rimes » (p. XVI). Le traducteur doit savoir quel est le « génie des deux langues qu'il veut manier [1] ». Il attaque pourtant la pratique de la traduction « inspirée », et l'on peut se demander si ce n'est là une pique lancée contre Diderot et sa traduction de Shaftesbury [2].

Dossier

BERTHIER (1704-1784)

Jésuite, il rédige le *Journal de Trévoux* de 1745 jusqu'à la dissolution de la Compagnie de Jésus en 1764. Une guerre est en train de se déclencher autour de l'*Encyclopédie*. Une première phase, dont les remous politiques ont été étudiés entre autres par Cohen [3] (1982), phase qui finit par la suppression de l'*Encyclopédie* le 7 février 1752, inclut la *Lettre sur les sourds et muets*. Il semble que les jésuites espéraient reprendre l'œuvre, mais que leurs ennemis à la cour, entre autres la maîtresse en titre du roi, Mme de Pompadour, s'y sont opposés [4].

Cette guérilla commence en janvier 1751 avec des notes de Berthier sur le *Prospectus* de l'*Encyclopédie* [5]. Castel, également jésuite, essaye sans grand succès de calmer la querelle entre Diderot et le *Journal de Trévoux*. Les *Additions pouvant servir à l'éclaircissement à quelques endroits de la Lettre sur les sourds et muets* paraissent en mai et comportent la rétractation de l'attaque contre Bernis, la *Lettre à Mademoiselle...*, et les *Observations sur l'extrait que le journaliste de Trévoux a fait de la « Lettre sur les sourds et muets »* ; mois d'avril, art. 42, pag. 841. La pièce la plus longue en est la réponse à Berthier, qui n'avait pourtant été « ni discourtois ni profond » [6].

1. Voir *supra* la notice sur « Le génie des langues », p. 209.
2. Diderot, *Essai sur le mérite et la vertu* (1745), trad. libre de Shaftesbury, *An Inquiry concerning Virtue or Merit*, dans *Œuvres complètes*, éd. R. Lewinter, éd. cit., t. I, p. 15-266.
3. Cohen H., « The intent of the digressions on father Castel and father Porée in Diderot's *Lettre sur les sourds et muets* », art. cit., p. 163-183.
4. Wilson A.-M., *Diderot, sa vie et son œuvre, op. cit.*, chap. XII et XIII.
5. B en a dressé la chronologie, p. 185.
6. Venturi F., *La Jeunesse de Diderot (1713-1753), op. cit.*, p. 270.

La *Lettre sur les sourds et muets* elle-même, comme deux de ses quatre « pièces jointes », sont donc des adresses à des prêtres.

L'ABBÉ DE BERNIS (1745-1794), PLUS TARD CARDINAL

Condisciple de Diderot, selon la fille de celui-ci, c'est un abbé mondain, protégé pendant un certain temps par Mme de Pompadour. Il fut élu à l'Académie française en 1744. Il (ou le comte de Caylus) est l'auteur d'un conte licencieux, *Nocrion, conte allobroge* (1747), qu'on disait à l'époque avoir inspiré le roman licencieux de Diderot, *Les Bijoux indiscrets*. Sa critique de quatre vers du récit de Théramène est dans la tradition des discussions littéraires du moment. Bernis fut ambassadeur à Venise à la fin des années 1740.

LE PÈRE PORÉE (1675-1741)

Le père Porée, jésuite, enseignait la rhétorique au collège Saint-Louis. Les remarques de Diderot dans la *Lettre sur les sourds et muets* laissent croire qu'il l'a eu comme professeur. Porée était célèbre pour son éloquence, dont certains morceaux ont été publiés. Enseignant réputé, il a écrit des pièces en latin pour ses élèves, tant des tragédies que des comédies, qu'ils semblent avoir jouées. La difficulté de sa politique littéraire et pédagogique tient au fait qu'il aurait écrit une condamnation du théâtre, et qu'il aurait prononcé en 1737 un discours retentissant contre les romans, pour leur effet sur les mœurs, et aurait réussi à les faire interdire un certain temps, ou du moins à les contraindre à ne paraître que sans la permission et le privilège nécessaires, les privant ainsi de leur légalité [1].

L'ABBÉ D'OLIVET (1682-1768)

Il a fréquenté le collège de Reims, qui est la ville de Batteux. D'abord jésuite, il sort de l'ordre vers 1713. Il a été un

---

1. May G., *Le Dilemme du roman au XVIIIe siècle*, Paris, PUF, 1963.

des professeurs de Voltaire. Il semble avoir été, par ses relations, un personnage clé : ayant fréquenté l'entourage de Boileau, ami à vie du président Bouhier, il a été élu à l'Académie en 1723 avec un bagage littéraire qu'on reconnaissait léger. Son penchant pour la satire lui aurait mis à dos le journal des Jésuites, le *Journal de Trévoux*. Partisan déterminé des Anciens, il composa une *Prosodie* et des *Remarques de grammaire sur Racine*, qui déclenchèrent une guerre littéraire autour du récit de Théramène, dans *Phèdre*. Ses traductions de Cicéron en particulier ont été célèbres et il aurait affirmé :

> J'ai été traducteur comme on est poète, parce qu'il faut céder à un ascendant secret.

Selon l'autobiographie de Batteux, d'Olivet l'aurait protégé, mais

> sa dureté naturelle, sa morosité de vieillard, un certain empire tyrannique qu'il avait usurpé sur moi en vertu de son bienfait, l'avaient rendu à mon égard l'homme le plus dangereux à rencontrer. J'ai regardé pendant vingt ans comme le plus grand malheur de ma vie de lui avoir eu obligation [1].

ROLLIN (1661-1741)

Rollin était tonsuré mais n'est pas entré dans les ordres. Il a occupé la chaire d'éloquence au Collège de France. Il a des sympathies jansénistes. C'est l'un des grands théoriciens de l'éducation du siècle. Son *De la manière d'enseigner et d'étudier les belles-lettres par rapport à l'esprit et au cœur* (1726-8) a été maintes fois réimprimé. C'est un livre qui est beaucoup plus qu'un manuel, et que Diderot a certainement présent à l'esprit. Il le recommande dans son *Plan d'université*, construit pour Catherine de Russie.

Dossier

---

1. Batteux Ch., « Lettre à mes neveux », dans *Suite des principes de littérature* (1788), Paris, chez Nyon l'aîné et fils, libraires, p. xxiv.

Additions
à la *Lettre sur les aveugles*

Je vais jeter sans ordre, sur le papier, des phénomènes qui ne m'étaient pas connus, et qui serviront de preuves ou de réfutation à quelques paragraphes de ma *Lettre sur les aveugles*. Il y a trente-trois à trente-quatre ans que je l'écrivais ; je l'ai relue sans partialité, et je n'en suis pas trop mécontent. Quoique la première partie m'en ait paru plus intéressante que la seconde, et que j'aie senti que celle-là pouvait être un peu plus étendue et celle-ci beaucoup plus courte, je les laisserai l'une et l'autre telles que je les ai faites, de peur que la page du jeune homme n'en devînt pas meilleure par la retouche du vieillard. Ce qu'il y a de supportable dans les idées et dans l'expression, je crois que je le chercherais inutilement aujourd'hui, et je crains d'être également incapable de corriger ce qu'il y a de répréhensible. Un peintre célèbre de nos jours [1] emploie les dernières années de sa vie à gâter les chefs-d'œuvre qu'il a produits dans la vigueur de son âge. Je ne sais si les défauts qu'il y remarque sont réels ; mais le talent qui les rectifierait, ou il ne l'eut jamais s'il porta les imitations de la nature jusqu'aux dernières limites de l'art, ou, s'il le posséda, il le perdit, parce que tout ce qui est de l'homme dépérit avec l'homme. Il vient un temps où le goût donne des conseils dont on reconnaît la justesse, mais qu'on n'a plus la force de suivre.

C'est la pusillanimité qui naît de la conscience de la faiblesse, ou la paresse, qui est une des suites de la faiblesse et de la pusillanimité, qui me dégoûte d'un travail qui nuirait plus qu'il ne servirait à l'amélioration de mon ouvrage.

> *Solve senescentem mature sanus equum, ne*
> *Peccet ad extremum ridendus, et ilia ducat* [2].
> HORAT, *Epistolar.* lib. I, *Epist.*, I, vers. 8, 9.

PHÉNOMÈNES

I. Un artiste qui possède à fond la théorie de son art, et qui ne le cède à aucun autre dans la pratique, m'a assuré que c'était par le tact et non par la vue qu'il jugeait de la rondeur des pignons ; qu'il les faisait rouler doucement entre le pouce et l'index, et que c'était par l'impression successive qu'il discernait de légères inégalités qui échapperaient à son œil.

II. On m'a parlé d'un aveugle qui connaissait au toucher quelle était la couleur des étoffes.

III. J'en pourrais citer un qui nuance des bouquets avec cette délicatesse dont J.-J. Rousseau se piquait lorsqu'il confiait à ses amis, sérieusement ou par plaisanterie, le dessein d'ouvrir une école où il donnerait leçons aux bouquetières de Paris.

IV. La ville d'Amiens a vu un appareilleur [3] aveugle conduire un atelier nombreux avec autant d'intelligence que s'il avait joui de ses yeux.

V. L'usage des yeux ôtait à un clairvoyant la sûreté de la main ; pour se raser la tête, il écartait le miroir et se plaçait devant une muraille nue. L'aveugle qui n'aperçoit pas le danger en devient d'autant plus intrépide, et je ne doute point qu'il ne marchât d'un pas plus ferme sur des planches étroites et élastiques qui formeraient un pont sur un précipice. Il y a eu peu de personnes dont l'aspect des grandes profondeurs n'obscurcisse la vue.

VI. Qui est-ce qui n'a connu ou entendu parler du fameux Daviel [4] ? J'ai assisté plusieurs fois à ses opérations. Il avait abattu la cataracte à un forgeron qui avait contracté cette maladie au feu continuel de son fourneau ; et pendant les vingt-cinq années qu'il avait cessé de voir, il avait pris une telle habitude de s'en rapporter au toucher, qu'il fallait le maltraiter pour l'engager à se servir du sens qui lui avait été restitué ; Daviel lui disait en le frappant : Veux-tu regarder, bourreau !... Il marchait, il agissait ; tout ce que nous faisons les yeux ouverts, il le faisait, lui, les yeux fermés.

On pourrait en conclure que l'œil n'est pas aussi utile à nos besoins ni aussi essentiel à notre bonheur qu'on serait tenté de le croire. Quelle est la chose du monde dont une longue privation qui n'est suivie d'aucune douleur ne nous rendît la perte indifférente, si le spectacle de la nature n'avait plus de charme pour l'aveugle de Daviel ? La vue d'une femme qui nous serait chère ? je n'en crois rien, quelle que soit la conséquence du fait que je vais raconter. On s'imagine que si l'on avait passé un long temps sans voir, on ne se lasserait point de regarder ; cela n'est pas vrai. Quelle différence entre la cécité momentanée et la cécité habituelle !

VII. La bienfaisance de Daviel conduisait, de toutes les provinces du royaume dans son laboratoire, des malades indigents qui venaient implorer son secours, et sa réputation y appelait une assemblée curieuse, instruite et nombreuse. Je crois que nous en faisions partie le même jour M. Marmontel et moi. Le malade était assis ; voilà sa cataracte enlevée ; Daviel pose sa main sur des yeux qu'il venait de rouvrir à la lumière. Une femme âgée, debout à côté de lui, montrait le plus vif intérêt au succès de l'opération ; elle tremblait de tous ses membres à chaque mouvement de l'opérateur. Celui-ci lui fait signe d'approcher, et la place à genoux en face de l'opéré ; il éloigne ses mains, le malade ouvre ses yeux, il voit, il s'écrie : Ah ! c'est ma mère !... Je n'ai jamais entendu un cri plus pathétique ; il me semble que je l'entends encore. La vieille dame s'évanouit, les larmes coulent des yeux des assistants, et les aumônes tombent de leurs bourses.

VIII. De toutes les personnes qui ont été privées de la vue presque en naissant, la plus surprenante qui ait existé et qui existera, c'est Mlle Mélanie de Salignac [5], parente de M. de La Fargue, lieutenant général des armées du roi, vieillard qui vient de mourir âgé de quatre-vingt-onze ans, couvert de blessures et comblé d'honneurs ; elle est fille de Mme de Blacy, qui vit encore, et qui ne passe pas un jour sans regretter une enfant qui faisait le bonheur de sa vie et l'admiration de toutes ses connaissances. Mme de Blacy est une femme distinguée par l'éminence de ses qualités morales, et qu'on peut interroger sur la vérité de mon récit. C'est sous sa dictée que je recueille de la vie de Mlle de Salignac les particularités qui ont pu m'échapper à moi-même pendant un commerce d'intimité qui a commencé avec elle et avec sa famille en 1760, et qui a duré jusqu'en 1765, l'année de sa mort.

Elle avait un grand fonds de raison, une douceur charmante, une finesse peu commune dans les idées, et de la naïveté. Une de ses tantes invitait sa mère à venir l'aider à plaire à dix-neuf ostrogoths qu'elle avait à dîner, et sa nièce disait : *Je ne conçois rien à ma chère tante ; pourquoi plaire à dix-neuf ostrogoths ? Pour moi, je ne veux plaire qu'à ceux que j'aime.*

Le son de la voix avait pour elle la même séduction ou la même répugnance que la physionomie pour celui qui voit. Un de ses parents, receveur général des finances, eut avec la famille un mauvais procédé auquel elle ne s'attendait pas, et elle disait avec surprise : *Qui l'aurait cru d'une voix aussi douce ?* Quand elle entendait chanter, elle distinguait des voix *brunes* et des voix *blondes*.

Quand on lui parlait, elle jugeait de la taille par la direction du son qui la frappait de haut en bas si la personne était grande, ou de bas en haut si la personne était petite.

Elle ne se souciait pas de voir ; et un jour que je lui en demandais la raison : « C'est, me répondit-elle, que je n'aurais que mes yeux, au lieu que je jouis des yeux de tous ; c'est que, par cette privation, je deviens un objet continuel d'intérêt et de commisération ; à tout moment on m'oblige, et à tout moment je suis reconnaissante ; hélas ! si je voyais, bientôt on ne s'occuperait plus de moi. »

Les erreurs de la vue en avaient beaucoup diminué le prix pour elle. « Je suis, disait-elle, à l'entrée d'une longue allée ; il y a à son extrémité quelque objet : l'un de vous le voit en mouvement ; l'autre le voit en repos ; l'un dit que c'est un animal, l'autre que c'est un homme, et il se trouve, en approchant, que c'est une souche. Tous ignorent si la tour qu'ils aperçoivent au loin est ronde ou carrée. Je brave les tourbillons de la poussière, tandis que ceux qui m'entourent ferment les yeux et deviennent malheureux, quelquefois pendant une journée entière, pour ne les avoir pas assez tôt fermés. Il ne faut qu'un atome imperceptible pour les tourmenter cruellement... » À l'approche de la nuit, elle disait que *notre règne allait finir, et que le sien allait commencer.* On conçoit que, vivant dans les ténèbres avec l'habitude d'agir et de penser pendant une nuit éternelle, l'insomnie qui nous est si fâcheuse ne lui était pas même importune.

Elle ne me pardonnerait pas d'avoir écrit que les aveugles, privés des symptômes de la souffrance, devaient être cruels. « Et vous croyez, me disait-elle, que vous entendez la plainte comme moi ? – Il y a des malheureux qui savent souffrir sans se plaindre. – Je crois, ajoutait-elle, que je les aurais bientôt devinés, et que je ne les plaindrais que davantage. »

Elle était passionnée pour la lecture et folle de musique. « Je crois, disait-elle, que je ne me lasserai jamais d'entendre chanter ou jouer supérieurement d'un instrument, et quand ce bonheur-là serait, dans le ciel, le seul dont on jouirait, je ne serais pas fâchée d'y être. Vous pensiez juste lorsque vous assuriez de la musique que c'était le plus violent des Beaux-Arts, sans en excepter ni la poésie ni l'éloquence ; que Racine même ne s'exprimait pas avec la délicatesse d'une harpe ; que sa mélodie était lourde et monotone en comparaison de celle de l'instrument, et que vous aviez souvent désiré de donner à votre style la force et la légèreté des tons de Bach. Pour moi, c'est la plus belle des langues que je connaisse. Dans les langues parlées, mieux on prononce, plus on articule des syllabes ; au lieu que, dans la langue musicale, les sons les plus éloignés du grave à l'aigu et de l'aigu au grave sont filés et se suivent imperceptiblement ; c'est pour ainsi dire une seule et longue syllabe, qui à chaque instant varie d'inflexion et d'expression. Tandis que la mélodie porte cette syllabe à mon oreille, l'harmonie en exécute sans confusion, sur une multitude d'instruments divers, deux, trois, quatre ou cinq, qui toutes concourent à fortifier l'expression de la première, et les parties chantantes sont autant d'interprètes dont je me passerais bien, lorsque le symphoniste est homme de génie et qu'il sait donner du caractère à son chant.

« C'est surtout dans le silence de la nuit que la musique est expressive et délicieuse.

« Je me persuade que, distraits par leurs yeux, ceux qui me voient ne peuvent ni l'écouter ni l'entendre comme je l'écoute et je l'entends. Pourquoi l'éloge qu'on m'en fait me paraît-il pauvre et faible ? pourquoi n'en ai-je jamais pu parler comme je sens ? pourquoi m'arrêterai-je au milieu de mon discours, cherchant des mots qui peignent ma sensation sans les trouver ? Est-ce qu'ils ne seraient pas encore inventés ? Je ne saurais comparer l'effet de la musique qu'à l'ivresse que j'éprouve lorsque, après une longue absence, je me précipite entre les bras de ma mère, que la voix me manque, que les membres me tremblent, que les larmes coulent, que les genoux se dérobent sous moi ; je suis comme si j'allais mourir de plaisir. »

Elle avait le sentiment le plus délicat de la pudeur ; et quand je lui en demandai la raison : « C'est, me disait-elle, l'effet des discours de ma mère ; elle m'a répété tant de fois que la vue de certaines parties du corps invitait au vice ; et je vous avouerais, si j'osais, qu'il y a peu de temps que je l'ai comprise, et que peut-être il a fallu que je cessasse d'être innocente. [6] »

Elle est morte d'une tumeur aux parties naturelles intérieures, qu'elle n'eut jamais le courage de déclarer.

Elle était, dans ses vêtements, dans son linge, sur sa personne, d'une netteté d'autant plus recherchée que, ne voyant point, elle n'était jamais sûre d'avoir fait ce qu'il fallait pour épargner à ceux qui voient le dégoût du vice opposé.

Si on lui versait à boire, elle connaissait, au bruit de la liqueur en tombant, lorsque son verre était assez plein. Elle prenait les aliments avec une circonspection et une adresse surprenantes.

Elle faisait quelquefois la plaisanterie de se placer devant un miroir pour se parer, et d'imiter toutes les mines d'une coquette qui se met sous les armes. Cette petite singerie était d'une vérité à faire éclater de rire.

On s'était étudié, dès sa plus tendre jeunesse, à perfectionner les sens qui lui restaient, et il est incroyable jusqu'où l'on y avait réussi. Le tact lui avait appris, sur les formes des corps, des singularités souvent ignorées de ceux qui avaient les meilleurs yeux.

Elle avait l'ouïe et l'odorat exquis ; elle jugeait, à l'impression de l'air, de l'état de l'atmosphère, si le temps était nébuleux ou serein, si elle marchait dans une place ou dans une rue, dans une rue ou dans un cul-de-sac, dans un lieu ouvert ou dans un lieu fermé, dans un vaste appartement ou dans une chambre étroite.

Elle mesurait l'espace circonscrit par le bruit de ses pieds ou le retentissement de sa voix. Lorsqu'elle avait parcouru une maison, la topographie lui en restait dans la tête, au point de prévenir les autres sur les petits dangers auxquels ils s'exposaient : *Prenez garde*, disait-elle, *ici la porte est trop basse ; là vous trouverez une marche.*

Elle remarquait dans les voix une variété qui nous est inconnue, et lorsqu'elle avait entendu parler une personne quelquefois, c'était pour toujours.

Elle était peu sensible aux charmes de la jeunesse et peu choquée des rides de la vieillesse. Elle disait qu'il n'y avait que les qualités du cœur et de l'esprit qui fussent à redouter pour elle. C'était encore un des avantages de la privation de la vue, surtout pour les femmes. *Jamais*, disait-elle, *un bel homme ne me fera tourner la tête.*

Elle était confiante. Il était si facile, et il eût été si honteux de la tromper ! C'était une perfidie inexcusable de lui laisser croire qu'elle était seule dans un appartement.

Elle n'avait aucune sorte de terreur panique ; elle ressentait rarement de l'ennui ; la solitude lui avait appris à se suffire à elle-même. Elle avait observé que dans les voitures publiques, en voyage, à la chute du jour, on devenait silencieux. *Pour moi*, disait-elle, *je n'ai pas besoin de voir ceux avec qui j'aime à m'entretenir.*

De toutes les qualités, c'était le jugement sain, la douceur et la gaîté qu'elle prisait le plus.

Elle parlait peu et écoutait beaucoup : *Je ressemble aux oiseaux*, disait-elle, *j'apprends à chanter dans les ténèbres.*

En rapprochant ce qu'elle avait entendu d'un jour à l'autre, elle était révoltée de la contradiction de nos jugements : il lui paraissait presque indifférent d'être louée ou blâmée par des êtres si inconséquents.

On lui avait appris à lire avec des caractères découpés. Elle avait la voix agréable ; elle chantait avec goût ; elle aurait volontiers passé sa vie au concert ou à l'Opéra ; il n'y avait guère que de la musique bruyante qui l'ennuyât. Elle dansait à ravir ; elle jouait très bien du par-dessus de viole, et elle avait tiré de ce talent un moyen de se faire rechercher des jeunes personnes de son âge en apprenant les danses et les contredanses à la mode.

C'était la plus aimée de ses frères et de ses sœurs. « Et voilà, disait-elle, ce que je dois encore à mes infirmités : on s'attache à moi par les soins qu'on m'a rendus et par les efforts que j'ai faits pour les reconnaître et pour les mériter. Ajoutez que mes frères et sœurs n'en sont point jaloux. Si j'avais des yeux, ce serait aux dépens de mon esprit et de mon cœur. J'ai tant de raisons pour être bonne ! que deviendrais-je si je perdais l'intérêt que j'inspire ? »

Dans le renversement de la fortune de ses parents, la perte des maîtres fut la seule qu'elle regretta ; mais ils avaient tant d'attachement et d'estime pour elle, que le géomètre et le musicien la suppléèrent avec instance d'accepter leurs leçons gratuitement, et elle disait à sa mère : *Maman, comment faire ? ils ne sont pas riches, et ils ont besoin de tout leur temps.*

On lui avait appris la musique par des caractères en relief qu'on plaçait sur des lignes éminentes à la surface d'une grande table. Elle lisait ces caractères avec la main ; elle les exécutait sur son instrument, et en très peu de temps d'étude elle avait appris à jouer en partie la pièce la plus longue et la plus compliquée.

Elle possédait les éléments d'astronomie, d'algèbre et de géométrie. Sa mère, qui lui lisait le livre de l'abbé de La Caille [9], lui demandait quelquefois si elle entendait cela : *Tout courant*, lui répondait-elle.

Elle prétendait que la géométrie était la vraie science des aveugles, parce qu'elle appliquait fortement, et qu'on n'avait besoin d'aucun secours pour se perfectionner. *Le géomètre*, ajoutait-elle, *passe presque toute sa vie les yeux fermés.*

J'ai vu les cartes sur lesquelles elle avait étudié la géographie. Les parallèles et les méridiens sont des fils de laiton ; les limites des royaumes et des provinces sont distinguées par de la broderie en fil, en soie et en laine plus ou moins forte ; les fleuves, les rivières et les montagnes, par des têtes d'épingles plus ou moins grosses ; et les villes plus ou moins considérables, par des gouttes de cire inégales.

Je lui disais un jour : « Mademoiselle, figurez-vous un cube. – Je le vois. – Imaginez au centre du cube un point. – C'est fait. – De ce point tirez des lignes droites aux angles ; et bien, vous aurez divisé le cube. – En six pyramides égales, ajouta-t-elle d'elle-même, ayant chacune les mêmes faces, la base du cube et la moitié de sa hauteur. – Cela est vrai ; mais où voyez-vous cela ? – Dans ma tête, comme vous. »

J'avoue que je n'ai jamais conçu nettement comment elle figurait dans sa tête sans colorer. Ce tube s'était-il formé par la mémoire des sensations au toucher ? Son cerveau était-il devenu une espèce de main sous laquelle les substances se réalisaient ? S'était-il établi à la longue une sorte de correspondance entre deux sens divers ? Pourquoi ce commerce n'existe-t-il pas en moi, et ne vois-je rien dans ma tête si je ne colore pas ? Qu'est-ce que l'imagination d'un aveugle ? Ce phénomène n'est pas si facile à expliquer qu'on le croirait.

Elle écrivait avec une épingle dont elle piquait sa feuille de papier tendue sur un cadre traversé de deux lames parallèles et mobiles, qui ne laissaient entre elles d'espace vide que l'intervalle d'une ligne à une autre. La même écriture servait pour la réponse, qu'elle lisait en promenant le bout de son doigt sur les petites inégalités que l'épingle ou l'aiguille avait pratiquées au *verso* du papier.

Elle lisait un livre qu'on n'avait tiré que d'un côté. Prault en avait imprimé de cette manière à son usage.

On a inséré dans le *Mercure* du temps une de ses lettres.

Elle avait eu la patience de copier à l'aiguille l'*Abrégé historique* du président Hénault, et j'ai obtenu de madame de Blacy, sa mère, ce singulier manuscrit.

Voici un fait qu'on croira difficilement, malgré le témoignage de toute sa famille, le mien et celui de vingt personnes qui existent encore ; c'est que, d'une pièce de douze à quinze vers, si on lui donnait la première lettre et le nombre de lettres dont chaque mot était composé, elle retrouvait la pièce proposée, quelque bizarre qu'elle fût. J'en ai fait l'expérience sur des amphigouris de Collé [8]. Elle rencontrait quelquefois une expression plus heureuse que celle du poète.

Elle enfilait avec célérité l'aiguille la plus mince, en étendant son fil ou sa soie sur l'index de la main gauche, et en tirant, par l'œil de l'aiguille placée perpendiculairement, ce fil ou cette soie avec une pointe très déliée.

Il n'y avait aucune sorte de petits ouvrages qu'elle n'exécutât ; ourlets, bourses pleines ou symétrisées, à jour, à différents dessins, à diverses couleurs ; jarretières, bracelets, colliers avec de petits grains de verre, comme des lettres d'imprimerie. Je ne doute point qu'elle n'eût été un bon compositeur d'imprimerie : qui peut le plus, peut le moins.

Elle jouait parfaitement le reversis, le médiateur et le quadrille [7] ; elle rangeait elle-même ses cartes, qu'elle distinguait par de petits traits qu'elle reconnaissait au toucher, et que les autres ne reconnaissaient ni à la vue ni au toucher. Au reversis, elle changeait de signes aux as, surtout à l'as de carreau et au quinola. La seule attention qu'on eût pour elle, c'était de nommer la carte en la jouant. S'il arrivait que le quinola fût menacé, il se répandait sur sa lèvre un léger sourire qu'elle ne pouvait contenir, quoiqu'elle en connût l'indiscrétion.

Elle était fataliste ; elle pensait que les efforts que nous faisons pour échapper à notre destinée ne servaient qu'à nous y conduire. Quelles étaient ses opinions religieuses ? je les ignore ; c'est un secret qu'elle gardait par respect pour une mère pieuse.

Il ne me reste plus qu'à vous exposer ses idées sur l'écriture, le dessin, la gravure, la peinture ; je ne crois pas qu'on en puisse avoir de plus voisines de la vérité ; c'est ainsi, j'espère, qu'on en jugera par l'entretien qui suit, et dont je suis un interlocuteur. Ce fut elle qui parla la première.

« Si vous aviez tracé sur ma main, avec un stylet, un nez, une bouche, un homme, une femme, un arbre, certainement je ne m'y tromperais pas ; je ne désespérerais pas même, si le trait était exact, de reconnaître la personne dont vous m'auriez fait l'image : ma main deviendrait pour moi un miroir sensible ; mais grande est la différence de sensibilité entre cette toile et l'organe de la vue.

Je suppose donc que l'œil soit une toile vivante d'une délicatesse infinie ; l'air frappe l'objet, de cet objet il est réfléchi vers l'œil, qui en reçoit une infinité d'impressions diverses selon la nature, la forme, la couleur de l'objet et peut-être les qualités de l'air qui me sont inconnues et que vous ne connaissez pas plus que moi ; et c'est par la variété de ces sensations qu'il vous est peint.

Si la peau de ma main égalait la délicatesse de vos yeux, je verrais par ma main comme vous voyez par vos yeux, et je me figure quelquefois qu'il y a des animaux qui sont aveugles, et qui n'en sont pas moins clairvoyants.

– Et le miroir ?

– Si tous les corps ne sont pas autant de miroirs, c'est par quelque défaut dans leur contexture, qui éteint la réflexion de l'air. Je tiens d'autant plus à cette idée, que l'or, l'argent, le fer, le cuivre polis, deviennent propres à réfléchir l'air, et que l'eau trouble et la glace rayée perdent cette propriété.

C'est la variété de la sensation, et par conséquent de la propriété de réfléchir l'air dans les matières que vous employez, qui distingue l'écriture du dessin, le dessin de l'estampe, et l'estampe du tableau.

L'écriture, le dessin, l'estampe, le tableau d'une seule couleur, sont autant de camaïeux.

– Mais lorsqu'il n'y a qu'une couleur, on ne devrait discerner que cette couleur.

– C'est apparemment le fond de la toile, l'épaisseur de la couleur et la manière de l'employer qui introduisent dans la réflexion de l'air une variété correspondante à celle des formes. Au reste, ne m'en demandez plus rien, je ne suis pas plus savante que cela.

– Et je me donnerais bien de la peine inutile pour vous en apprendre davantage. »

Je ne vous ai pas dit, sur cette jeune aveugle, tout ce que j'en aurais pu observer en la fréquentant davantage et en l'interrogeant avec du génie ; mais je vous donne ma parole d'honneur que je ne vous en ai rien dit que d'après mon expérience.

Elle mourut, âgée de vingt-deux ans. Avec une mémoire immense et une pénétration égale à sa mémoire, quel chemin n'aurait-elle pas fait dans les sciences, si des jours plus longs lui avaient été accordés ! Sa mère lui lisait l'histoire, et c'était une fonction également utile et agréable pour l'une et l'autre.

NOTES

1. Maurice Quentin de la Tour, célèbre portraitiste du XVIIIᵉ siècle, à qui l'on doit un portrait de d'Alembert et de Rousseau.
2. « Aie le bon sens de dételer à temps ton cheval qui vieillit, de peur qu'au milieu des rires, il ne bronche à la fin et ne fasse haleter ses flancs. »
3. Appareilleur : « ouvrier qui est dans les ateliers de maçonnerie, qui prend les mesures des pierres, et les marque à ceux qui les doivent tailler et poser » (Furetière).
4. Jacques Daviel (1696-1762) réussit à pratiquer l'extraction du cristallin en 1745. Diderot ne semble pas voir la différence avec l'abaissement de la cataracte.
5. Mélanie de Salignac : Diderot a bien connu cette personne qui était la nièce de Sophie Volland.
6. Allusion probable à la masturbation féminine, cf. Bordeu dans la troisième partie du *Rêve de d'Alembert*.
7. Il s'agit des *Leçons élémentaires de mathématiques* ou *Éléments d'algèbre et de géométrie* (1741-1746).
8. Charles Collé (1709-1783), dramaturge, auteur de pièces en vers volontairement embrouillées.
9. Reversis, médiateur et quadrille : jeux de cartes à la mode. Le quinola est le valet de cœur et celui qui parvient à le placer gagne la partie.

CHRONOLOGIE

1713 : Naissance de Denis Diderot à Langres, fils d'un maître coutelier.

1723-1728 : Études chez les jésuites à Langres.

1728-1732 : Études à Paris. Reçu maître ès arts de l'université de Paris.

1735 : Reçu bachelier en théologie.

1736-1741 : Vie de bohème. Divers travaux. Dettes et lectures.

1742 : Rencontre de Rousseau. Bref retour à Langres pour tenter de se réconcilier avec sa famille.

1743 : Mariage avec Antoinette Champion à Paris, à peu près clandestin.

1744 : Rencontre de Condillac. Diderot travaille à la traduction du *Dictionnaire de médecine* de l'Anglais Robert James.

1745 : Traduction annotée de l'*Essai sur le mérite et la vertu* de Shaftesbury. Premiers contacts pour l'*Encyclopédie*.

1746 : Publication anonyme des *Pensées philosophiques*, condamnées en juillet par le parlement de Paris comme œuvre antichrétienne. Diderot se lie avec d'Alembert. Condillac publie l'*Essai sur l'origine des connaissances humaines*.

1747 : Diderot écrit *La Promenade du sceptique*, qui restera manuscrite. La police le surveille. Diderot et d'Alembert prennent la direction de l'*Encyclopédie*. La Mettrie publie *L'Homme machine*.

1748 : En janvier, *Les Bijoux indiscrets* sont publiés anonymement. En juin, Diderot publie des *Mémoires sur différents sujets de mathématiques*.

1749 : Au début de juin, publication anonyme de la *Lettre sur les aveugles*. Correspondance avec Voltaire, où Diderot s'efforce d'atténuer l'impression d'athéisme. Au début de juillet paraissent les trois premiers volumes de l'*Histoire naturelle* de Buffon, où l'on trouve un éloge de la *Lettre sur les aveugles*. Le 24 juillet, Diderot est arrêté et emprisonné à Vincennes. Octobre : visite de Rousseau. Le 3 novembre, Diderot est libéré grâce à l'intervention du marquis d'Argenson. En prison il a lu Platon, Milton et Buffon.

1750 : Rédaction et publication du prospectus de l'*Encyclopédie*. Diderot rencontre Grimm, qui le présente au baron d'Holbach. Maupertuis publie son *Essai de cosmologie*. Publication des *Nouvelles Observations microscopiques* de l'abbé Needham.

1751 : Premières attaques contre l'*Encyclopédie*. Diderot polémique avec le jésuite Berthier à propos du prospectus. En février, il publie la *Lettre sur les sourds et muets*. Le 28 juin, publication du premier tome de l'*Encyclopédie*, où paraissent des articles importants sur le langage. Diderot lui-même a rédigé de nombreux articles dans les deux premiers volumes, en particulier sur l'histoire naturelle (voir « Animal », où il reprend les idées de Buffon) et sur l'esthétique (l'article « Beau »). Le 31 décembre, la Sorbonne condamne la thèse de l'abbé de Prades, chargé des articles de théologie dans l'*Encyclopédie*.

1752 : En janvier, le tome II de l'*Encyclopédie* paraît. Le 7 février, le gouvernement interdit la vente des deux premiers volumes (suppression de cet arrêt en mai après l'intervention de Mme de Pompadour). En juillet, Diderot fait imprimer sans permission l'*Apologie de l'abbé de Prades*.

1753 : Parution du tome III de l'*Encyclopédie*. Buffon publie le tome IV de son *Histoire naturelle*. Première édition des *Pensées sur l'interprétation de la nature*, où Diderot continue à examiner les problèmes de la biologie.

1754 : Publication du tome IV de l'*Encyclopédie*. Condillac publie son *Traité des sensations*.

1755 : Début de la correspondance avec Sophie Volland (mais les lettres de Diderot avant mai 1759 sont perdues). Parution du tome V de l'*Encyclopédie*.

1756 : Publication du tome VI de l'*Encyclopédie*.

1757 : Diderot publie *Le Fils naturel* et les *Entretiens avec Dorval*. Parution du tome VII de l'*Encyclopédie*. Rupture avec Rousseau. Début de la collaboration de Diderot à la *Correspondance littéraire* de Grimm.

1758 : Diderot publie *Le Père de famille* et le *Discours sur la poésie dramatique*.

1759 : Le parlement de Paris condamne l'*Encyclopédie* (6 février) et le Conseil du roi révoque le privilège (8 mars). Rédaction en septembre du *Salon de 1759* pour la *Correspondance littéraire*.

1760 : Rédaction de *La Religieuse* (publication posthume en 1796).

1761 : Diderot révise les derniers tomes de l'*Encyclopédie*. Première ébauche du *Neveu de Rameau*. Diderot est invité en Russie par Catherine II.

1765 : Diderot vend sa bibliothèque à Catherine II. Quatrième *Salon* suivi des *Essais sur la peinture*.

1769 : Rédaction des trois dialogues du *Rêve de d'Alembert*. Première allusion au *Paradoxe sur le comédien* dans une lettre à Grimm.

1770 : Diderot commence l'*Entretien d'un père avec ses enfants*. D'Holbach publie son *Système de la nature*.

1771 : Diderot termine une première version de *Jacques le fataliste*.

1772 : Collaboration à l'*Histoire des deux Indes* de l'abbé Raynal. Diderot commence le *Supplément au Voyage de Bougainville*. Il achève *Ceci n'est pas un conte* et *Madame de La Carlière*.

1773 : Diderot part pour Saint-Pétersbourg, où il arrive le 8 octobre.

1774 : Il travaille à la *Réfutation d'Helvétius*, à l'*Entretien avec la maréchale* et aux *Éléments de physiologie*. Au début d'octobre, il est rentré à Paris.

1775 : Diderot écrit un *Plan d'une université pour la Russie*, destiné à Catherine II.

1777 : Première ébauche de la comédie *Est-il bon ? Est-il méchant ?*

1778 : Publication de l'*Essai sur la vie de Sénèque*.

1781 : Diderot écrit la *Lettre apologétique sur l'abbé Raynal à M. Grimm*.

1782 : Publication de l'*Essai sur les règnes de Claude et de Néron*.

1782 : Frappé d'apoplexie le 19 février, Diderot meurt le 31 juillet dans son appartement de la rue de Richelieu.

BIBLIOGRAPHIE

SOURCES

ALEMBERT, J. LE ROND D', *Œuvres complètes*, 5 vol., Paris, A. Belin, 1821, « Éclaircissement sur l'inversion et à cette occasion sur ce qu'on appelle le génie des langues », § X des *Éléments de la philosophie*, v. I.

Arrest de la cour du Parlement Qui ordonne la suppression d'une Feuille imprimée intitulée Suite du supplément 15 Janvier 1737 & d une These soutenüe dans la Faculté de Théologie de Rheims le 31 Décembre 1736. Du 18 Mars 1737, à Paris, Chez Pierre Simon, Imprimeur du Parlement, rue de la Harpe, à l'Hercule.

BATTEUX Ch., *Les Beaux-Arts réduits à un même principe* (1746), Paris, Durand, 1747. Ces éditions paraissent identiques à l'exception du format et de la pagination.

– *Lettres sur la phrase française comparée à la phrase latine, à M. l'abbé d'Olivet de l'Académie francaise*, publiées en appendice à son *Cours de belles-lettres de 1747-1748*, refondues en 1753, 2 vol., Paris, Desaint et Saillant.

– *Principes de la traduction* dans *Cours de belles-lettres, ou Principes de la littérature*, nouv. éd., 4 vol., Paris, Desaint et Saillant, 1753.

– *De la construction oratoire par M. l'abbé Batteux*, Paris, Desaint et Saillant, 1763.

– *Les Poésies d'Horace traduites en français*, 2 vol., Paris, Desaint et Saillant, 1763 (permission signée Vatry, 1750).

– *Parallèle du « Lutrin » et de « La Henriade » ou Lettres sur ces deux poèmes*, dans *Commentaire sur « La Henriade » par M. de La Beaumelle*, 2 vol., Berlin, 1771. La première édition, de 1746, reproche à Voltaire son intolérance à l'égard de la satire et s'en prend à Duclos pour son œuvre d'historien.

– *Suite des principes de littérature*, Paris, chez Nyon l'aîné et fils, libraires, 1788, contient la « Lettre à mes neveux », une espèce d'autobiographie.

BEAUZÉE N., *Grammaire générale ou Exposition raisonnée des éléments nécessaires du langage, pour servir de fondement à l'étude de toutes les langues*, 2 vol., Paris, Barbou, 1767.

BERKELEY G., *Essay towards a New Theory of Vision* (1709), 1732.

– *Alciphron, or the Minute Philosopher in seven Dialogues*, 1732.

• *Essai sur une nouvelle théorie de la vision* ;

• *Alciphron, ou le petit philosophe, en sept dialogues contenant une Apologie de la religion chrétienne contre ceux qu'on nomme esprits forts*, 2 vol., La Haye, chez Benjamin Gibert, 1734.

– *Three Dialogues between Hylas and Philonous in Opposition to Sceptics and Atheists*, 1713.

– *The Analyst : A Discourse addressed to an infidel Mathematician*, 1734.

– *L'Analyste*, trad. A. Leroy, Paris, PUF, 1936.

– *The Works of George Berkeley*, éd. A.A. Luce & T.E. Jessop, 9 vol., Londres, Nelson, 1948-1957.

Biographia Britannica (1766), vol. 6, part. 2, p. 158-159, Hildesheim, Georg Olms Verlag, 1969.

BOILEAU N., *Œuvres complètes*, éd. F. Escal, introd. A. Adam, Paris, Gallimard, 1966.

BOIVIN, *Apologie d'Homère et Bouclier d'Achille*, Paris, F. Jouenne, 1715.

BUFFON G.L., *Histoire naturelle générale et particulière (théorie de la terre ; histoire naturelle de l'homme ; animaux quadrupèdes)*, 15 vol., Paris, Imprimerie royale, 1749-1767.

– dans *Histoire de l'Académie royale des sciences, le 12 avril 1747*, Paris, 1752.

– trad. de I. Newton, *La Méthode des fluxions et des suites infinies*, Paris, chez de Bure l'aîné, 1740.

CLARKE S, *Demonstration of the Being and Attributes of God. Being the Substance of eight Sermons preached at the Cathedral Church of St. Paul in the year 1704*, Londres, Boyle lectures, 1705.

CLÉMENT P., *Les Cinq Années littéraires ou Nouvelles Littéraires…*, 4 vol., La Haye, Ant. de Groot et fils, 1754.

CONDILLAC É. DE, *Essai sur l'origine des connaissances humaines*, éd. C. Porset, introd. J. Derrida, « L'archéologie du frivole », éditions Galilée, 1973.

– *Traité des systèmes où l'on en démêle les inconvéniens et les avantages*, 1749.

– *Œuvres*, éd. G. Le Roy, 3 vol., Paris, PUF, 1947.

COLSON J., *Dr Saundersons's palpable Arithmetic Decypher'd* (publié en préambule aux *Éléments d'Algèbre* de Saunderson).

DACIER Mme, *L'« Iliade » d'Homère, traduite en français avec des remarques, par Madame Dacier*, 3 vol., Paris, 1711.

– *Des causes de la corruption du goût*, Paris, Rigaud, 1714.

DIDEROT D., *Œuvres complètes*, éd. R. Lewinter, 15 vol., Paris, Club français du livre, 1969-1973.

– *Œuvres complètes* (DPV), vol. 4, éd. Y. Belaval, A.-M. et J. Chouillet, R. Niklaus, Paris, Hermann, 1978.

– *Œuvres*, éd. L. Versini, Paris, Robert Laffont, Bouquins, 5 vol., 1994.

– *Œuvres esthétiques*, éd. P. Vernière, Paris, Garnier, 1959.

– *Œuvres philosophiques*, éd. P. Vernière, Paris, Garnier 1964.

– *Correspondance*, éd. G. Roth, 15 vol., Paris, Éditions de Minuit, 1955-1970.

– trans. M. Jourdain, *Diderot's Early Philosophical Works*, Chicago-Londres, Open Court Publishing Company, 1916.

– *Lettre sur les aveugles*, éd. R. Niklaus, Genève, Droz, 1950.

– *Lettre sur les sourds et muets*, éd. P.-H. Meyer, *Diderot Studies* vol. 7, Genève, 1965.

– *Lettera sui sordi e muti*, éd. F. Bollino, Modena, Mucchi, 1984.

– *Mémoires sur différents sujets de mathématiques*, Paris, Durand, 1748.

– *Œuvres*, éd. J.A. Naigeon, 15 vol., Paris, Desnoy, 1798.

D'OLIVET, *Remarques de grammaire sur Racine*, Paris, Durand, 1738.

DESFONTAINES, *Racine vengé, ou Examen des remarques grammaticales de M. l'abbé d'Olivet sur les œuvres de Racine*, Avignon, 1739.

DUBOS J.-B., *Réflexions critiques sur la poésie et sur la peinture*, 2 vol., Paris, Jean Mariette, 1719.

Encyclopédie ou Dictionnaire des sciences, des arts et des métiers, t. I, 1751.

DUMARSAIS C.C., *Œuvres complètes*, 7 vol., Paris, Duchosal et Millon, 1798.

ÉPICTÈTE, *Les Discours, le Manuel et les fragments*, trad. en anglais par W.A. Oldfather, 2 vol., Londres, éd. Loeb-Heinemann, 1925 (1961).

FOURMONT E., *Examen pacifique de la querelle de Madame Dacier et de Monsieur de La Motte sur Homère. Avec un traité sur le poème épique et la critique des deux Iliades et de plusieurs autres poèmes*, par Monsieur Fourmont, professeur en langue arabique au Collège royal de France, et associé de l'Académie royale des inscriptions, 2 vol., Paris, Jacques Rollin, 1716.

GARCIN L., *Traité du mélodrame, Réflexions sur la musique dramatique*, Paris, Vallat-La Chapelle, 1772.

HAMANN J.G., « Essai sur une question académique (*Versuch über eine akademische Frage*) », dans *Kreuzzüge des Philologen*, 1762, *Sämtliche Werke*, t. II, p. 121-126, Vienne, Verlag Herder, 1952.

– « Métacritique sur le purisme de la raison (*Metakritik über den Purismus der Vernunft*) » (1784), dans *ibid.*, t. III, p. 277-289, trad. fr. et prés. par Colette J., *Philosophie*, 55, 1997, p. 3-13.

HERDER, « Sur la diligence dans plusieurs langues érudites (*Über den Fleiß in mehreren gelehrten Sprachen*) », 1764, lu dans, Michael Morton, *Herder and the Poetics of Thought, Unity and Diversity in « On Diligence in Several Learned Languages »*, University Park and London, The Pennsylvania State University Press, 1989.

HOGARTH W., *The Analysis of Beauty* (1753), éd. R. Paulson, New Haven-Londres, Yale University Press 1997.

HOMÈRE, *Iliade*, trad. P. Mazon *et al.*, Paris, Les Belles Lettres, 1937.

HORACE, *Satires*, trad. F. Villeneuve, Paris, Les Belles Lettres, 1932.

HUMBOLDT W. VON, *On Language : the Diversity of Human Language-structure and its Influence on the Mental Development of Mankind* (1836), trad. P. Heath, introd. H. Aarsleff, Cambridge, Cambridge University Press, 1988.

HUME D., *Treatise of Human Nature*, 1739.

Journal des savants, mai 1752.

KANT I., *Critique du jugement* (*Kritik der Urteilskraft*), 1790.

LA METTRIE, *L'Homme machine, Œuvres philosophiques*, Amsterdam, 1753.

LEIBNIZ G.W., *Nouveaux Essais sur l'entendement humain* (1703), publ. 1765 ; éd. J. Brunschwig, Paris, GF-Flammarion, 1966.

LESSING G.E., *Laokoon, oder über die Grenzen der Mahlerei und Poesie*, 1766.

– *Das Neueste aus dem Reich des Witzes*, éd. K. Lachmann, dans *Sämmtliche Schriften*, t. III, Leipzig, 1853.

LOCKE J., *Essay concerning Human Understanding*, 1690, 2ᵉ éd., 1694 ;

– *Essai philosophique concernant l'entendement humain,* trad. P. Coste, nouv. éd., Amsterdam, chez Pierre Mortier, 1742.

LUCRÈCE, *De la nature*, trad. A. Ernout, Paris, Les Belles Lettres, 1920.

MARIVAUX P. CARLET DE CHAMBLAIN DE, *Journaux et œuvres diverses…*, éd. F. Deloffre et M. Gilot, Paris, Garnier, 1969, p. 459-464.

MÉRIAN J.B., *Sur le problème de Molyneux* (1770), éd. F. Markovits, Paris, Flammarion, 1983.

MICHAËLIS J.D., *De l'influence des opinions sur le langage et du langage sur les opinions*, dissertation qui a remporté le prix de l'Académie royale des sciences & belles-lettres de Prusse, en 1759, à Brême, chez George Louis Förster, 1762.

MONTAIGNE M., *Apologie de Raymond Sebond*, éd. P. Mathias, Paris, GF-Flammarion, 1999.

PERRAULT Ch., *Parallèle des Anciens et des Modernes en ce qui regarde les arts et les sciences, dialogues* (1688), 2 vol., Amsterdam, Georges Gallet, 2ᵉ éd., 1693.

PÉTRONE, *Satyricon*, trad. A. Ernout, Paris, Les Belles Lettres, 1922.

RAPHSON J., *Analysis æquationum universalis, seu accuationes algebraicas, resolvendas methodus generalis et expedita, ex nova infinitarum serierum doctrina deducta*, Londres, 1690.

– *De spatio reali, seu ente infinito conamen Mathematico-Metaphysicum*, Londres, Tho. Braddyll, 1697.

ROUSSEAU J.-J., *Dictionnaire de musique*, dans *Œuvres complètes*, t. V, Paris, Gallimard, Bibliothèque de la Pléiade, 1995.

– *Essai sur l'origine des langues, où il est parlé de la mélodie et de l'imitation musicale*, éd. J. Starobinski, Paris, Gallimard, Folio, 1990.

– *Confessions*, éd. M. Launay, 2 vol., GF-Flammarion, 1968.

SAUNDERSON N., *Elements of Algebra in ten Books to which is Prefixed an Account of The Author's Life and Character*, Cambridge, The University Press, 1740.

SMITH R., *A Compleat System of Optics*, 2 vol., Cambridge, C. Crownfield, 1738.

Tatler, n° 55.

TERRASSON abbé, *Dissertation critique sur l'« Iliade » d'Homère, où à l'occasion de ce poème on cherche les règles d'une poétique fondée sur la raison, et sur les exemples des Anciens et des Modernes*, 2 vol., Paris, F. Fournier et A.U. Coustelier, 1715.

Philosophical Transactions, n° 402.

VOLTAIRE, *Correspondence and Related Documents*, éd. T. Besterman, Genève, Voltaire Foundation, 1968-1977 (2ᵉ éd.).

– *Éléments de la philosophie de Newton* (1738), éd. W. Barber et R. Walters, Oxford, Voltaire Foundation, 1992.

VIRGILE, *Énéide*, trad. J. Perret, Paris, Les Belles Lettres, 1981.

WARBURTON W., *Essai sur les hiéroglyphes des Égyptiens, où l'on voit l'origine et le progrès du langage et de l'écriture, l'antiquité des sciences en Égypte, et l'origine du culte des animaux* (1738), trad. L. des Malpeines, éd. P. Tort, précédé de « Scribble (pouvoir/écrire) » par Jacques Derrida et de « Transfigurations (archéologie du symbolique) » par Patrick Tort, Paris, Aubier-Flammarion, 1977.

WHISTON, *A New theory of the Earth, from its original to the consummation of all things, wherein the creation of the world in six days, the universal deluge and the general conflagration, as laid down in the Holy scriptures, are shewn to be perfectly agreeable to reason and philosophy, with a large introductory discourse concerning the genuine nature, stile and extent of the Mosaick history of the creation*, Londres, B. Tooke, 1696.

ÉTUDES

CAJORI F., *A History of the Conceptions of Limits and Fluxions in Great Britain from Newton to Woodhouse*, Chicago-Londres, The Open Court Publishing Company, 1919.

CAVAILLÈS J., *Sur la logique et la théorie de la science*, Paris, PUF, 1947.

CHOMSKY N., *La Linguistique cartésienne, un chapitre de l'histoire de la pensée rationaliste*, trad. N. Delananoë et D. Sperber, Paris, Le Seuil, 1969 (éd. originale 1966).

CHOUILLET-ROCHE A.-M., « Le clavecin oculaire du père Castel », *Dix-Huitième Siècle*, 8, 1976, p. 141-166.

CHOUILLET J., *La Formation des idées esthétiques de Diderot*, Paris, Armand Colin, 1973.

COHEN H., « The intent of the digressions on father Castel and father Porée in Diderot's *Lettre sur les sourds et muets* », *Studies on Voltaire and the Eighteenth-Century*, 201, 1982, p. 163-183.

COOLIDGE J.L., *The Mathematics of Great Amateurs*, Oxford, Clarendon Press, 1949.

COPERHAVER B.P., « Jewish theologies of space in the scientific revolution : Henry More, Joseph Raphson, Isaac Newton and their predecessors », *Annals of Science*, 37, 1980, p. 489-548.

COVENEY P. et HIGHFIELD R., *The Arrow of Time : the Quest to Solve Science's Greatest Mystery*, Londres, Harper Collins, 1990.

DARNTON R., *L'Aventure de l'« Encyclopédie », 1775-1800 : un best-seller au siècle des Lumières*, trad. M.-A. Revellat, Paris, Perrin, 1982.

DERRIDA J., *L'Écriture et la différence*, Paris, Le Seuil, 1967.

DOKIC J. et PACHERIE E., « Percevoir l'espace et en parler... », *Voir*, n° 19, 1999, p. 20-33.

DOOLITTLE J., « Hieroglyph and Emblem in Diderot's *Lettre sur les sourds et muets* », *Diderot Studies*, II, 1952, p. 148-167.

EVANS G., « The Molyneux Question », dans *Collected Papers*, Oxford, Clarendon Press, 1985, p. 364-399.

FARRELL G., *The Story of Blindness*, Cambridge US, Harvard University Press, 1956.

FREEMAN W., *How Brains Make up Their Minds*, Londres, Weidenfeld et Nicolson, 1999.

GIRDLESTONE C., *Jean-Philippe Rameau, his Life and Work*, New York, Dover Publications, 1969.

GIUNTINI C., « Scienza newtoniana e teologia razionale, Bentley, Clarke e l'ideologia delle Boyle Lectures », dans *Il Newtonianeismo nel Settecento*, Rome, Luciana Burcellato, 1985.

GLAUSER R., « Diderot et le problème de Molyneux », *Études philosophiques*, 1999, p. 291-327.

HANKS L., *Buffon avant l'« Histoire naturelle »*, Paris, PUF, 1966.

HALL A.R., *Philosophers at War, the Quarrel between Newton and Leibniz*, Cambridge, Cambridge University Press, 1980.

HEPP N., *Homère en France au XVIIe siècle*, Paris, Klincksieck, 1968.

HOBSON M., « La *Lettre sur les sourds et muets* de Diderot, labyrinthe et langage », *Semiotica*, 1976, p. 291-327.

– *The Object of Art, the Theory of Illusion in eighteenth Century France*, Cambridge, Cambridge University Press, 1982.

KEMP M., *The Science of Art*, New Haven-Londres, Yale University Press, 1990.

KIRSOP W., « La *Lettre sur les sourds et muets* de Diderot », dans *Bibliographie matérielle et critique textuelle : vers une collaboration*, Paris, Lettres modernes, 1970 p. 45-60.

KOYRÉ A., *Du monde clos à l'univers infini*, trad. R. Tarr, Paris, Gallimard, 1973.

LACAN J., *Le Séminaire*, livre XI : *Les Quatre Concepts fondamentaux de la psychanalyse*, Paris, Le Seuil, 1973.

LA ROCHELLE E., *Jacob Rodrigues Pereire, premier instituteur des sourds-muets en France, sa vie, ses travaux*, Paris, impr. de F. Debons, 1882.

LEIGH R.A., « A neglected eighteenth-century edition of Diderot's works », *French Studies*, 1952, p. 148-151.

MARION M., *Dictionnaire des institutions de la France aux XVIIᵉ et XVIIIᵉ siècles*, Paris, Auguste Picard, 1923.

MAY G., *Le Dilemme du roman au XVIIIᵉ siècle*, Paris, PUF, 1963.

MIEL J., « Pascal, Port-Royal and Cartesian Linguistics », *Journal of the History of Ideas*, XXX, 1969, p. 261-272.

MORGAN A. DE, « On the early history of infinitesimals in England », *The London, Edinburgh, and Dublin Philosophical Magazine*, t. IV, 4ᵗʰ series, Londres, 1852, p. 321-330.

– *A Budget of Paradoxes*, 2 vol., Chicago-Londres, Open Court Publishing Company, 1915, 2ᵉ éd.

MORLEY J., *Diderot and the Encyclopaedists*, 2 vol., Londres, MacMillan, 1886, 2ᵉ éd.

POMMIER J., « Autour de la *Lettre sur les sourds et muets* », *Revue d'histoire littéraire de la France*, 1951, p. 261-272.

POULIQUEN Y., « L'opération de la cataracte au XVIIIᵉ siècle », *Voir*, n° 19, 1999, p. 78-87.

PROUST J., éd., *Perception et intermodalité : approches actuelles de la question de Molyneux*, Paris, PUF, 1997.

Recherches sur Diderot et l'« Encyclopédie », XVIII, avril 2000, numéro spécial sur la *Lettre sur les aveugles*.

RÉE J., *I see a voice, Language, Deafness and the Senses – a Philosophical History*, Londres, Harper Collins, 1999.

Revue de métaphysique et de morale, 1, 1999, numéro spécial sur « Condillac et l'*Essai sur l'origine des connaissances humaines* ».

RICKEN U., *Linguistics, Anthropology and Philosophy in the French Enlightenment : Language, Theory and Ideology*, trad. de l'allemand par Robert E. Norton, Londres-New York, Routledge, 1994.

ROGER J., *Les Sciences de la vie dans la pensée française du XVIIIᵉ siècle*, Paris, Armand Colin, 1963.

– « Diderot et Buffon en 1749 », *Diderot Studies*, IV, 1962, Genève, Droz, p. 221- 236.

– *Buffon : un philosophe au jardin du Roi*, Fayard, Paris, 1989.

ROY M.L., *Die Poetik Denis Diderots*, Munich, Wilhelm Fink, Freiburger Schriften zur romanischen Philologie, t. VIII, 1966.

SCHIER D., *Louis Bertrand Castel, Anti-Newtonian Scientist*, Cedar Rapids, Iowa, The Torch Press, 1941.

SCHLØSLER J., « "Le sourd et muet de Chartres". Un épisode sensualiste oublié au cœur de la lutte philosophique du

XVIIIe siècle », *Actes du XIIIe congrès des romanistes scandinaves*, éd. O. Merisalo et T. Natri, 2 vol., Jyväskylä (publications de l'Institut des langues romanes et classiques, 12), 1997, p. 621-634.

STRUGNELL A., « La candidature de Diderot à la Société royale de Londres », *Recherches sur Diderot et l'« Encyclopédie »*, t. IV, 1989, p. 37-41.

THOMAS D.J. et SMITH J.M., « Joseph Raphson, F.R.S. », *Notes and Records of the Royal Society*, t. XLIV, 1990, p. 151-167.

VENTURI F., *La Jeunesse de Diderot (1713-1753)*, Paris, 1939.

VERCRUYSSE J., « Recherches bibliographiques sur les premières éditions des *Œuvres complètes* de Diderot, 1772-1773 », *Essays on Diderot and the Enlightenment in honor of Otis Fellows*, éd. John Pappas, Genève, Droz, 1974, p. 363-385.

WILSON A.-M., *Diderot, sa vie et son œuvre*, Paris, Robert Laffont, Bouquins, 1985.

WITTGENSTEIN L., *Letters to Russell, Keynes and Moore*, éd. G.H. von Wright, Ithaca, Cornell University Press, 1974.

Ce travail est dédié à

Anne-Marie Chouillet
A. Rupert Hall
Lesley Hanks
Roger Lewinter
Paul-Hugo Meyer
Robert Niklaus

et à la mémoire de

Yvon Belaval
Jacques Chouillet
Ralph Leigh
Jacques Roger
Georges Roth
Franco Venturi
Paul Vernière
Arthur M. Wilson

Au cours de notre travail, nous avons découvert, un peu contre notre attente, qu'il reste bien des questions à élucider dans ces *Lettres*. En pensant aux dissertations de licence et aux mémoires de maîtrise futurs, nous avons essayé d'en indiquer quelques-unes dans les notes. Contrairement aux sciences mathématiques, où les opérations quotidiennes, lemmes, méthodes et théorèmes conservent la mémoire des prédécesseurs en les insérant dans les études en cours, les sciences humaines traitent souvent le savoir comme fruit d'un travail isolé plutôt que comme production d'une communauté à travers ses traditions et institutions. Le nom de Raphson, obscur pour les littéraires qui le rencontrent dans la *Lettre sur les aveugles*, ne l'est nullement pour des générations d'étudiants en mathématiques qui le rencontrent dans la méthode « Newton-Raphson ». Nous avons voulu échapper à cette amnésie en dédiant ce travail à nos prédécesseurs, sans qui il n'aurait pas été possible.

REMERCIEMENTS

Françoise Balibar, université de Paris VII ; Sophie Berlin, Flammarion ; Marie Caffari, Lausanne ; The Master and Fellows, Christ's College, Cambridge, et Michelle Courtney, Assistant Librarian ; John Easterling, Trinity College, Cambridge ; Michael Fuller, University Library, Cambridge ; A. Rupert Hall, Tackley, Oxfordshire ; Alain Grosrichard et Michel Jeanneret, université de Genève ; François Lecercle, université de Paris IV ; Claire Loftus, Queen Mary, University of London ; Max Milner, Paris ; Geraldine Sheridan, University of Limerick ; The Principal, Chris To, Nicole Vérat-Pant et Margaret Whitford, Queen Mary, University of London ; Charles-Ferdinand Wirz, Institut et musée Voltaire, Genève.

TABLE

DERNIÈRES PARUTIONS

GF-CORPUS

GF - DOSSIER

GF Flammarion

00/11/83359-XI-2000 – Impr. MAURY Eurolivres, 45300 Manchecourt.
N° d'édition FG108101. – Novembre 2000. – Printed in France.